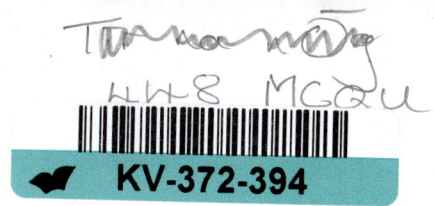

Bon Travail ! 2

Junior Certificate French

Geraldine McQuillan, Marie Stafford, Carmel Timmins

Special Advisor: Breege McNally

The Educational Company of Ireland

First published 2008 by

The Educational Company of Ireland

Ballymount Road

Walkinstown

Dublin 12

www.edco.ie

A member of the Smurfit Kappa Group

© Geraldine McQuillan, Marie Stafford, Carmel Timmins, Breege McNally

The paper used in this book comes from Managed Forests in Northern Europe For every tree felled, at least one new tree is planted

EIQA

QUALITY CERTIFIED

Design and Layout: DTP Workshop

Cover Design: Identikit

Illustrations: Brian Fitzgerald

Proofreaders: Céline Clavel, Isabelle Lemée

Cover Photo: Getty Images

Photos: Alamy, Corbis, Frank Fahy, Getty Images, Geraldine McQuillan, Shutterstock

Teacher's CDs and script available from The Educational Company of Ireland

Speakers: Nicola Audibert, Marjorie Boukersi, Célia Cougourdant, Ludovic Degraeve, Antoine Delaby, William Gakusi, Marylène Hayes, Axel la Manche, Emma Lannon, Diane Mechani

Recorded at Trend Studios, Dublin

This book is dedicated to the memory of a dearly-loved student Matthew Ward.

The authors would like to thank all those who have encouraged and supported them while writing this book. In particular, « merci » to Terry and Barbara who provided us with so many newspapers, magazines and local information. A special thank you to our editor Aileen O'Reilly for all her hard work and to all at Edco for their assistance and advice in the production and marketing of this new edition of Bon Travail 2.

Printed in the Republic of Ireland by ColourBooks Ltd

0 1 2 3 4 5 6 7 8 9

Bonjour !

Bon Travail ! 2 is the second part in an updated two-part series which covers the Department of Education and Science's curriculum for Junior Certificate French.

The main objectives of **Bon Travail 2** are:

- to help you further increase your knowledge of the **French language**;
- to learn more about daily life in France;
- to make your study of French **enjoyable**;
- to ensure that you are **well prepared** for the Junior Certificate examination.

There are 12 **Unités** in this book. In each of these units, you will

- **learn vocabulary** about the topic in the **Unité**;
- **learn** the necessary **grammar** rules;
- **hear** how words are **pronounced**;
- **speak** to your classmates and teacher and **write exercises** to practise what you have learned;
- **complete** an **Épreuve testing section** where you can test what you have learned in the Unit.

There is also a **Lexique** of words which you you have seen and **websites** listed which will provide further information about the **Unité**.

Unit 12 is a unique **Exam Practice Section** focussing on each element of the Junior Certificate Examination, both Ordinary and Higher level. It also includes a dictionary of phrases and sentences to help you with the Written Expression section of the paper.

So, we wish you '**Bonne Chance**' and

Bon Travail !

Table de Matières

La Mer du Nord

La Manche

Calais

Boulogne

Lille

Cherbourg

Le Havre

Rouen

Caen

Paris

Euro Disney

Strasbourg

Alsace

Normandie

Rennes

Bretagne

Nantes

Tours

Loire

Bourgogne

Dijon

L'Océan Atlantique

Futuroscope

Clermont-Ferrand

Lyon

Les Alpes

Bordeaux

Auvergne

Grenoble

Provence

Avignon

Biarritz

Toulouse

Marseille

Nice

Monaco

Cannes

La Côte d'Azur

Les Pyrénées

La Mer Méditerranée

La Corse

Unité 1

Les vacances

Civilisation

Because France is a large country with many different types of scenery and climate, French people can go to lots of different holiday locations, without having to leave their own country. They can go to the mountains, the sea, a small country village or stay beside a lake or a river. They can go in summertime for sunshine or in the winter for winter sports holidays. If they do decide to go to another European country, such as Spain or Italy, they don't even need to take a plane or a boat! You may be familiar with many of the well-known resorts in France.

La Bretagne (Britanny) in the North-West is known to many Irish families. It has lovely beaches and its crêperies are famous for Breton pancakes. Many Irish towns have a twin town in Brittany, because of their common love of music, dancing and traditions.

La Bretagne

Les Alpes

A lot of people head for *les Alpes* in the east and southeast. Here they enjoy mountain climbing and hiking in the summer. In the winter, they spend time at the numerous ski resorts.

With its many beaches, the Atlantic coast (*la Côte Atlantique*) is another favourite destination.

La Rochelle

If you are looking for guaranteed sunshine, you can choose a holiday in the south of France on the Mediterranean coast. This is called *la Côte d'Azur*, and here you will find well-known resorts such as St Tropez, Fréjus, Cannes, Antibes and Nice.

Monte Carlo

In central France, the **Dordogne** area is very popular with Irish tourists. Holidays here include outdoor pursuits such as canoeing and fishing. There are lots of prehistoric caves to be visited and you can see how our ancestors lived many thousands of years ago.

You can find information about France on the Internet or you can write to the Tourist Office – on the envelope, simply write "**Office de Tourisme**" and then the name of the town – or look at holiday brochures or books in the library.

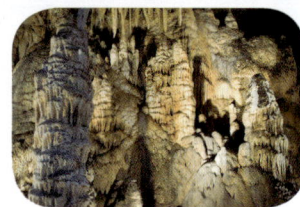

Proumeyssac Cave, Dordogne

Activité 1

Can you find the names of these popular resorts in France?

(a) naVnes (Bretagne) **(b)** jusFér (Var) **(c)** Slarta (Dordogne)

_____ _____ _____

(d) gèlAres (Roussillon) **(e)** racCasosnen (Pyrénées) **(f)** aLRecholle (Côte Atlantique)

_____ _____ _____

À l'étranger – Les pays

L'Allemagne   L'Espagne   La France   La Suisse   La Belgique   L'Italie

L'Angleterre   Le Portugal   Le Canada   Les États-Unis L'Irlande   Les Pays-Bas

Exercice 1

Quel pays ? Can you name in French the country for each symbol?

(a) _____ **(b)** _____ **(c)** _____ **(d)** _____

(e) _____ **(f)** _____ **(g)** _____ **(h)** _____

Les nationalités

Elle est anglaise.

Ils sont hollandais.

Il est belge.

Il est français.

Il est allemand.

Elle est suisse.

Il est portugais.

Elle est italienne.

Elle est espagnole.

Exercice 2

Complétez les phrases suivantes avec l'adjectif qui convient.

1. Rosa habite en Espagne – elle est _____.
2. Karl habite en Allemagne – il est _____.
3. Paola habite en Italie – elle est _____.
4. Gérard habite en Belgique – il est _____.
5. Beth habite en Angleterre – elle est _____.
6. Thierry habite en France – il est _____.
7. Suzanne habite en Suisse – elle est _____.
8. Henrik habite aux Pays-Bas – il est _____.

Saying you are in a country

en + name of country when the country name in French is feminine singular, as most of them are.

Exemples : **en** France, **en** Allemagne, **en** Espagne, **en** Irlande, **en** Suisse

au + name of country when the country name in French is masculine singular.

Exemples : **au** Canada, **au** Portugal, **au** Japon

aux + name of country when the country name in French is plural.

Exemples : **aux** États-Unis, **aux** Pays-Bas , **aux** Antilles

Je suis ici **en** France pour une semaine.

Je suis ici **au** Portugal pour quinze jours.

Je suis **aux** États-Unis pour deux semaines.

Saying you are in a town or city

à + town/city name

Je suis ici **à** Paris !

Je suis ici **à** Londres !

Je suis ici **à** New York !

Je suis ici **à** Dublin !

Je suis ici **à** Rome !

Exercice 1

Imagine that you are in these countries on holiday. Write down the opening sentence you would put on a postcard telling someone where you are and fill in the gaps below.

Je suis à Paris !

Je suis __ New York !

Je _____ __ Rome !

Me voici __ Londres !

Me _____ __ Dublin !

1.1 Écoutons maintenant !

Remplissez les blancs.

Fill in the gaps with *en* or *à* / *au* / *aux*, then listen to the CD to see if you have used the correct word.

1. Je suis _____ Toulouse avec mes parents.
2. Nous allons _____ Galway.
3. La Floride est _____ États-Unis.
4. Londres est _____ Angleterre.
5. Madrid se trouve _____ Espagne.
6. Mon correspondant habite _____ Canada.
7. Les Simpson habitent _____ Springfield.
8. Le Louvre est _____ Paris.

Exercice 1

Faites des phrases !

Using one item from each umbrella, make sentences saying where people are.

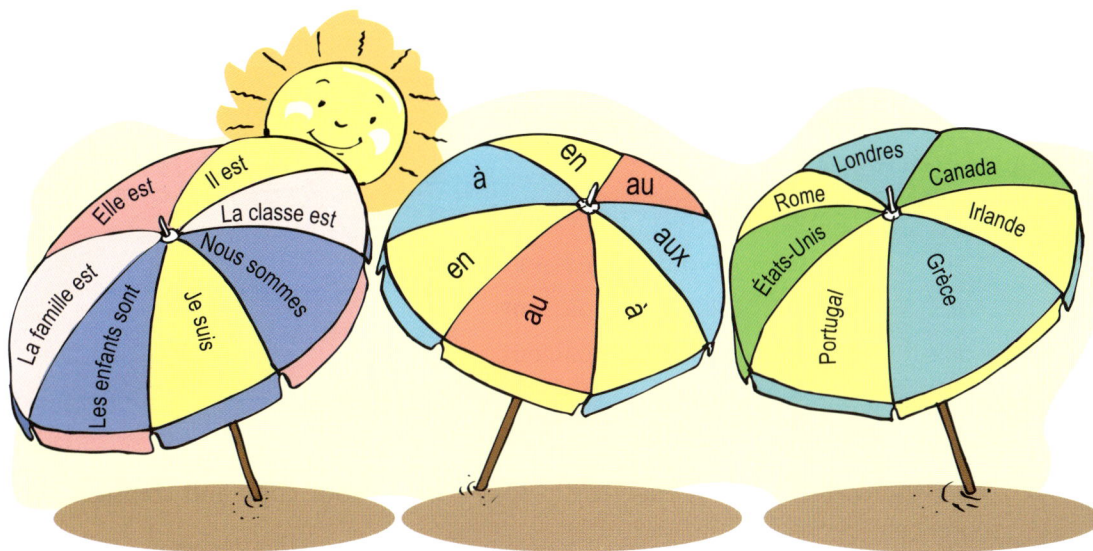

Rappel ! Revise the present tense of **être** (to be), page 14.

Révision du présent

The present, *le présent*, is used to say what is happening now.
The following verbs are all useful when you are talking or writing about your holidays. Check your dictionary to make sure you know the meaning of each of them.

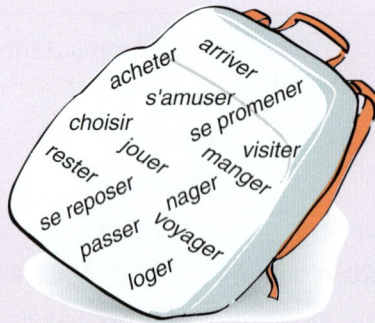

acheter   arriver
s'amuser
choisir   se promener
rester   jouer   visiter
se reposer   manger
nager
passer   voyager
loger

Rappel ! There are three groups of regular verbs in French.

Group 1: -**er** verbs

Par cœur ❤ **e / es / e / ons / ez / ent**

Exemple : **passer** = to spend time

1.2 Écoutons maintenant !

This is *le présent* of the verb **passer**.
Listen to how it sounds.

je	pass**e**	nous	pass**ons**
tu	pass**es**	vous	pass**ez**
il	pass**e**	ils	pass**ent**
elle	pass**e**	elles	pass**ent**

Rappel ! La forme négatif: Je **ne** passe **pas**.

Exercice 1

Write the correct form of the verb in *le présent* in your copy and translate the following sentences.

1. Ma famille et moi (passer) une semaine à Arles.
2. Ma sœur (aimer) la nourriture en France.
3. Mon père et ma mère (jouer) au golf en vacances.
4. Je (parler) beaucoup français.
5. Est-ce que tu (visiter) la ville chaque jour ?
6. Nous (louer) une caravane à Fréjus.

Group 2 : **-ir** verbs

Par cœur ❤ **is** / **is** / **it** / **issons** / **issez** / **issent**

Exemple : **choisir** = to choose/to pick

1.3 🔊 # Écoutons maintenant !

This is *le présent* of the verb **choisir** (to choose). Listen to how it sounds.

je	chois**is**	nous	chois**issons**
tu	chois**is**	vous	chois**issez**
il	chois**it**	ils	chois**issent**
elle	chois**it**	elles	chois**issent**

> Rappel ! La forme négatif : Je **ne** choisis **pas**.

Exercice 2

Write the correct form of the verb in *le présent* in your copy and translate the following sentences.

1. Je (choisir) un cadeau de Montpellier pour ma tante.
2. La chasse au trésor (finir) à quatre heures chaque jour.
3. Nous (frémir) de froid dans la neige.
4. Les gens (nourrir) les oiseaux tous les jours.
5. Est-ce que vous (finir) vos courses aujourd'hui ?
6. Le conseil municipal (bâtir) une nouvelle piscine pour la ville.

Group 3: **-re** verbs

Par cœur ❤ **s** / **s** / **-** / **ons** / **ez** / **ent**

Exemple : **descendre** = to go down/to get off (a bus/train)

1.4 🔊 # Écoutons maintenant !

This is *le présent* of the verb **descendre** (to come/go down). Listen to how it sounds.

> Rappel ! Le négatif : Je **ne** descends **pas**.

je	descend**s**	nous	descend**ons**
tu	descend**s**	vous	descend**ez**
il	descend	ils	descend**ent**
elle	descend	elles	descend**ent**

Exercice 3

Write the correct form of the verb in *le présent* in your copy and translate the following sentences.

1. Le patron (rendre) la caution à Ben.
2. Nous (attendre) la navette à l'aéroport.
3. Est-ce que tu (vendre) ton appartement à Toulouse ?
4. Les Irlandais (battre) toujours les Français au foot dans notre camping.
5. Est-ce que vous (défendre) à vos enfants de rester au soleil entre midi et trois heures ?
6. Je (descendre) du train à Sarlat.

Les verbes pronominaux – reflexive verbs

Par cœur ❤ Don't forget you need to use two pronouns for reflexive verbs – **me / te / se / nous / vous / se**

Exemple : **s'amuser** = to enjoy oneself

1.5

Écoutons maintenant !

This is *le présent* of the verb **s'amuser** (to enjoy oneself). Listen to how it sounds.

je	**m'**	amuse	nous	**nous**	amus**ons**
tu	**t'**	amus**es**	vous	**vous**	amus**ez**
il	**s'**	amuse	ils	**s'**	amus**ent**
elle	**s'**	amuse	elles	**s'**	amus**ent**

Rappel ! La forme négatif: Je **ne** m'amuse **pas**.

Exercice 4

Write the correct form of the verb in *le présent* in your copy and translate the following sentences.

1. Nous (se renseigner) sur les Alpes à l'office du tourisme.
2. Mes parents (se coucher) tard quand ils sont en vacances.
3. Je (se lever) tard quand je suis en vacances.
4. Mon frère (se reposer) à la plage.
5. Est-ce que vous (se promener) à la plage ?
6. Tu (s'amuser) bien en vacances ?

GRAMMAIRE

Verbs which make some changes in their spelling in *le présent*.

There are a small number of verbs which have unusual spelling changes.

(a) You may remember the verb *préférer*, which you learned in Bon Travail 1 (Unité 9). Verbs like **préférer** take an accent grave on the second syllable of the three persons singular and the third person plural.

> Exemple : **espérer** (to hope)
>
> | j' | esp**è**re | nous | espérons |
> |------|-------------|-------|-----------|
> | tu | esp**è**res | vous | espérez |
> | il | esp**è**re | ils | esp**è**rent |
> | elle | esp**è**re | elles | esp**è**rent |

The verbs **acheter** (to buy), **mener** (to lead) and **se promener** (to go for a walk) also take this extra **accent grave** on the second syllable.

Exercice 5

Write the correct form of the verb in *le présent* in your copy and translate the following sentences.

Rappel ! La forme négatif: ne/n'… pas

1. J' (espérer) aller au musée demain.
2. Nous (se promener) dans les montagnes tous les soirs.
3. Est-ce que tu (acheter) des cadeaux au centre commercial ?
4. Nous (espérer) prendre le téléférique au sommet de la montagne.
5. Elle (acheter) beaucoup de cadeaux en vacances.
6. Cette rue (mener) à l'église.

(b) There is another group of verbs which you haven't learned before which make a spelling change in *le présent*. Look at the following verb, **loger** = to stay/lodge.

je	loge	nous	log**e**ons
tu	loges	vous	logez
il	loge	ils	logent
elle	loge	elles	logent

Did you notice the **nous** form of the verb has **-eons** as its ending instead of **-ons**? There is an extra **e** on the **nous** form of the verb. This is to make the **g** sound soft (as in géo) rather than hard (as in golf).

manger (to eat), **voyager** (to travel), **nager** (to swim), **partager** (to share) and **ranger** (to tidy) are similar to **loger**.

Exercice 6

Can you write in your copy a sentence for each picture below? Use the **nous** form of the verb in *le présent*.

Exemple : (a) Nous logeons dans une caravane.

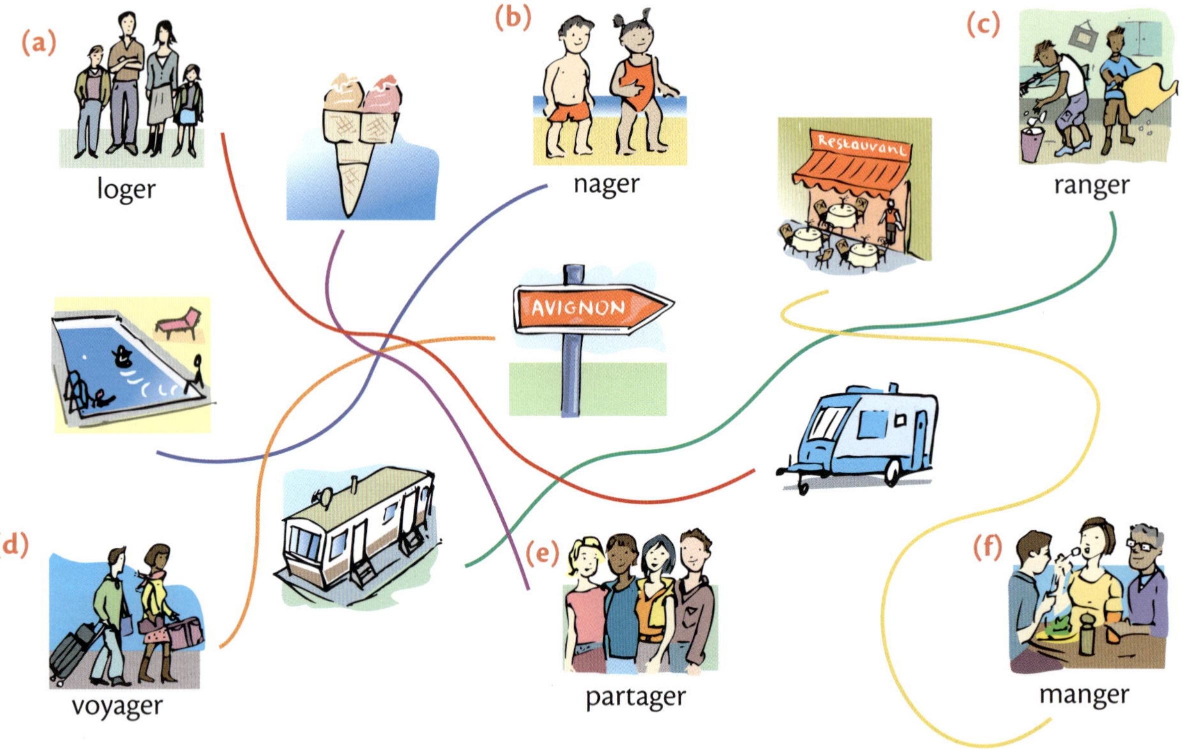

(a) loger

(b) nager

(c) ranger

(d) voyager

(e) partager

(f) manger

Les verbes irréguliers

aller (*to go*)	avoir (*to have*)	être (*to be*)	faire (*to do/make*)
je **vais**	j'**ai**	je **suis**	je fai**s**
tu **vas**	tu **as**	tu **es**	tu fai**s**
il / elle **va**	il / elle **a**	il / elle **est**	il / elle fai**t**
nous all**ons**	nous av**ons**	nous **sommes**	nous fai**sons**
vous all**ez**	vous av**ez**	vous **êtes**	vous fai**tes**
ils / elles **vont**	ils / elles **ont**	ils / elles **sont**	ils / elles f**ont**

prendre (*to take*)	sortir (*to go out*)	voir (*to see*)	
je prend**s**	je sor**s**	je voi**s**	
tu prend**s**	tu sor**s**	tu voi**s**	
il / elle prend	il / elle sor**t**	il / elle voi**t**	
nous pren**ons**	nous sort**ons**	nous vo**yons**	
vous pren**ez**	vous sort**ez**	vous vo**yez**	
ils / elles pren**nent**	ils / elles sort**ent**	ils / elles voi**ent**	

Exercice 1

Remplissez les blancs.

1. Je _____ le train à Wexford. (prendre)
2. Nous _____ à Paris à 7 heures. (aller)
3. Je _____ une promenade sur la plage tous les jours. (faire)
4. Nous _____ un repas dans un bon restaurant chaque soir. (avoir)
5. Je _____ ma valise maintenant, maman. (faire)
6. Nous _____ au spectacle au camping vendredi. (sortir)
7. Nous _____ à Disneyland Paris demain. (aller)
8. Je _____ chez mon oncle pour les vacances. (être)
9. Elle _____ 19 ans. (avoir)
10. Mes parents _____ leurs amis de temps en temps. (voir)

Exercice 2

Les ballons de plage

Here are a selection of the verbs you have just revised.

Make sentences using one item from each beach ball. (You can use words from the first ball more than once)

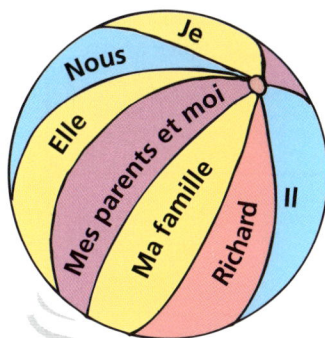

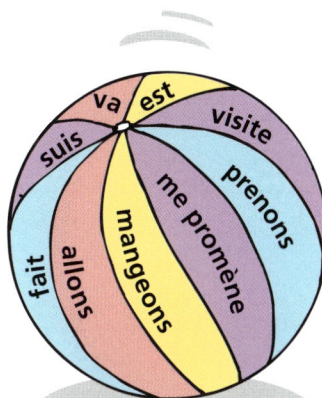

Civilisation

French people like to get away from the big cities during the summer holidays (**les grandes vacances**). Nowadays most workers in France have 30 days paid holidays. Many families have a holiday home (**une résidence secondaire**), or they may rent a holiday apartment or a gîte. A **gîte** is a holiday home, usually in a small town or in the countryside. A very popular form of holiday in France is camping (**faire du camping**) and campsites in France are dotted all around the countryside.

There are more than 8,000 registered campsites. They are of a very high standard and as well as basic facilities such as running water (**l'eau potable**), toilets/washrooms (**le bloc sanitaire**), electricity (**l'électricité**) and gas (**le gaz**) connection, they may have a swimming pool, games room, playground and a range of activities for all family members. Many young people like to stay in Youth Hostels (**les auberges de jeunesse**). The Youth Hostel Association in France is called **La Fédération Unie des Auberges de Jeunesse**.

Nowadays people may stay in a **chambre d'hôte** – literally the host's house. This is like our bed and breakfast accommodation. It is a good way to meet French families, as you usually eat with the family each morning.

Lisons maintenant !

Chambre d'hôte la Basse Rivière, à droite à la sortie du parking, 5 km, pêche / canoë-kayak / voile.

Read this advertisement for a Chambre d'hôte and answer the following questions.

1. What does the name of this Chambre d'hôte tell you about its location?

2. How do you get to it?

3. Name **two** activities available to guests.

Hébergement

 un gîte   un appartement    un camping-car

 un hôtel    une auberge de jeunesse    un mobil-home

 une tente   une chambre d'hôte    une caravane

GRAMMAIRE

1.6 ## Écoutons maintenant !

You will hear six people saying where they spend their holidays in France.

Match the person with the type of accommodation.

1   2   3   4   5   6

Christophe   Sophie   Luc   Océane   Khalid   Léa

a   b   c   d   e   f

1 =	2 =	3 =	4 =	5 =	6 =

Vous allez où ?

Je suis à la montagne !

Je vais …

 au bord de la mer.

 à la montagne.

 au bord de la rivière.

 près d'un lac.

 à la campagne.

Je suis …

 dans un village.

 dans une station balnéaire.

 dans une station de ski.

 dans une grande ville.

 dans la capitale.

1.7 Écoutons maintenant !

Mes vacances préférées

Listen to these people talking about their holidays and fill in the grid below.

Names	Favourite type of holiday	Favourite place	Activities
Nicolas			
Mathilde			
Marc			
Loïc			
Camille			

Parlons maintenant !

Ask your partner about their holidays using the following questions.

Tu vas où en vacances ?   *Je vais en Espagne / à Galway / au Portugal …*

Tu restes où ?   *Je reste dans un hôtel / chez mes grands-parents / dans un appartement …*

Tu pars avec qui ?   *Je pars avec ma famille / avec mes parents / avec la famille de mon ami(e) …*

Qu'est-ce que tu aimes faire en vacances ?   *Je nage / je me repose / je joue au … / je visite … / je sors avec …*

Écrivons maintenant !

Now write a short account of what your partner has told you.

Exemple : Derek va en vacances à St Cyprien, en France.

Il reste dans un appartement avec ses parents et son frère Keith.

Il aime nager dans la piscine, jouer au foot sur la plage et manger au restaurant.

Les Réservations

When booking a holiday in France you may need to telephone the accommodation, send an e-mail or write a letter. Here are some of the phrases you will need to help you.

Je voudrais réserver ...

une chambre à un lit

une chambre à deux lits

une chambre double

une chambre pour une famille

une caravane pour 4 personnes

un emplacement pour une tente

un emplacement pour une caravane et une voiture

Quelles facilités ?

avec douche

avec salle de bains

au rez-de-chaussée

à l'ombre

avec l'électricité / avec le gaz

Pour combien de temps ?

Quand ?

pour une nuit

pour un week-end

pour une semaine

Nous arrivons le 5 juillet / le week-end prochain.

Quelles installations ?

Il y a ...

un restaurant

une alimentation

une laverie

Et pour s'amuser ?

Il y a ...

une piscine

une aire de jeux

des animations

des vélos à louer

1.8 Écoutons maintenant !

Listen to these three people booking their holidays and complete the grid below.

Name	Accommodation needed	Date of arrival	Length of stay
Laurent Gachot			
Céline Appéré			
Julien Quéré			

Parlons maintenant !

You are phoning on behalf of your parents.

How would you ask for the following accommodation in French?

1. I'd like to book a caravan for three people for two weeks. We're arriving on 7th August.
2. I'd like a double room with shower for the weekend. I'm arriving on Friday 9th September.
3. I'd like a site for a caravan with gas and electricity. We are staying for two weeks.
4. I'd like a family room, with bathroom for three days. I'd like to know if there is a swimming pool?
5. I'd like to book two double rooms with a shower on the ground floor for one week. I'd like to know if there is a restaurant in the hotel?

Lettre Formelle (1)

Making a written booking

When booking your holiday in France you may need to write to the place where you hope to stay. Because you do not know this person well, you use a different format from that which you use when writing to a friend.

- Always use the **vous** form when addressing someone you don't know and the **–ez** form of the verb.
- Learn how to set out this type of letter.
- Learn the formal closing sentence for this type of letter.

2.
Camping Moulin de David,
24540 Montpazier - Gageac,
FRANCE

1.
Luke Timmons,
22 Seaview,
Sligo,
IRLANDE

3.
Sligo, le 3 mars 2008

4. Madame, Monsieur (unless you know the person's family name)

5. Body of the letter

6. Veuillez agréer, Madame, Monsieur, l'expression de mes sentiments distingués (this is the French equivalent of "Yours faithfully" !)

7. Signature: *Luke Timmons* (always sign your full name)

GRAMMAIRE

Faire du camping

Argelès in the South of France is a popular holiday destination. It is near the Mediterranean Sea and the Spanish border. You can see the Pyrénées mountains all around. There is a lot to do in the area. As well as French families, a lot of Irish families stay on the campsites in the area or rent holiday apartments.

Très belle région
Pas le temps d'écrire
BEAUCOUP DE
BONS BAISERS
A TOUS

Argeles Plage

Lisons maintenant !

Look at this campsite brochure. The campsite has lots of facilities for its visitors. There is a children's club (*un club de jeunes*), a playground (*une aire de jeux*), slides (*les toboggans*), swings (*les balançoires*), as well as lots of space for playing with friends. There are also activities for teenagers and adults: *le billard*, *le ping-pong*, *le babyfoot*, *la natation*.

Regardez cette brochure de la région et répondez aux questions suivantes.

1. How many tennis courts are there in La Sirène campsite?

2. How much does one hour's horse-riding cost?

3. When are there no aerobic classes?

4. Where do you go in the campsite for information about hiring bicycles?

5. Name the two activities in the Blue Bear Club.

6. What time is archery for children?

INFOS & ACTIVITÉS SPORTIVES

TIR À L'ARC
Mise à disposition du Matériel.
9h00 à 11h00 pour les enfants.
11h00 à 12h30 & 16h00 à 18h00 pour les adultes.
Réservations sur place à partir de 18h00.

MINI GOLF
9h-12h & 15h-20h.
Cannes et balles à disposition

TENNIS
6 courts à La Sirène.
1 court à l'Hippocampe.
Réservation au stand animation.

LOCATION DE VÉLOS
Renseignements au Mini Golf.
De 9h à 12h et 15h à 20h.

AÉROBIC / FITNESS
Tous les matins (sauf le dimanche) de 9h à 10h au Solarium de La Sirène.

BORNE INTERNET
De 7h à 23h tous les jours.
A la réception de La Sirène.

EQUITATION
Inscription sur place.
Tous les jours. (A partir de 12 ans).
9 € : 1h de promenade à cheval / 5 € : 30 mn de poney.

BLUE BEAR CLUB
Kayak de mer et de piscine
Descente V.T.T.
Sorties V.T.T. en montagne au Pic Néoulous (débutants)
V.T.T. Circuit Passion (Confirmés)
Sorties Initiation Kayak de Mer sur la Côte Rocheuse
Kayak de Mer Circuit Passion
INFOS AU CHALET DE LA PISCINE DE LA SIRÈNE

Lisons maintenant !

Here is a message from a campsite team (**l'équipe**) about the children's club.

Exercice 1

1. When does the children's club take place?
2. Name **two** sports available on the campsite.
3. When does the programme start and finish?

Le mot de l'équipe

Toute l'équipe d'animation souhaite que votre séjour à la Sirène soit inoubliable.
Club enfants tous les matins (en haute saison), tournois sportifs (pétanque, volley-ball, badminton, tir à l'arc, football...) dans la journée, excursions dans l'arrière-pays catalan, animations piscine et soirées très animées (spectacles, concerts...) sont au programme d'avril à fin septembre.
En attendant tous ces bons moments à passer ensemble,

Amitiés de toute l'équipe

Dans un camping

Here are some of the facilities you might find on a campsite in France.

Sports et loisirs

la planche à voile

la piscine chauffée

l'aire de jeux

le ping-pong

le tir à l'arc

le tennis

le mini-golf

les terrains de jeux

la pétanque

le terrain multisport

la location de vélos

Prestations

la laverie

le fer à repasser

les douches

le coffre-fort

Gastronomie

le supermarché

les plats à emporter

la boulangerie

la pizzeria

le restaurant

le bar

Animations

les soirées musicales

la discothèque

les spectacles

les soirées dansantes

Exercice 1

Make a brochure for a French campsite, listing some of the facilities you would expect to find under the headings above.

1.9 **Écoutons maintenant !**

Listen to a family describing the activities available on their campsite. Cochez la bonne case. Tick the activities mentioned by each person.

Activité	Sophie	David	Mme. Dugort	M. Dugort
club de jeunes				
discothèque				
mini-golf				
tennis				
natation				
planche à voile				
faire du vélo				
karaoké				
équitation				
pétanque				

Les cartes postales

These Irish students are on holiday in France and are sending a postcard to their **correspondant** / **correspondante**.

Reliez la carte avec le texte :

Carte 1

(a)

Souvenir de *Bretagne*

Camping La Pinède
mardi

Salut !
Je suis ici pour deux semaines avec
ma famille. Je m'amuse beaucoup.
C'est fun! Je nage et je fais de
la voile tous les jours. Demain, je
vais visiter l'aquarium et voir les
poissons et les dauphins.
À bientôt,
    Eoin

Guillaume Loewert
4 rue des Ternes
35580 Goven

Carte 2

(b)

Morlaix

Bonjour à tous,
Je suis ici en vacances pour une
semaine. Nous sommes dans un
petit hôtel. Je fais du surf, je nage,
je me bronze — c'est super !
J'adore les crêpes bretonnes.
Bons baisers à tous,
    Jennifer

La Famille Apperé,
12 rue du Stade
30 000 Nîmes

Carte 3

(c)

Paris

Me voici à Paris. Je suis ici en
vacances chez ma tante. Elle
habite dans un appartement
près de la Tour Eiffel. Je fais du
shopping et je visite les musées.
Mardi, je vais voir Versailles.
J'adore cette ville !

Gros bisous,
    Rachel

Delphine Moisan
4 rue Basse Rivière
66 000 Perpignan

Carte 4

(d)

Val d'Isère,

Chère Émeline,
Nous sommes ici dans les Alpes.
Nous restons dans un chalet
comme sur la carte. Il y a beaucoup
de neige et nous faisons du ski
tous les jours. Je fais des progrès !

Meilleurs voeux,
    Seán et la famille Tolan

Émeline Dolo
3 rue des Anglais
33 000 Bordeaux

Carte 1 =	Carte 2 =	Carte 3 =	Carte 4 =

Exercice 1

• Write down in your copy all the examples from *les cartes postales* of people saying what they **are doing** on holidays.

Did you notice how to say you are going to do something?

You use the verb to go — **aller (je vais)** — followed by another verb left in its dictionary form — **l'infinitif**. You will remember learning this tense, *le futur proche*, in Unité 8, Bon Travail 1.

Exercice 2

Using **le futur proche**, complete the following sentences and say what they mean in English.

1. Je _____ voir le Louvre.
2. Nous _____ rendre visite à nos cousins.
3. Il _____ jouer au volley.
4. Michelle _____ nager dans la piscine.
5. Vous _____ voyager en France cet été ?
6. Paul et Julie _____ faire du camping en Normandie.

La carte postale

Greetings
Salut !
Un grand bonjour de …
Bonjour à tous
Cher / Chère…

Saying where you are / for how long / with whom
Me voici / Nous voici en / au / aux / à …
Me / nous voici à …
Je suis / nous sommes ici en vacances / en voyage scolaire / en échange
pour une / deux semaine(s) / quinze jours / un mois
avec ma famille / mes parents /
mon ami et sa famille / ma classe et mon prof de français

Saying where you are staying
Je loge / nous logeons
Je suis / nous sommes
Je reste / nous restons
  dans un camping / un mobile-home
  dans un appartement
  dans un gîte
  dans un hôtel
  chez Christophe / dans une famille / chez
  mes grands-parents

Saying what the weather is like
Beaucoup de soleil ! Il fait chaud
Beaucoup de pluie ! Il fait mauvais
Il fait beau — le soleil brille tous les jours !
Il fait mauvais — il pleut tous les jours !
Il fait froid — 5° !

Réactions
C'est une belle région / une belle ville.
C'est joli !
C'est super !
C'est fun !
C'est chouette !
C'est extra !
C'est incroyable !
C'est ennuyeux !

Saying what you are going to do tomorrow
Demain, je vais + infinitif
Demain, nous allons + infinitif
Je vais visiter le zoo.
Je vais faire de la voile.
Je vais faire du surf.
Nous allons faire du vélo.
Nous allons acheter des cadeaux.

Remember – le présent of **aller** + **l'infinitif**

Saying what you are doing
Je m'amuse bien.
Je nage.
Je fais de la voile.
Je fais du surf.
Je m'amuse.
Je me promène.
Je joue.
Nous nageons.
Nous faisons de la voile.
Nous faisons du surf.
Nous nous amusons.
Nous nous promenons.
Nous jouons.

Saying what you did
Hier, j'ai visité Paris.
J'ai nagé dans la piscine.
J'ai acheté un cadeau.
J'ai joué au tennis.
Je suis allé(e) en discothèque.
J'ai loué un vélo.
J'ai mangé dans un bon restaurant.
J'ai rencontré une fille / un garçon de Cork.
Je suis sorti(e) avec mon copain / ma copine.

Signing off
À bientôt
Meilleurs vœux
Bons baisers à tous
Gros bisous
Amitiés

Écrivons maintenant !

Junior Cert. Practice Postcards

1. Ordinary Level

You are on holiday somewhere in Ireland. Write a postcard in French to your French penpal. In it say:

- where you are
- how you like it
- some things you are doing there
- that you are enjoying yourself.

2. Ordinary Level

You are on holiday in the mountains with your family. Write a postcard in French to a French friend. In it give details about the following:

- where you are
- that you are enjoying yourself
- what you do in the evening
- something you are going to do.

3. Higher Level

You are in Paris with your French class and teacher on a school tour. Write a postcard in French to a French penpal in another part of France and say:

- where you are and who you are with
- where you are staying and for how long
- that you are enjoying the holiday because the weather is good.

Coin dictionnaire

Some French words are deceptive — because they look like English words, we think that they have the same meaning in French. They are often called **faux amis** or false friends.

For example, the French word **location** means *for hire* — it has nothing to do with the word *location* in English. Here are some more examples of faux amis:

The French word **pub** (short for **publicité**) does not mean a *pub* in English; it means *advertisement*.

The French word **pain** does not mean *pain* in English; it means *bread*.

The French word **pile** does not mean *pile* in English; it means *battery*.

The French word **car** does not mean *car* in English; it means *coach*.

The French word **sensible** does not mean *sensible* in English; it means *sensitive*.

Faites attention !

La colonie de vacances

Many children in France attend summer camp: *la colonie de vacances*. The *colonie* usually lasts for two weeks during summer holidays and children stay at *la colonie* for this time, either camping or sleeping in dormitories. The days are filled with many organised activities, with the children being looked after by *moniteurs* / *monitrices*. Activities are organised by *animateurs* / *animatrices*. These moniteurs and animateurs are usually third-level students with a special interest in sport and outdoor activities. You can look at this website to find out more about summer camps — *www.lescolos.com*

j'adore la colo !

Here is an example of a typical day in a *colonie de vacances* for 7- to12-year-olds.

Read the text and answer the following questions:

1. Name one thing that happens between 9 and 9.30 each morning?

2. When is lunch?

3. At what time do the children have a rest?

4. What has to be done between 8 and 8.30 in the evening?

Journée Type

8h00	Réveil
8h30-9h00	Petit-déjeuner
9h00-9h30	Services (nettoyage de la maison, vaisselle)
9h30-12h30	Activités du matin
12h30-13h30	Déjeuner
13h30-14h00	Vaisselle
14h00-14h45	Sieste
14h45-15h00	Goûter
15h00-18h00	Activités de l'après-midi
18h00-19h00	Douche / Activités libres
19h00-20h00	Dîner
20h00-20h30	Vaisselle
20h30-22h00	Activités de la soirée

1.10 ## Écoutons maintenant !

Listen to this radio announcement for *Colonie de Vacances Vizage* and answer the questions that follow:

1. Complete the dates of this year's event – Monday _____ July to _____ 7th _____.

2. What type of accommodation is available? _____

3. How do you get there? _____

4. Which of the following outdoor activities is mentioned (a) diving (b) sailing (c) windsurfing? ☐

5. Which of these indoor activities is **not** mentioned (a) painting (b) cooking (c) music? ☐

6. Name **one** way you can get further information. _____

Des parcs d'attractions

Beaucoup de gens en vacances adorent aller dans les parcs d'attractions.

Il y a, par exemple, **Disneyland Paris** (Paris), **le Parc Astérix** (Paris), **le Futurscope** (Poitiers), **le Grand Parc du Puy du Fou** (Vendée), **Cobac Parc** (Bretagne), **Préhisto Parc** (Rocamadour).

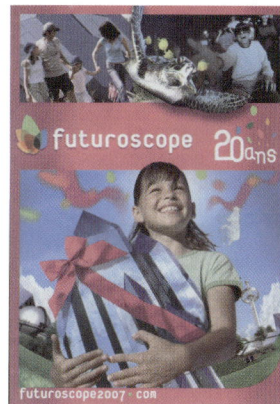

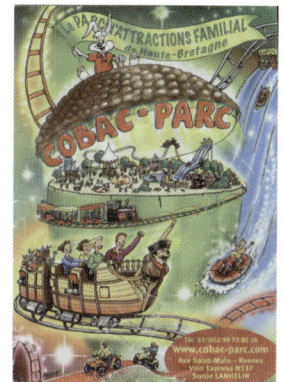

Il y a aussi beaucoup de parcs d'attractions aquatiques comme Aqualand (Argelès), Quercyland (Dordogne) et Océanile (Noirmoutier).

You can find out more about these parks by looking at their websites:
www.aqualand.fr, www.copeyre.com, www.oceanile.com

Les parcs animaliers sont aussi populaires – **Le Safari Parc** – **Port St Pierre** (Noirmoitier), **Parc Aquarium du Périgord Nord** (Dordogne), **La Ferme Exotique** (nr. Bordeaux), **La Chèvrerie du Désert** (Bretagne).

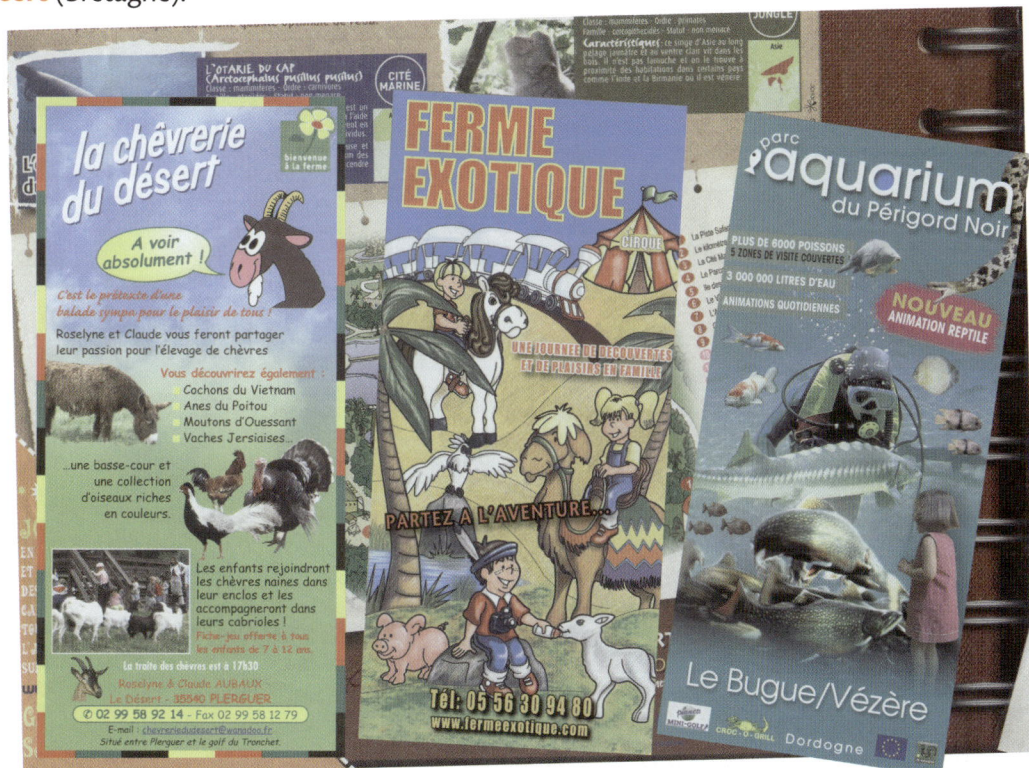

1.11 Écoutons maintenant !

Listen to each person describing which type of parc d'attractions they are going to visit.

 1. Océane
 2. Luc
 3. Léa
 4. Christophe
 5. Khalid
 6. Sophie

(a)
(b)
(c)
(d)
(e)
(f)

1 =		2 =		3 =	
4 =		5 =		6 =	

Lisons maintenant !

Look at this brochure for *La Forêt des Écureuils* and answer the questions.

PARCOURS AVENTURE

à Partir de **2 ans**

La Forêt des Écureuils

23 Tyroliennes
95 ateliers sur 9 parcours
Paint-ball
Sentier découverte Forestière

OUVERT TOUTE L'ANNÉE

Certifié conforme par : CERES

N° jeunesse et sports 248.02.24.ET.0006

P WC CB

Information : 0 689 309 299

5 bonnes raisons pour partir à l'aventure dans la Forêt : sécurité, qualité des installations, diversité des jeux, diversité forestière, respect de l'environnement.

1. For which age group is this forest park suitable?

2. When is it open?

3. Can you name **two** of the good reasons given for visiting this park?

Communication en classe

- *Qui va en France cet été ?*
- *Quel sport est-ce que tu fais en été ?*
- *Où est-ce que tu vas passer tes vacances cet été ?*
- *Je reste toujours en Irlande.*
- *Je vais en vacances en Espagne cet été.*
- *En été, j'adore faire de la voile.*
- *En juin, mon correspondant vient de France.*
- *Nous allons à Bantry en juillet.*
- *Nous faisons toujours du camping.*

Épreuve

Question 1

Put in the missing preposition in these sentences: **en**, **à**, **au**, or **aux**.

1. Je vais en vacances _____ Angleterre.
2. Ma famille loue un appartement _____ St Cyprien.
3. Mon oncle travaille _____ Canada.
4. Nous habitons _____ Mullingar.
5. Mon ami passe un week-end _____ Pays-Bas.
6. Le match de rugby a lieu _____ Écosse.
7. Mes cousins ont une caravane _____ Schull.
8. Mon frère est en vacances _____ États-Unis.

Question 2

NOUVEAU NOUVEAU

UN VILLAGE DE VACANCES
en plein coeur du Périgord Vert

A PARTIR DE JUIN 2008

L'HERMITAGE DES 4 SAISONS

HEBERGEMENT MAISONNETTE 4/6 PERSONNES
CHAMBRES
TOUT CONFORT
DANS UN CADRE NATUREL ET PAISIBLE
SUR 4 Hectares de Verdure et de Forêt
****
PISCINE - BOULODROME - PING-PONG - VOLLEY -
SALLE DE JEUX ENFANTS - RESTAURATION - SALLE DE REUNION

NOMBREUX SENTIERS DE RANDONNEES ET V.T.T.

Situé entre Bourdeilles et Brantôme

1. Where is this holiday village situated?
2. When is this holiday village opening?
3. How many people can be accommodated in each holiday home?
4. Name **two** activities on the site.

Question 3

Put the words in the right order to make sentences using the verb **loger**.

1. elle / hôtel / un / loge / dans
2. nous / mobile-home / un / dans / logeons
3. caravane / tu / une / loges / dans
4. terrain de camping / je / dans / loge / un
5. une / Jean / dans / et / tente / ses / logent / amis

Question 4

Listen to these French people talking about the holidays they have planned this year and complete the grid.

Name	Where	Type of accommodation	Activity
Nadine			
Thomas			
Lucie			
Karim			
Sylvie			

Question 5

You are going on holiday to Camping des Acacias and your parents have asked you to help them write the booking letter. Using the words in the box below, write out the letter in your copy.

O'Brien family,
22 Auburn Drive,
Kilkenny,
_____

Camping les Acacias
Bourg de la Canéda,
24200, Sarlat-la-Canéda,
FRANCE

Kilkenny, le 17 avril

Madame / Monsieur

Nous sommes une _____ de deux adultes et deux _____. Nous voudrions réserver un _____ pour notre _____. Nous avons une _____.

Nous espérons arriver le dix _____ pour deux semaines.

Est-ce qu'il y a une _____, car nous aimons faire de la _____? Nous sommes une famille sportive, il y a des _____ à louer ?

Veuillez agréer, Madame / Monsieur, l'expression de nos _____ distingués.

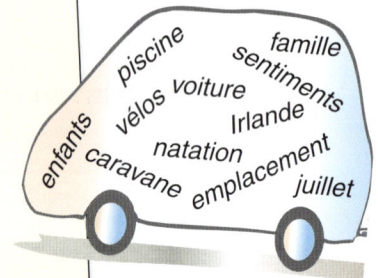

Suzanne O'Brien

piscine famille sentiments vélos voiture Irlande enfants natation caravane emplacement juillet

Question 6

Write in French the following phrases for the beginning of holiday postcards:

1. I am here in Galway with my family for a week.
2. We are here in Berlin for four days.
3. We are here in Spain for two weeks.
4. I am here in London with my parents for the weekend.
5. I am here in Paris with my French class for a week.

Question 7

Use the **futur proche** (aller + infinitif) to write the following sentences.

1. I'm going to visit Paris.
2. We're going to book a family room in a hotel.
3. Jean is going to buy a present for his godmother.
4. Mélodie is going to come to Ireland.
5. Olivier and Michel are going to go to the United States.
6. They are going to stay for two weeks on the campsite.

Question 8

Listen to the announcements in the Colonie de Vacances and number the matching English.

Annonce	Numéro
Tennis tournament, Saturday morning	
Showers only between 6 and 7 in the evening	
Pony trekking on Tuesday morning	
Evening activities: board games this evening	
Meet at swimming pool at 3 o'clock	

Lexique

acheter	*to buy*	**se** coucher	*to go to bed*
accueillir	*to welcome*	courses (f. pl.)	*messages/shopping*
aimer	*to like*	crêperie (f.)	*pancake restaurant*
aire de jeux (f.)	*playground*	dauphin (m.)	*dolphin*
alimentation (f.)	*food-store*	défendre	*to forbid*
Allemagne (f.)	*Germany*	demain	*tomorrow*
allemand(e)	*German*	douche (f.)	*shower*
s'amuser	*to enjoy oneself/to have a good time*	eau (f.)	*water*
Angleterre (f.)	*England*	Écosse (f.)	*Scotland*
anglais(e)	*English*	écureuil (m.)	*squirrel*
animateur / trice	*organiser/entertainer*	emplacement (m.)	*site for tent/caravan*
animations (f. pl.)	*entertainment*	ennuyeux / -se	*boring*
animé(e)	*lively*	ensemble	*together*
arriver	*to arrive*	équipe (f.)	*team*
attendre	*to wait for*	équitation (f.)	*horse-riding*
attractions (f. pl.)	*amusements/rides*	Espagne (f.)	*Spain*
auberge de jeunesse (f.)	*youth hostel*	espagnol(e)	*Spanish*
aujourd'hui	*today*	États-Unis (m. pl.)	*United States*
autour	*around*	été (m.)	*summer*
babyfoot (m.)	*table football*	à l'étranger	*abroad*
balade (f.)	*stroll/walk*	extra	*super*
ballon de plage (m.)	*beachball*	faire sa valise	*to pack*
bâtir	*to build*	fer à repasser (m.)	*iron*
battre	*to beat*	ferme auberge (f.)	*farm guesthouse*
Belgique (f.)	*Belgium*	fleur (f.)	*flower*
bise (f.)	*kiss on cheek*	formidable	*wonderful*
bisou (m.)	*kiss*	fou / folle	*crazy/mad*
briller	*to shine*	France (f.)	*France*
se faire bronzer	*to sunbathe*	frémir	*to shiver*
cadeau (m.)	*gift/present*	gîte (m.)	*holiday home*
camping (m.)	*campsite*	goûter (m.)	*afternoon snack*
Canada (m.)	*Canada*	grandes vacances (f. pl.)	*summer holidays*
caution (f.)	*deposit*	haute saison (f.)	*high season*
chambre d'hôte (f.)	*B+B*	hier	*yesterday*
chasse au trésor (f.)	*treasure hunt*	hiver (m.)	*winter*
chauffé(e)	*heated*	ici	*here*
choisir	*to choose*	inoubliable	*unforgettable*
chouette	*great*	Irlande (f.)	*Ireland*
correspondant(e)	*penpal*	Italie (f.)	*Italy*

jardin (m.)	garden	randonnée (f.)	walk/hike
jeu de société (m.)	board game	**se** rappeler	remember
jouer	to play	rencontrer	to meet
lac (m.)	lake	rendre	to give/give back
laverie (f.)	laundry area	**se** renseigner	to make enquiries
lecture (f.)	reading	**se** reposer	to relax
location (f.)	hire	réserver	to book
loger	to stay in	rester	to stay
Londres	London	réveil (m.)	wake-up time
louer	to hire/rent	rivière (f.)	river
manger	to eat	séjour (m.)	stay/short visit
maquillage (m.)	facepainting/make-up	semaine (f.)	week
mener	to lead	sensible	sensitive
mer (f.)	sea	sieste (f.)	afternoon sleep
moniteur / trice	supervisor	soirée (f.)	evening
montagne (f.)	mountain	sortir	to go out
moule (f.)	mussel	souhaiter	to wish
nager	to swim	spectacle (m.)	show
Noël (m.)	Christmas	station balnéaire (f.)	seaside resort
nourrir	to feed/nourish	station de ski (f.)	ski resort
parler	to talk	Suisse (f.)	Switzerland
partir	to leave	téléférique (m.)	cable car
passer	to spend time	terrain de camping (m.)	campsite
Pays-Bas (m. pl.)	Holland	terrain de sport (m.)	sports pitch
Pays de Galles (m.)	Wales	tir à l'arc (m.)	archery
pays (m.)	country	toboggan (m.)	slide
pension (f.)	guest-house/B+B	Tour Eiffel (f.)	Eiffel Tower
perdre	to lose	tournoi (m.)	tournament
pétanque (f.)	French bowling	Toussaint (f.)	All Saints/Hallowe'en
plats à emporter (m. pl.)	take-away foods	vendre	to sell
Portugal (m.)	Portugal	visiter	to visit
prestations (f. pl.)	services	voir	to see
prix (m.)	price	volet (m.)	shutter
se promener	to go for a walk/drive	voyager	to travel
publicité (f.)	advertisement		

Unité 2

L'échange scolaire

Civilisation

A French school exchange is a great way to improve your French. The teacher arranges a link with a French school and the Irish pupils go to spend time in France. At another date the French pupils come to Ireland to stay with their Irish friends. The pupils have the chance to go to school and to see how the French schoolday is organised; they see that no-one wears a uniform, that everyone has their lunch at midday in the school canteen and that school starts and finishes at different times.

When school is over you go home with your exchange partner and see how they live every day. You eat with the family, spend weekends shopping, visiting family and sightseeing.

When you are on an exchange you are not totally on your own, because your classmates and teachers are also there. There are lots of activities arranged such as orienteering, visits to places of interest, sports days, bowling, swimming, quizzes and excursions.

One of the first things a pupil does, after agreeing to take part in an exchange, is to fill out a form with details about him/herself. This helps the teachers to match up pupils with similar interests.

Here is the type of form that you are required to fill in if you want to go on a school exchange.

Sophie remplit une fiche de renseignements.

FICHE DE RENSEIGNEMENTS

Nom : *Prioul*   **Prénom :** *Sophie*

Né(e): *le vingt-sept octobre 1994*

Adresse : *22 Quai Louis Durand, Lyon*

Tél. maison : *01.64.97.82.51.*   **Tél. portable de l'élève :** *675472932*

Nom et profession des parents :   **Mère :**   *Marie-Laure – professeur*

                                              Père :   *Jean – ingénieur*

Frères et sœurs: *une sœur, Agathe, 10 ans — un frère Hervé, 16 ans*

Passe-temps : *la lecture, la musique, la danse, jouer au foot*

Sport(s) préféré(s) : *le foot, la natation*

Indications médicales : (exemple, l'asthme, allergie aux chats, à la pénicilline…) : *allergie aux noix*

Caractère :	**timide**	**sociable**	**artistique**	**sportif/-ve**	**musical(e)**
	☑	☐	☐	☑	☑

Accepteriez-vous de choisir   ☐ **un garçon**   ☑ **une fille**

                                         ☐ **indifférent**

Avez-vous des animaux familiers ?   *Oui, une perruche*

Signature d'un parent :   *Marie-Laure Prioul*

Signature de l'élève :   *Sophie Prioul*

Exercice 1

Read the form filled out by Sophie and answer the questions below.

1. What is her date of birth?
2. What is her mother's job?
3. Is she the eldest of the family? Give a reason for your answer.
4. What are her hobbies?
5. Name her favourite sports.
6. To what is she allergic?
7. What does she say about her personality?
8. Would she prefer a boy or a girl as her exchange partner?
9. What pet does she have?
10. Apart from Sophie, who has signed the form?

Lisons maintenant !

Voici une lettre de Sophie à sa correspondante, Clodagh. Lisez la lettre et faites l'exercice qui suit.

Une lettre d'introduction

Lyon, le 19 mai 2009

Chère Clodagh,

Mon professeur m'a donné ton adresse. Je suis ta correspondante et je fais partie de l'échange scolaire. Nous arrivons le samedi 3 juin.

Je me présente. Je m'appelle Sophie. J'ai quatorze ans et mon anniversaire est le vingt-sept octobre. J'ai un frère qui s'appelle Hervé, il a seize ans. J'ai une sœur, elle s'appelle Agathe et elle a 10 ans.

Ma mère s'appelle Marie-Laure et mon père s'appelle Jean. Nous habitons un appartement à Lyon au centre-ville.

Je suis très sportive : le foot, c'est ma passion ! Je fais de la danse et je joue du piano. En hiver, toute la famille va à Chamonix dans les Alpes pour faire du ski.

À l'école, ma matière préférée est la géographie. J'aime aussi l'anglais mais je trouve ça assez difficile.

Je sais que tu es sportive comme moi. J'ai hâte de te connaître. Écris-moi bientôt.

Amitiés,

Sophie

Exercice 1

Faites un petit résumé de la lettre de Sophie. Formez des phrases en reliant une phrase de la colonne A à une phrase de la colonne B.

A	B
Elle va arriver	dans sa famille.
Elle a	jouer au foot.
Il y a trois enfants	au centre-ville.
Son anniversaire est	le samedi trois juin.
La famille habite	la géographie.
La famille fait	le vingt-sept octobre.
Elle adore	quatorze ans.
Sa matière préférée est	du ski à Chamonix.

Écrivons maintenant !

Write Clodagh's reply to Sophie's letter, giving similar details about herself and her family.

Lisons maintenant !

Le programme

Les professeurs du collège St Jean envoie une télécopie au Collège de St Patrick, en Irlande.

A l'attention de Madame O'Reilly.		
Programme pour la visite du 14 au 22 avril.		
Mercredi 14 avril :	17h00	Arrivée au collège, réception et rencontre des familles
Jeudi 15 avril :	09h – 12h00	Cours, suivis de déjeuner à la cantine
	14h00 – 16h00	Randonnée bord de la rivière
Vendredi 16 avril :	08h00	Rendez-vous au collège pour excursion à St Malo
	18h00	Retour au collège pour le car de ramassage
Samedi 17/dimanche 18 avril :		En famille
Lundi 19 avril :	09h – 12h00	Cours, suivis de déjeuner à la cantine
	14h00 – 17h00	Visite de la ville de Guichen, réception à la Mairie
Mardi 20 avril :	08h30 – 12h00	Départ pour Rennes, visite guidée en anglais
	14h00 – 17h00	Centre commercial – le shopping !
Mercredi 21 avril :	09h – 12h00	Matinée du sport – ping-pong / tennis / foot / badminton suivie de déjeuner à la cantine
	18h00 – 22h00	Euroquiz, suivi d'une soirée disco et remise des prix
Jeudi 22 avril :	09h00	Rendez-vous au collège et départ pour l'aéroport.

Vrai / Faux

Read the programme and say whether each statement is true or false.

	vrai	faux
1. Les élèves rencontrent leurs familles au collège.		
2. Ils font une randonnée jeudi matin.		
3. Vendredi, ils font une excursion à Rennes.		
4. Lundi, ils prennent le déjeuner à la Mairie.		
5. Mardi, ils font des achats.		
6. Il y a un concert pour eux mercredi soir.		

2.1 **Écoutons maintenant !**

Fill in the chart as you hear Élodie and Adrien giving details about themselves.

Name: Élodie	Name: Adrien
Birthday:	Birthday:
Number of brothers:	Number of sisters:
Two sports played:	Number of brothers:
Favourite school subject:	Favourite school subject:
Mother's job:	Favourite pastime:
	Where his dad works:

Exercice 1

À vous maintenant !

Imagine your school is having a group of French students to visit for one week.

Design a programme of activities for them, such as the one you have read on page 39 and fill in the grid below.

Lundi	
Mardi	
Mercredi	
Jeudi	
Vendredi	
Week-end	

Les préparatifs !

Khalid is getting ready to go on a school exchange to Ireland.
Here are some of the clothes which he will bring with him.

un tee-shirt   *un pull*   *un survêtement*   *un anorak*

un jean

des chaussettes

un pantalon   *une chemise*   *un short*   *des baskets*

2.2 Écoutons maintenant !

Qu'est-ce que Khalid met dans sa valise ?
Numérotez les articles – number the items in the order you hear Khalid mention them.

Et maintenant Sophie fait ses préparatifs. Voici les vêtements qu'elle va prendre.

un haut

un sweat avec capuche

un bikini

des chaussures

des tongs

une jupe

une robe

une casquette

Écrivons maintenant !

Remplissez les noms des vêtements.

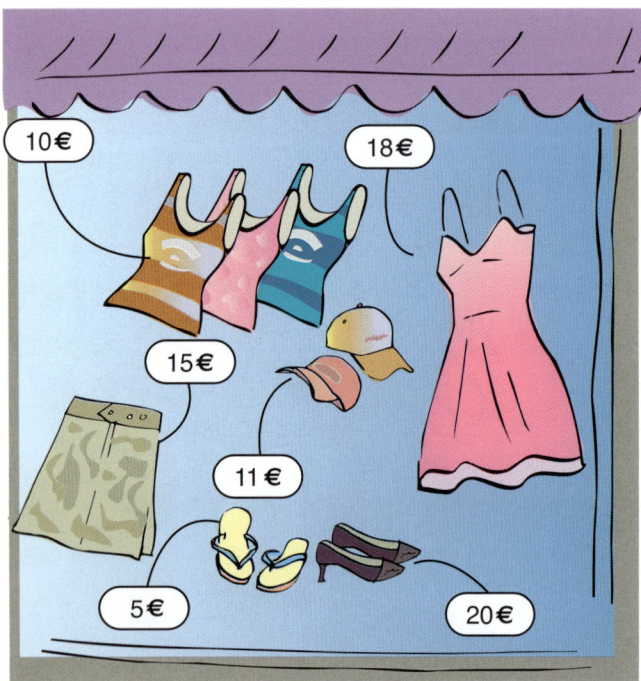

10 €

18 €

15 €

11 €

5 €

20 €

Quel vêtement coûte … ?

(a) 10€_____

(b) 18€_____

(c) 15€_____

(d) 11€_____

(e) 5€_____

(f) 20€_____

GRAMMAIRE

2.3 Écoutons maintenant !

Listen to these special offers and say which item is mentioned. There are six items.

1._____   2._____

3._____   4._____

5._____   6._____

L'arrivée en France

You may feel a little scared when you actually arrive in France and are about to meet your correspondant/correspondante. Don't worry! They are probably feeling the same. Remember the greetings you have learned.

Salut! Ça va ?

Oui, ça va, merci !

Don't forget that French people shake hands when they are introduced, so be prepared to do the same. When you are introduced to your new French friend, you can say '**Salut !**'

However, to their parents, teachers or any older person, you should say '**Bonjour**' or '**Bonsoir**', depending on the time of day.

Les présentations

(a) Je *te* présente… This is the key phrase you need to introduce a young person to someone else:

*Je **te** présente ma mère*

*Je **te** présente mon grand-père.*

(b) However, if you were introducing your friend to an older person or someone you don't know very well, use the phrase "je **vous** présente…"

> Madame Bernard, je **vous** présente mon ami Thomas.

> Monsieur Duclos, je **vous** présente Julie.

(c) **Vous** is also used when introducing a group of friends.

> Luc, Sophie, je **vous** présente mon ami irlandais, Conor !

Parlons maintenant !

Imagine that your correspondante Sylvie has arrived. Take turns with your partner to practise introductions. The first one is done as an example.

1. Introduce Sylvie to your brother, Eoin.
   'Sylvie, je te présente mon frère, Eoin.'
2. Introduce your French teacher, Miss NcNally, to Sylvie.
3. Introduce Sylvie to your friend from next-door, David.
4. Introduce your French neighbour, Madame Leblanc, to Sylvie.
5. Introduce Madame Leblanc's two children, Luc and Danielle to Sylvie.
6. Introduce Sylvie to your aunt Maura.

2.4 Écoutons maintenant !

Ciara has arrived at her correspondante Léa's house and is introduced to the family.

Remplissez les blancs dans la conversation suivante :

Madame Rocher : Bonsoir, Ciara, entre.

Ciara : Merci, Madame Rocher.

Madame Rocher : Alors, je te _____ notre famille. D'abord, mon mari. Michel, je te présente Ciara, la correspondante de Léa.

Ciara : _____, Monsieur Rocher.

Monsieur R : Bonsoir, Ciara. Bienvenue chez _____.

Madame R : Et voici ma fille, Camille, la _____ aînée de Léa.

Camille : Salut, Ciara ! Bienvenue chez nous.

Ciara : Salut, Camille !

Madame R : Devant la télévision, c'est notre _____, Eugénie. Eugénie, dis bonjour à Ciara.

Ciara : Salut.

Madame R : Tu n'es pas polie Eugénie ! Qu'est-ce que tu _____ à la télé ?

Eugénie : Oh Maman ! Sssssssshh… C'est mon émission favorite !

Madame R : Quelle fille ! Excuse-la, Ciara.

Ciara : Bien sûr, Madame Rocher. Quand mon _____ regarde un match à la télé il ne parle pas du tout !

Madame R : Et enfin Ciara, je te présente le _____, Charley. Tu aimes les chats ?

Ciara : Oh oui ! Nous _____ deux petits chats à la maison. J'aime bien les chats …

Coin dictionnaire

A pocket dictionary is very useful when travelling but because it is small, the information it provides is limited. However, even the smallest pocket dictionaries have very handy lists which students don't often notice, such as lists of countries, numbers and verbs. Check out the front or back of your dictionary for these lists. You will find them handy when doing your written homework!

Larger dictionaries found in your school library, such as Collins-Robert and Harrap, provide a lot of useful information apart from word meanings. You may find sections on letter-writing, common abbreviations or proverbs in them.

Tu veux faire quelque chose ?

Your French family will want to make sure you feel at home. Here are some of the suggestions they may make:

They will use one of the following phrases

Tu veux... ?   Do you want to…?

or

*Tu voudrais... ?   Would you like to…?

* this is another tense of the verb *vouloir*.

> **Rappel!** Revise "vouloir", Bon Travail 1, page 327.

 *Tu veux monter dans ta chambre ?*   *Tu voudrais téléphoner chez toi ?*

Tu veux prendre une douche ?   *Tu voudrais regarder la télévision ?*

Tu veux manger quelque chose ?   *Tu voudrais faire une promenade ?*

Tu veux boire quelque chose ?   *Tu voudrais te coucher ?*

What do you notice about the verb that follows '*tu veux*' or '*tu voudrais*'? What form of the verb do you use?

Don't forget that there is a polite form for both of these questions -

Vous voulez... ?

Vous voudriez... ?

Accepting

Oui, merci.

Oui, je veux bien.

Oui, je voudrais bien.

Oui, d'accord.

Oui, ça me plairait beaucoup.

Oui, ce serait extra !

Refusing

Non, merci !

Non, merci, je ne veux pas.

Non, merci, je ne voudrais pas faire ça.

Non, merci, je préférerais…

Parlons maintenant !

Using the phrases given, accept or decline your French friend's suggestion – try to use a different phrase each time!

1. Conor, tu veux monter dans ta chambre ? Oui, _____.
2. Ciara, tu veux téléphoner chez toi ? Oui, _____.
3. Gary, tu voudrais manger quelque chose ? Non, _____.
4. Emmet, tu voudrais voir mon ordinateur ? Oui, _____.
5. Suzanne, tu veux te coucher ? Non, _____.
6. John, tu voudrais jouer au foot dans le jardin ? Oui, _____.

2.5 Écoutons maintenant !

Remplissez la grille. Quelle activité ? Est-ce qu'on est d'accord ou pas ?

	Activity suggested	Agree	Disagree
1.			
2.			
3.			
4.			
5.			
6.			

Coin prononciation : When the letter « e » in French has an accent aigu on it, « é », it is pronounced « ay » as in day – école, échange, déjeuner, céréale. Be particularly careful when the French word looks or is spelled like the English word, such as géographie, préparer, télévision, téléphoner!

Choisissez !

Sometimes you are offered a choice of what to do or you may want to suggest some other alternative. For this you need to use '*Je préfère...*'

Parlons maintenant !

Rappel ! Remember the verb **préférer**, Bon Travail 1, page 263.

Qu'est-ce que tu préfères ? Décide entre les deux suggestions :

1. *Tu préfères un coca ou un citron pressé ?*
   Exemple : *Moi, je préfère un coca.*

2. *Tu préfères une pomme ou une poire ?*

3. *Tu préfères sortir ou rester à la maison ?*

4. *Tu préfères aller en ville ou jouer au foot ?*

5. *Tu préfères regarder la télévision ou lire ?*

6. *Tu préfères jouer aux échecs ou aux cartes ?*

Coin grammaire

When you want to ask for permission to do something, the irregular verb **pouvoir**, (to be able/can) is used. Like other irregular verbs it must be learned by heart.

2.6 Écoutons maintenant !

Listen to how the verb **pouvoir** (*to be able*) sounds.

je	peux	nous	pouvons
tu	peux	vous	pouvez
il	peut	ils	peuvent
elle	peut	elles	peuvent

Exercice 1

Remplissez la grille avec le verbe **pouvoir** (*to be able*) au **présent**.

je	peux	nous	pouvons
tu		vous	
il	peut	ils	peuvent
elle		elles	

Est-ce que je peux... ?

When you are staying with your French family, you may want to ask their permission to do certain things. You will need the phrase '**Est-ce que je peux... ?**' (or '**Puis-je... ?**', if you prefer). They both mean 'May I... ?' This is part of the verb **pouvoir**. Practise saying these phrases:

Rappel ! Le négatif: Je **ne** peux **pas**.

1. *Est-ce que je peux aller dans ma chambre, s'il vous plaît ?*

2. *Puis-je prendre une douche, s'il vous plaît ?*

3. *Est-ce que je peux avoir quelque chose à boire, s'il vous plaît ?*

4. *Est-ce que je peux aller me coucher, s'il vous plaît ?*

5. *Puis-je téléphoner à ma famille, s'il vous plaît ?*

6. *Puis-je regarder la télévision, s'il vous plaît ?*

GRAMMAIRE

Exercice 2

Complete these sentences with the correct form of the verb
pouvoir and translate them into English.

1. Je _____ téléphoner à mes parents une fois par semaine ?

2. Nous _____ faire de la voile ici à Biarritz le week-end.

3. Les Français _____ faire la sieste l'après-midi.

4. Est-ce que tu _____ m'envoyer un texto avec des nouvelles ?

5. Ma correspondante _____ aller à la MJC chaque vendredi.

6. Est-ce que vous _____ me rencontrer mardi ?

2.7

Écoutons maintenant !

Listen to these requests and number them in the order you hear them.

 ☐   ☐   ☐

 ☐   ☐   ☐

À table maintenant !

As well as asking if you may/can do something, you will often need to ask someone whether they can do something for you. The usual **tu / vous** rule applies, when speaking to an adult or speaking to a young person. At the table you need to use:

Pouvez-vous me passer le sel ?

Pouvez-vous me passer..., s'il vous plaît ? — to adults

Peux-tu me passer..., s'il te plaît ? — to young people/family

Pouvez-vous me passer le sel, s'il vous plaît ?

Peux-tu me passer le poivre, s'il te plaît ?

Pouvez-vous me passer le pain, s'il vous plaît ?

Peux-tu me passer la salade, s'il te plaît ?

Peux-tu me passer la viande, s'il te plaît ?

Pouvez-vous me passer l'eau, s'il vous plaît ?

Pouvez-vous me passer les légumes, s'il vous plaît ?

Parlons maintenant !

Imagine that you are eating a meal with a French family. Practise asking for the following items to be passed to you. First practise asking an adult (***pouvez-vous ?***) and then practise asking a person of your own age (***peux-tu ?***).

la sauce	le pain	les pommes de terre	la confiture

le lait	le sucre	le riz	le jus

Le petit-déjeuner irlandais

In Bon Travail 1 you learned about what French families generally eat for their breakfast. If you have a French boy or girl to stay they may find our breakfast a bit daunting, especially our traditional Irish breakfast. Here are some words to help you describe what they can expect each morning.

des céréales

du bacon

de la confiture à l'orange

des saucisses

du boudin noir

un œuf brouillé

du boudin blanc

du pain grillé

un œuf à la coque

✎ Écrivons maintenant !

Luc can't believe what he is given to eat each morning in his Irish home. Can you fill in the gaps in this e-mail he sends home to his parents.

Maman, Papa !

Je suis ici en Irlande sain et sauf. La famille O'Connor est très gentille. Beaucoup de choses sont différentes ici. Le petit-déjeuner est énorme ! Par exemple, le matin il y a des _____ - trois types ! Après, Madame O'Connor me donne une grande assiette avec des _____ , deux tranches de _____ , du _____ _____ , et du _____ _____ . Avec ça, nous mangeons du _____ _____ avec de la _____ _____ . Nous buvons du _____ avec du _____ . Il y a aussi un _____ . C'est trop ! Je vais maintenant à l'école. J'écris plus tard.

Votre fils,

Luc

▭ Coin grammaire

Le passé composé

Now you need to learn how to use the tense to describe what you have done or what you did. In French this tense is called *le passé composé*. It is used to describe completed actions in the past.

2.8 Écoutons maintenant !

Journal de vacances !

Khalid is on an exchange visit to Ireland. Listen to and read the entries written in his *journal intime*. Naturally, the diary is about things Khalid did on each day. The tense used to describe these events is *le passé composé*.

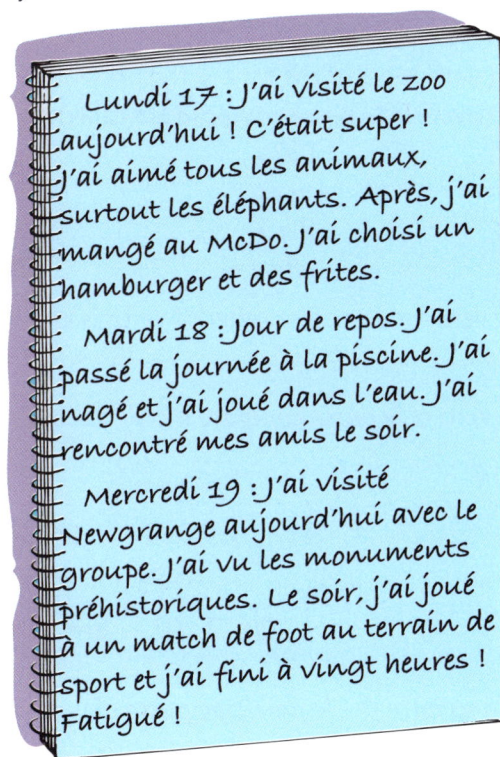

> Lundi 17 : J'ai visité le zoo aujourd'hui ! C'était super ! J'ai aimé tous les animaux, surtout les éléphants. Après, j'ai mangé au McDo. J'ai choisi un hamburger et des frites.
>
> Mardi 18 : Jour de repos. J'ai passé la journée à la piscine. J'ai nagé et j'ai joué dans l'eau. J'ai rencontré mes amis le soir.
>
> Mercredi 19 : J'ai visité Newgrange aujourd'hui avec le groupe. J'ai vu les monuments préhistoriques. Le soir, j'ai joué à un match de foot au terrain de sport et j'ai fini à vingt heures ! Fatigué !

Exercice 1

Underline all the verbs you see which tell you what Khalid did. There are twelve of them.

Coin grammaire

Le passé composé avec le verbe *avoir*.

What did you notice as you listed the verbs? Have you noticed these key points?

- *Le passé composé* is composed or made up of *two parts*.   ❏
- The first part is *j'ai*   ❏
- The second part ends in *é/i/u*   ❏

1   The *passé composé* is composed of two parts.
    You will notice *two verb words* used each time: *j'ai visité*   *j'ai mangé*

GRAMMAIRE

2 The first verb word is called the **helping verb** or **auxiliary verb** (*verbe auxiliaire*).

ai

3 The **helping verb** most of the time is the present tense of *avoir* – (verbs needing the helping verb *avoir* in *le passé composé* are called **avoir verbs**).

j'ai +	*nous avons +*
tu as +	*vous avez +*
il a +	*ils ont +*
elle a +	*elles ont +*

4 The helping verb for a small number of verbs is *être*. We will look at these in Unité 4.

5 The second verb of *le passé composé* is called the *le participe passé* (*past participle*).

ai   aimé

6 It is not hard to form the *le participe passé* of verbs in French.

–er verbs

Take the infinitive of **–er** verbs and replace the **–er** with **é**.

Here is an example of an -**er** verb au *passé composé*:

nag**er** > nag**é**

2.9 Écoutons maintenant !

Le verbe *nager* (to swim) **au passé composé**.

Subject	Helping Verb	Past Participle	Subject	Helping Verb	Past Participle
j'	ai	nagé	nous	avons	nagé
tu	as	nagé	vous	avez	nagé
il	a	nagé	ils	ont	nagé
elle	a	nagé	elles	ont	nagé

Exercice 1

Remplissez la grille avec le verbe *visiter* (to visit) **au passé composé**.

Subject	Helping Verb	Past Participle
j'		visité
tu	as	
il		visité
elle	a	
nous		visité
vous		
ils		visité
elles		

-ir verbs

Take the **infinitive** of –ir verbs and replace –**ir** with **i**.

Here is an example of an –**ir** verb *au passé composé*:

fin**ir** > fin**i**

2.10 **Écoutons maintenant !**

Le verbe *finir* (*to finish*) **au passé composé**.

Subject	Helping Verb	Past Participle	Subject	Helping Verb	Past Participle
j'	ai	fin**i**	nous	avons	fin**i**
tu	as	fin**i**	vous	avez	fin**i**
il	a	fin**i**	ils	ont	fin**i**
elle	a	fin**i**	elles	ont	fin**i**

Exercice 1

Remplissez la grille avec le verbe *choisir* (*to choose*) **au passé composé**.

Subject	Helping Verb	Past Participle	Subject	Helping Verb	Past Participle
j'		chois**i**	nous		chois**i**
tu	as		vous		
il		chois**i**	ils		chois**i**
elle	a		elles		

-re verbs

Take the **infinitif** of **-re** verbs and replace the **-re** with **u**.

Here is an example of an **-re** verb **au passé composé**:

attend**re** > attend**u**

2.11 Écoutons maintenant !

Le verbe *attendre* (*to wait for*) **au passé composé**.

Subject	Helping Verb	Past Participle	Subject	Helping Verb	Past Participle
j'	ai	attend**u**	nous	avons	attend**u**
tu	as	attend**u**	vous	avez	attend**u**
il	a	attend**u**	ils	ont	attend**u**
elle	a	attend**u**	elles	ont	attend**u**

Exercice 1

Remplissez la grille avec le verbe *rendre* (*to give back*) **au passé composé**.

Subject	Helping Verb	Past Participle	Subject	Helping Verb	Past Participle
j'		rend**u**	nous		rend**u**
tu	as		vous		
il		rend**u**	ils		rend**u**
elle	a		elles		

2.12 Écoutons maintenant !

La prononciation

Listen to these speakers — the first is speaking in *le présent* and the second is speaking in *le passé composé*.

je nage	je visite	j'achète	je loue	nous mangeons	je parle
j'ai nagé	j'ai visité	j'ai acheté	j'ai loué	nous avons mangé	j'ai parlé

je joue	je choisis	je finis	j'attends	nous achetons	je rends
j'ai joué	j'ai choisi	j'ai fini	j'ai attendu	nous avons acheté	j'ai rendu

Exercice 1

Here are the *infinitifs* of some verbs. Write the *past participle* of these verbs.

1 finir	**2** manger	**1** _____	**2** _____
3 adorer	**4** choisir	**3** _____	**4** _____
5 chanter	**6** attendre	**5** _____	**6** _____
7 jouer	**8** acheter	**7** _____	**8** _____
9 regarder	**10** perdre	**9** _____	**10** _____

Exercice 2

Make sentences saying what you did on your school holidays using one item from each suitcase. Cross out each item as you use it.

J'ai J'ai J'ai J'ai J'ai J'ai J'ai J'ai

choisi attendu mangé dormi visité joué nagé regardé

les moules/frites le train le musée chez Charles au volley-ball dans la piscine dans un restaurant un vidéo sur Paris

When you are writing in the *passé composé* you will need some of the following phrases:

hier = yesterday   *hier soir = yesterday evening*   *samedi dernier = last Saturday*

le week-end dernier = last weekend   *il y a deux jours = two days ago*

la semaine dernière = last week   *l'été dernier = last summer*

Exercice 3

With the help of *le pot de verbes*, write these diary entries for someone who is on a school exchange.

1. **Lundi :** I visited Bordeaux last weekend. I bought a book for my teacher. I ate at Richard's house [*chez Richard*].

2. **Mercredi :** I visited Notre-Dame yesterday. I bought a postcard for my friend. I swam in the pool.

3. **Jeudi :** I played on the beach last Tuesday. I ate a croque-monsieur in a little restaurant. I visited the market.

4. **Vendredi :** I bought some postcards in Rennes. I ate in a crêperie last evening. I met a friend from Galway.

j'ai visité j'ai acheté j'ai mangé j'ai rencontré j'ai joué j'ai nagé

Coin grammaire

La forme négative

In *le présent*, the negative is formed by putting *ne* before the verb and *pas* after it.

Je chante dans la baignoire !   Je **ne** chante **pas** dans la baignoire !

In *le passé composé*, where are the *ne* and *pas* placed since there are two parts to the tense?

J'ai mangé à midi.   Je **n'ai pas** mangé à midi.

Nous avons mangé ce soir.   Nous **n'avons pas** mangé ce soir.

The *ne* is placed before the helping verb, and the *pas* after it.

Ne needs to be shortened to **n'** when it comes before a vowel.

2.13 Écoutons maintenant !

Listen to how the negative of a verb in *le passé composé* sounds.

Subject	Helping Verb	Past Participle
je	**n'ai pas**	mangé
tu	**n'as pas**	mangé
il	**n'a pas**	mangé
elle	**n'a pas**	mangé

Subject	Helping Verb	Past Participle
nous	**n'avons pas**	mangé
vous	**n'avez pas**	mangé
ils	**n'ont pas**	mangé
elles	**n'ont pas**	mangé

Exercice 1

Écrivez les verbes suivants à la forme négative.

1 J'ai joué _____ .   2 J'ai écouté _____ .

3 Il a choisi _____ .   4 Elle a rempli _____ .

5 Nous avons attendu _____ .   6 Ils ont rendu _____ .

7 Tu as regardé _____ .   8 Elles ont fini _____ .

Juste un petit mot !

Sometimes you will need to leave a message (*un petit mot*) for your French friend or for a member of the family. This is one of the tasks that you need to know for the Junior Certificate. When leaving a note for somebody, keep it to the minimum. Use short sentences. You do not need to put an address on it. Neither do you need to say 'Dear…'. On the top right-hand side of your page, write the day (don't forget the small letter) and the time — mardi, 10 heures (to shorten 'heures', you can use h00 — 10h00).

Lisons les messages suivants :

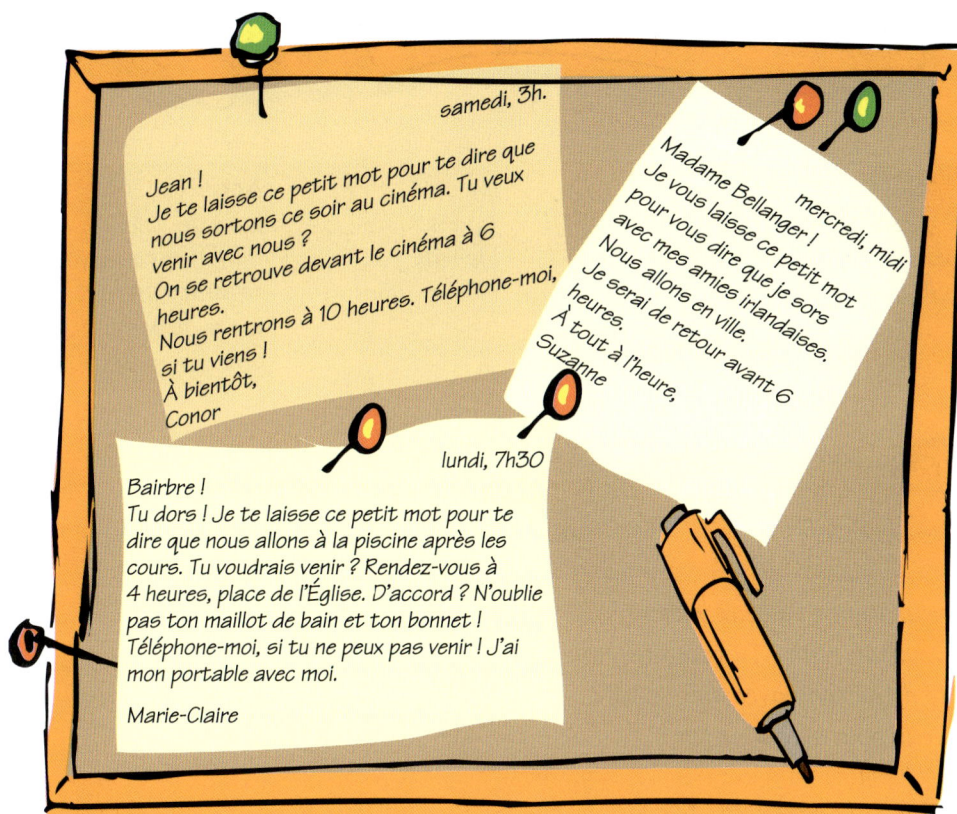

samedi, 3h.

Jean !
Je te laisse ce petit mot pour te dire que nous sortons ce soir au cinéma. Tu veux venir avec nous ?
On se retrouve devant le cinéma à 6 heures.
Nous rentrons à 10 heures. Téléphone-moi, si tu viens !
À bientôt,
Conor

mercredi, midi

Madame Bellanger !
Je vous laisse ce petit mot pour vous dire que je sors avec mes amies irlandaises. Nous allons en ville.
Je serai de retour avant 6 heures.
À tout à l'heure,
Suzanne

lundi, 7h30

Bairbre !
Tu dors ! Je te laisse ce petit mot pour te dire que nous allons à la piscine après les cours. Tu voudrais venir ? Rendez-vous à 4 heures, place de l'Église. D'accord ? N'oublie pas ton maillot de bain et ton bonnet !
Téléphone-moi, si tu ne peux pas venir ! J'ai mon portable avec moi.

Marie-Claire

Exercice 1

Who said…?

1.	they are going to the swimming pool	
2.	they are meeting at six o'clock	
3.	they are going to town	
4.	they have a mobile phone with them	
5.	they will be back before six	
6.	they will be home at ten	

Useful phrases for notes

Starting off

Juste un petit mot pour te / vous dire que…
Je laisse ce petit mot pour te / vous dire que…

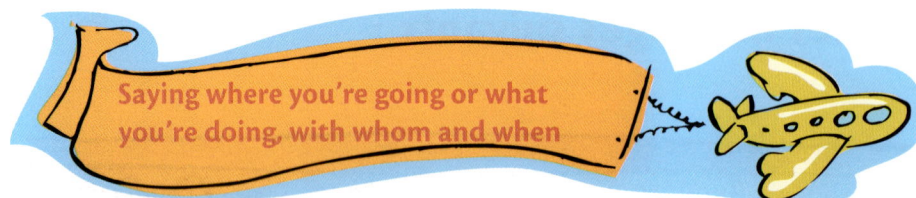

Saying where you're going or what you're doing, with whom and when

	Où ?		**Activité**
Je vais *Nous allons*	*au cinéma.* *à la plage.* *chez Mireille.* *en ville.*	*Je vais* *Nous allons*	*faire du vélo.* *faire une randonnée.* *regarder un dvd.* *jouer au tennis.* *voir mes grands-parents.*

Do you want to come along ?

Tu veux venir ? Tu veux y aller ?
Tu voudrais venir ? Tu voudrais y aller ?
Ça te dit de venir avec moi / nous ?
Tu veux nous accompagner ?

Meeting place and time

	Où ?	**Quand ?**
Rendez-vous *Je te retrouverai* *Nous nous retrouvons*	*chez moi* *devant le cinéma* *à côté du stade* *au coin de la rue à Guichen* *à l'arrêt d'autobus* *en face de la piscine*	*à 6 heures.* *vers 3 heures.* *à 3 heures pile.* *à midi.*

When you'll be back

Je serai / nous serons de retour
Je rentre / nous rentrons
Je vais rentrer / nous allons rentrer

What to bring

N'oublie pas   ton argent / ton maillot de bain / ton bonnet / ta raquette de tennis /
tes baskets / ton K-way

Ending

À bientôt
À tout à l'heure
À ce soir
À demain

Don't forget to sign your name!

2.14 Écoutons maintenant !

Ces personnes ont des projets — quels sont-ils ?

Ils laissent des messages sur le répondeur.

	Phone message for	What is suggested?	Meeting place
1.	Marie-Claire		
2.	Jean-Paul		
3.	Aisling		
4.	Emmet		
5.	Eimear		

Lisons Maintenant !

Delphine is 14 years old. She writes her diary each day, about her spots and dental brace, her annoying younger brother, her best friend Solène and most of all about Frédéric, who she fancies. She is going on a school exchange to Ireland, as is Frédéric. Read this extract from her diary and answer the questions which follow.

Samedi 16 mars

Derniers conseils de Mme Diva :

- Départ à 3h pile
- Interdiction absolue de fumer
- Pas d'arrêt pipi avant Roscoff
- Tenue confortable pour le voyage
- Prendre un sandwich et un fruit

Elle a failli nous faire rater le car scolaire.

Impossible de me concentrer en cours ce matin. Vu Frédéric. Il est allé chez le coiffeur, visiblement. Je voudrais avoir des cheveux raides et blonds comme lui. Je suis moche avec mes cheveux frisés. Et mes dents de fer. Et mes boutons. Mais ça y est, je n'ai plus mal aux dents.

Ne pas oublier les cadeaux pour les Mitchell:

- paquet de café, galettes bretonnes Traou-Mad pour Jenny
- chocolats Léonidas pour Keith
- bouchées Suchard et œufs de Pâques pour Jane, Paul et Iain
- pâté de poisson en conserve pour Abbie, le labrador

Papa a trouvé ma carte d'identité dans SON passeport ! Ouf !

Je suis prête, ça y est !

From *Le Journal de Delphine,* by Monique Alcott. Série Rouge, Cambridge University Press.

1. Name **two** of the pieces of information which Madame Diva gives them?
2. Give one detail about Frédéric's appearance.
3. How does Delphine describe her own appearance at present? (**Two** details)
4. What is Delphine bringing to Jane, Paul and Iain?
5. What present is she bringing Abbie?
6. What had been missing and where was it found?

Écrivons maintenant !

1. Marie-Claire decides to accept Philippe's offer and she leaves a message for her Irish correspondante Bairbre explaining the outing.

Remplissez les blancs dans le petit mot suivant :

> mardi, 13h00
>
> Bairbre !
>
> Je _____ au cinéma ce soir avec mon _____ Phillipe et ses copains. Tu _____ venir avec nous ? Nous allons voir «Shrek 3».
> Rendez-_____ à 6h30 devant le _____. Nous partons d'ici _____ 6h. Nous serons de _____ à 10h30. Maman est d'accord.
>
> À _____
>
> Marie-Claire

2. A French friend is staying at your house. You are going to Nicholas'/Nicole's house.

Leave a note in French for him/her in which you

- Say where you are going ;
- Say you'll be back at midday ;
- Ask if he/she wants to go cycling in the afternoon.

Communication en classe !

- *Tu veux effacer le tableau ?*
- *Tu veux lire, s'il te plaît ?*
- *Tu veux commencer maintenant ?*
- *Tu veux trouver un magnétophone pour moi, s'il te plaît ?*
- *Vous voulez faire une petite pause maintenant ?*
- *Vous voulez chanter 'Frère Jacques' ?*
- *Est-ce que je peux aller aux toilettes, Monsieur / Madame ?*
- *Est-ce que je peux ouvrir la fenêtre — il fait chaud ?*
- *Puis-je emprunter un stylo ?*

Épreuve

Question 1

Damien fait un échange avec Killian qui habite en Irlande.

Écoutez le CD et remplissez les blancs.

Leixlip, le 12 octobre

Chers Maman et Papa,

Comment _____ tout le monde ? Moi, je vais très bien.

Je suis dans une _____ sympa. Tout le monde me _____ lentement. Killian est très sportif, comme moi. Je m'amuse bien ici en Irlande.

Je me lève à _____ heures le matin. Je mange du pain grillé et je bois une tasse de _____. La famille mange beaucoup ! Puis, nous allons à l'école. Killian porte un uniforme mais moi, je porte un _____ et un pull.

Le week-end dernier, j'ai _____ visite à la grand-mère de Killian. Elle habite au bord de la mer. Nous avons _____ sur la plage. Il faisait froid !

Je dois terminer. Madame Keane m'appelle pour _____.

Dites bonjour à tout le monde de _____ part.

Grosses bises,

Damien

Question 2

Complete these sentences about what people are doing on their exchange using the verb *pouvoir*.

1. Est-ce que nous _____ faire du shopping à St Malo ?
2. Est-ce que Paul _____ visiter un vignoble à Bordeaux ?
3. Est-ce qu'Yvonne et Hannah _____ pêcher à la Rochelle ?
4. Est-ce que je _____ faire de la planche à voile à Argelès ?
5. Est-ce que tu _____ jouer au tennis à St. Malo ?
6. Est-ce que vous _____ louer un vélo à Arles ?

Question 3

Avant de partir en échange scolaire, Sophie fait une liste.

Listen to Sophie as she makes a list of what she is bringing to Ireland.

Tick the items she is bringing:

Question 4

Read the following conversation and underline any examples of *le passé composé*.

(There are 11 examples.)

Annmarie goes to visit Madame LeSueur, the grandmother of her correspondante, Océane.

Mme LeSueur : Ah ! Bonjour Annmarie ! Bienvenue en France !

Annmarie : Bonjour, Madame LeSueur.

Mme LeSueur : C'est ta première visite en France ?

Annmarie : Non, Madame. J'ai visité la Rochelle avec ma famille l'été dernier.

Mme LeSueur : La Rochelle …. C'est joli !

Annmarie : Oh oui ! Nous avons passé de bonnes vacances là-bas. Voici un petit cadeau pour vous. Océane m'a dit que vous aimez lire en anglais. J'ai apporté un livre — un roman de Maeve Binchy. C'est un auteur célèbre en Irlande.

Mme LeSueur : Comme tu es gentille !

Annmarie : C'est l'auteur favori de ma mère et de ma grand-mère. Elles ont adoré tous ses romans.

Mme LeSueur : Moi, j'ai voyagé en Irlande une fois quand j'étais plus jeune. Mon mari et moi avons loué une voiture. J'ai aimé le paysage du Connemara.

Annmarie : Oui, c'est beau. Mon oncle a acheté une petite maison à Roundstone.

Mme LeSueur : Nous avons mangé dans les pubs et les petits restaurants et nous avons acheté de vrais pulls irlandais à Galway. J'ai de bon souvenirs.

Annmarie : J'espère que ce roman vous rappelle ces souvenirs.

Mme LeSueur : Merci. Et tu peux m'aider quand j'ai des problèmes avec des phrases !

Question 5

Fill in the blanks with verbs au *passé composé*. You will find them in Annmarie's conversation in Question 4.

1. La famille d'Annmarie _____ _____ La Rochelle l'été dernier.

2. Annmarie _____ _____ un roman de Maeve Binchy pour Mme LeSueur.

3. La mère et grand-mère d'Annmarie _____ _____ les romans de Maeve Binchy.

4. La grand-mère d'Océane _____ _____ en Irlande une fois.

5. Ils _____ _____ une voiture.

6. Elle _____ _____ le paysage du Connemara.

7. Ils _____ _____ dans les pubs et les petits restaurants.

8. Ils _____ _____ des pulls irlandais.

Question 6

Écrivez les phrases suivantes à *la forme négative*.

1. J'ai acheté une paire de chaussures.
2. Tu as gagné le match ?
3. Mathieu a mangé des moules en France.
4. Laure a aimé le petit-déjeuner irlandais.
5. Nous avons visité le Château de Versailles.
6. Vous avez loué un gîte en Normandie.
7. Sophie et Charles ont choisi un cadeau pour leur professeur.
8. Elles ont attendu longtemps devant le cinéma.

Question 7

Nadine a écrit un petit mot pour Shona, mais il y a un problème avec son ordinateur !

The space bar and the caps lock on Nadine's computer are not working. So the note she leaves for Shona is a little confusing. Can you solve the problem and write the message she meant to leave ?

mardidixheuresshonanousallonsàlaplagedemaintuveuxvenirrendez-vousdevantlabanqueaprèslescoursnoubliepastonargentàdemainnadine

Question 8

Jean-Claude really likes Suzanne, an Irish student who is staying next door to him. He wants to ask her to the disco on Saturday evening. He leaves her a note inviting her to come with him and giving her the details. Can you write the note he leaves for her?

Jean-Claude tells her:

- where they are going and when;
- where to meet and at what time;
- what time they will be home;
- he will telephone her later this evening.

Question 9

Océane est maintenant en Irlande chez Annmarie. Elles font une excursion.

Le musée industriel du patrimoine de Skerries

Skerries, petite station balnéaire située à 30 km au nord de Dublin, abrite une collection unique de moulins en activité. Le complexe de moulins avec son bassin, forme maintenant le centre d'attractions d'un parc urbain qui a remporté des prix nationaux dans le domaine de l'environnement, du patrimoine et de l'architecture.

Les moulins sont situés dans ce qui était autrefois le village et la paroisse médiévale de Holmpatrick. "Holm" est un mot anglo-saxon signifiant "havre" ou "île" et l'on dit qu'un monastère fut établi sur l'île de St Patrick, tout près de Skerries avant le 8è siècle de notre ère. Pillé par les Vikings, le monastère fut transféré sur le "continent" en 1220 par Henry De Louden, archevêque de Dublin.

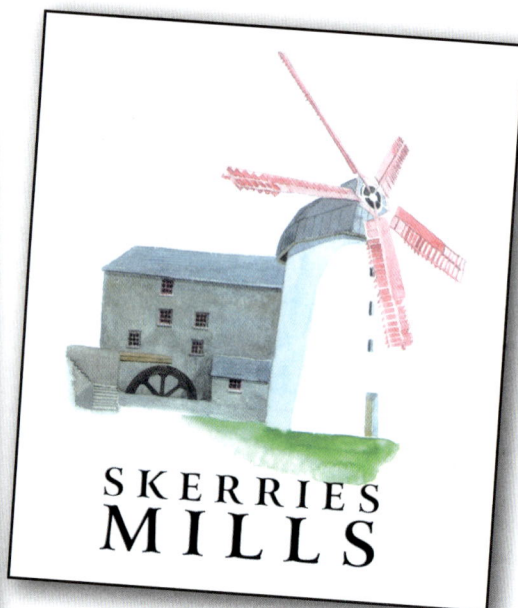

S K E R R I E S
MILLS

1. What kind of museum do they visit?

2. Where exactly is Skerries situated according to the brochure?

3. The museum has won national prizes. Name **two** categories of prize it has won.

4. What was established on St. Patrick's Island before the 8th century?

5. Why was the monastery transferred in 1220?

Lexique

accepter	*to accept/to agree to*	fatigué(e)	*tired*
accompagner	*to go with*	fiche de renseignements (f.)	*information form*
accueil (m.)	*welcome*	forêt (f.)	*forest*
s'adapter	*to adapt/to fit in*	gare routière (f.)	*bus station*
aile (f.)	*windmill sail*	gratuit(e)	*free/without cost*
aîné(e)	*elder/eldest*	havre (m.)	*haven/port*
allergie (f.)	*allergy*	heureusement	*luckily/fortunately*
attendre (avec impatience)	*to wait for/to look forward to*	hiver (m.)	*winter*
au coin de	*on the corner*	île (f.)	*island*
avoir de la chance	*to be lucky*	important(e)	*significant*
avoir hâte de	*to be impatient to/to look forward to*	indication (f.)	*piece of information*
bagages (m. pl.)	*luggage*	indifférent(e)	*indifferent/unimportant*
bande (f.)	*gang of friends*	ingénieur (m./f.)	*engineer*
bassin (m.)	*pond/pool*	invité(e)	*guest*
bien sûr	*of course*	journal (m.)	*newspaper*
bienvenue	*welcome*	jupe (f.)	*skirt*
boudin blanc (m.)	*white pudding*	K-way (m.)	*rain-jacket*
boudin noir (m.)	*black pudding*	lecture (f.)	*reading*
bouton (m.)	*spot/pimple/button*	le long de	*along*
cadet / cadette	*youngest*	libre	*free/unoccupied*
célèbre	*famous*	loisir (m.)	*leisure/free time*
centre commercial (m.)	*shopping centre*	malchance (f.)	*bad luck*
choix (m.)	*choice*	marche (f.)	*walk*
citron pressé (m.)	*fresh lemon drink*	matière (f.)	*school subject*
coca (m.)	*coca cola*	médical(e)	*medical*
correspondant(e)	*penfriend*	médicament (m.)	*medicine*
se coucher	*to go to bed*	même	*same/even*
coup de fil (m.)	*phone call*	météo (f.)	*weather forecast*
coup de téléphone (m.)	*phone call*	moche *(slang)*	*awful/horrible*
cours (m.)	*lesson/class*	monter	*to go up*
d'habitude	*usually*	moulin (m.)	*mill*
dentifrice (m.)	*toothpaste*	mûr(e)	*mature*
douche (f.)	*shower*	natation (f.)	*swimming*
échange scolaire (m.)	*school exchange*	noix (f.)	*nut*
émission (f.)	*programme on TV/radio*	observation (f.)	*observation/remark*
emprunter	*to borrow*	oublier	*to forget*
en activité	*in working order*	partager	*to share*
faire un pique-nique	*to go on a picnic*	patrimoine (m.)	*heritage*
faire une promenade	*to go for a walk*	paysage (m.)	*scenery/landscape*

petit mot (m.)	*short message/note*	**se** retrouver	*to meet each other (by arrangement)*
perruche (f.)	*budgie*	roman (m.)	*novel*
phrase (f.)	*sentence/phrase*	sage	*well-behaved*
pile	*on the dot/sharp*	sans cesse	*endlessly*
piller (f.)	*to plunder/ransack*	santé (f.)	*health*
poivre (m.)	*pepper*	sauce (f.)	*gravy*
portable (m.)	*mobile phone*	séjour (m.)	*stay/short visit*
se présenter	*to introduce oneself*	sel (m.)	*salt*
programme (m.)	*schedule/computer programme*	sociable	*outgoing/friendly*
projet (m.)	*plan*	sommet (m.)	*summit/top*
promenade (f.)	*walk*	souvenir (m.)	*memory/souvenir*
proposer	*to suggest*	sportif / -ive	*sporty*
quel dommage !	*what a pity!*	station balnéaire (f.)	*sea-side resort*
quelque chose	*something*	survêtement (m.)	*track suit*
randonnée (f.)	*hike, long walk*	symptôme (m.)	*symptom*
remise des prix (f.)	*prize-giving*	télécopie (f.)	*fax*
rendez-vous (m.)	*appointment/meeting place*	temps (m.)	*weather*
renseignements (m. pl.)	*information*	timbre (m.)	*postage stamp*
rentrer	*to come back/to return home*	timide	*shy*
repasser	*to iron*	tournoi (m.)	*tournament*
répondeur (m.)	*answer-phone/answering machine*	transporter	*to transport/bring*

Unité 3

La rentrée

Civilisation

Returning to school — *la rentrée* — is an important event in the French year. Students prepare by buying new schoolbags and folders, pens and other necessary stationery. French students don't have to worry about getting a new uniform — unlike most Irish students, the French don't have to wear one. They also don't have to buy books as these are supplied in school and given back at the end of the year for another class to use.

Since 1995, France has had three zones — Zone A, Zone B and Zone C. Each zone has a different time for returning to school and a different holiday time. This is to avoid traffic chaos and also to give more flexibility when booking holidays. The calendar is published in the national newspapers, as the zones change dates each year. The French Department of Education – *Ministère de la Jeunesse, de l'Éducation et de la Recherche* – makes all these decisions. (You can check the dates for each year by logging on to www.education.gouv.fr)

DU 9 AU 26 AOÛT

facile, la RENtRÉE !

RENTRÉE +
FILLES ET GARCONS

Du 16 au 26 août 2006

Rentrée des classes

+ D'AVANTAGES
LES 18 ET 19 AOÛT
30 ARTICLES SCOLAIRES
100% REMBOURSÉS
AVEC VOTRE CARTE AUCHAN

Lisons maintenant !

This is an information leaflet for parents of children who are going back to school.

Collège Émile Zola

Information des familles : la rentrée en six points

1 LE CAHIER DE TEXTES est d'une grande importance. Il vous permet de vous tenir informé du travail donné par les professeurs.

2 LES LIVRES SCOLAIRES seront remis gratuitement à votre enfant. Il faut les conserver en bon état.

3 INFORMATION IMPORTANTE À COMMUNIQUER AU COLLÈGE. Si vous avez une information importante à transmettre concernant votre enfant (problème de scolarité, familial, santé, etc.), contactez le Proviseur.

4 LE CARNET DE CORRESPONDANCE doit être rempli et signé avec une photo récente collée sur la couverture.

5 L'ANNÉE SCOLAIRE EST DIVISÉE EN TROIS TRIMESTRES selon les dates suivantes :

1er trimestre : du mardi 3 septembre au samedi 21 décembre.

2è trimestre : du lundi 6 janvier au samedi 12 avril.

3è trimestre : du lundi 28 avril au samedi 28 juin.

6 RÈGLEMENT INTÉRIEUR DU COLLÈGE : Vous le trouverez à l'intérieur du carnet de correspondance. Votre enfant et vous-même devez le signer.

BONNE RENTRÉE À TOUS !

Le Proviseur du collège

1. What information is given in the **cahier de textes**?

2. How much do the schoolbooks cost?

3. If there is a problem, who should the parent contact?

4. What is required for the **carnet de correspondance**?

5. Where are the school rules to be found?

6. Who must sign them?

GRAMMAIRE

3.1 Écoutons maintenant !

Listen to the comments made by the six students about going back to school. Who makes which comment? Fill in the grid below.

1.  Christophe

2.  Sophie

3.  Khalid

(a)

(b)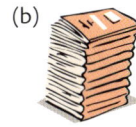

(c)

4.  Léa

5.  Luc

(d)

(e)

(f)

6.  Océane

1 =	2 =	3 =	4 =	5 =	6 =

Écrivons maintenant !

Élodie et Thomas discutent de la rentrée. En utilisant les mots dans le sac à dos, remplissez les blancs dans les conversations.

Thomas Pour moi, la _____ c'est un jour horrible. Je préfère les _____. Je peux faire la grasse matinée. Maintenant j'ai des _____ à faire après l'école. Je me lève à _____ heures même le samedi. Après les vacances, c'est _____ de recommencer les cours !

Élodie Moi, j'aime l'_____ parce que je retrouve mes _____. Mes parents travaillent et je suis seule à la _____ avec mon petit frère. J'adore la colonie de vacances au mois de juillet où j'ai _____ mon temps à faire des activités sportives. Mais, à part ça, je dois dire que je trouve les vacances trop _____ !

vacances   passé   longues   maison   école   rentrée   devoirs   difficile   copains   sept

Le matériel scolaire

In Bon Travail 1, you learned the words for your schoolbag and the items that go into it, (Bon Travail 1, Unités 1 and 2). Can you remember these items in French?

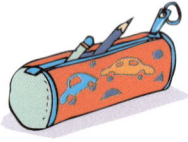

_____   _____   _____   _____

_____   _____   _____   _____

Les promos pour la rentrée

Here are some other items which you may need to have with you each day. Link the words to the picture.

2.

(a) des surligneurs (m.)

(b) les pochettes (f.)

1.

(c) des bâtons de colle (m.)

4.

3.

(d) un bloc A4

5.

(e) des tailles crayon (m.)

6.

(h) une agrafeuse

8.

7.

(g) des feutres (m.)

(f) des ciseaux (m.)

a =	b =	c =	d = **8**	e =	f =	g =	h =

Lisons maintenant !

Can you fill in the missing word from each of the advertisements?

1.

0€94

90 _____ PERFORÉES
21 x 29,7 cm

[   ]

2.

2€33

24 _____ DE
COLORIAGE
COULEUR
BIC KIDS

[   ]

3.

Maped

0€85

_____ SYMÉTRIQUES
LISTE ÉCOLE
MAPED
12 cm

[   ]

4.

2€55

+ SUR MA CARTE 0,60€

8 _____
GEL
CRISTAL
GEL BIC
Coloris
assortis

[   ]

5.

2€97

+ SUR MA CARTE 0,70€

8 _____
ACCENT
PAPER MATE

[   ]

6.

LE LOT DE 6 !

2€26

_____ BÂTONS DE
BLANCHE
SCOTCH*
6 x 8 g

[   ]

3.2 Écoutons maintenant !

Les annonces — Promos pour la rentrée

1. Which of these items is reduced by 10%?
   (a) copies
   (b) textbooks
   (c) dictionaries

2. This item is available in a range of styles. What is it?
3. What is available in this twelve pack?
4. Choose **two** items available in this special promotion.
5. What item is being sold in this special offer?

L'uniforme scolaire

une chemise

une cravate

un pull

un pantalon

des chaussures

une jupe

des chaussettes

un blouson

3.3 Écoutons maintenant !

Listen to Cian and Aoife describing their school uniform for their French correspondants and fill in the labels for each item mentioned.

La ch _____   La cr _____

Le p _____

Le p _____   Les ch _____

La ch _____   Le p _____

Le b _____

La j _____

Les ch _____

GRAMMAIRE

Parlons maintenant !

Practise describing what you are wearing to school today. The verb **to wear** is *porter*.

Coin révision – les chiffres

Bon anniversaire Nounours !

vingt ans

trente ans

quarante ans

cinquante ans

soixante ans

3.4 Écoutons maintenant !

Listen and repeat the numbers from 20 – 30.

Comptons

vingt et un	21	*vingt-quatre*	24	*vingt-sept*	27	*trente*	30
vingt-deux	22	*vingt-cinq*	25	*vingt-huit*	28		
vingt-trois	23	*vingt-six*	26	*vingt-neuf*	29		

Did you remember? All the numbers from 20 – 69 follow this pattern.

Exercice 1

Remplissez les blancs !

(33) trente-_____	**(35)** _____-cinq	**(41)** quarante-et-_____
(46) _____-six	**(48)** quarante-_____	**(52)** cinquante-_____
(59) _____-neuf	**(60)** _____	**(64)** _____

Exercice 2

Complétez les phrases avec les chiffres.

1. Dans notre classe, il y a _____ élèves.
2. En juillet, il y a _____ jours.
3. Dans une heure, il y a _____ minutes.
4. Dans une journée, il y a _____ heures.
5. Le jour de Noël, c'est le _____ décembre.
6. Mon cours de français dure _____ minutes.

3.5 **Écoutons maintenant !**

Here are some people talking about themselves. Each person mentions a number. What is the number in each case?

Name	Number	Name	Number
1. Charles		5. Max	
2. Marie		6. Yves	
3. Jean-Luc		7. Céline	
4. Sylvie		8. Philippe	

La loterie en France

Like most countries nowadays, France has a national lottery. It is called *La Française des Jeux*. Each day the results of the Lotto games are updated on the *Française des Jeux* website http://www.francaise-des-jeux.fr/resultat

> *La vie, c'est une loterie !*

Exercice 1

Read the advertisement for LOTO and answer the questions.

1. How many numbers should you tick in each section?

2. How much does a double entry cost?

3. On what days of the week is the Loto drawn?

4. What is the maximum number of weeks ahead you can pay for?

5. Can you find the French verbs for – tick, win, subscribe?

6. Mark the following numbers on one of the Loto grids: *vingt et un, vingt-sept, trente-deux, trente-huit, quarante-quatre, quarante-neuf.*

Quelle heure est-il ?

et quart   *et demie*   *moins le quart*

1 Je prends le car à sept heures **et demie**.

2 J'ai une récréation à dix heures **et quart**.

3 Le mercredi, je finis à deux heures **moins le quart**.

4 Je rentre à cinq heures **et demie**.

5 Je mange à sept heures **et quart**.

6 Je me couche à dix heures **moins le quart**.

Remarquez … moins le quart !

When you want to say '**a quarter to**' in French, you say '**less a quarter**'.

Il est trois heures moins le quart.

3.6 Écoutons maintenant !

Number the clocks in the order in which you hear the time mentioned.

À quelle heure exactement ?

Regardons les exemples :

Il est deux heures **cinq**.

Il est deux heures **dix**.

Il est deux heures **vingt**.

Il est deux heures **vingt-cinq**.

Il est trois heures **moins vingt-cinq**.

Il est trois heures **moins vingt**.

Il est trois heures **moins dix**.

Il est trois heures **moins cinq**.

Parlons maintenant !

Pretend that you are working in the tourist information office of your local town. Your partner is a French tourist who wants information on the times of buses to a variety of destinations.

Kinsale

Exemple : Question : *Le bus pour Kinsale part à quelle heure, s'il vous plaît ?*

Réponse : **Le bus part à huit heures et demie.**

Taking turns, give the following information:

1. *Bus for*	**Kinsale**	*leaves at*	**8.30**	**5.** *Bus for*	**Derry**	*leaves at*	**1.35**
2. *Bus for*	**Tralee**	*leaves at*	**9.15**	**6.** *Bus for*	**Dundalk**	*leaves at*	**4.50**
3. *Bus for*	**Cleggan**	*leaves at*	**11.00**	**7.** *Bus for*	**Longford**	*leaves at*	**6.05**
4. *Bus for*	**Sligo**	*leaves at*	**12.25**	**8.** *Bus for*	**Portlaoise**	*leaves at*	**7.45**

Coin grammaire

In Unité 2, you learned how to form *le passé composé* to be able to say things that you did.

In this unit we look at some further key points about this tense.

> **Rappel !** Remember the following key points:
>
> **1** There are two parts in *le passé composé* — the helping verb and *le participe passé* (past participle).
>
> **2** The helping verb is mostly *avoir*.
>
> **3** To form *le participe passé* of regular verbs
>
>   *-er* verbs end in *é*   *-ir* verbs end in *i*   *-re* verbs end in *u*

However, there are some that are irregular in the way they form *le participe passé*.

(i) -ER VERBS

There are no exceptions to the rule! *Le participe passé* always ends in *é*.

3.7 Écoutons maintenant !

(ii) -IR VERBS – Irregular participes passés.

verbe	participe passé
avoir (to have)	*eu*
courir (to run)	*couru*
offrir (to offer/give)	*offert*
ouvrir (to open)	*ouvert*
devoir (to have to)	*dû*
pleuvoir (to rain)	*plu*
pouvoir (to be able)	*pu*
recevoir (to receive)	*reçu*
savoir (to know)	*su*
vouloir (to want)	*voulu*
voir (to see)	*vu*

Hier

J'ai **reçu** une lettre.

Il a **plu**.

Il a **ouvert** le cadeau.

Ils ont **couru** après les filles.

(iii) -RE VERBS

verbe	participe passé
boire (to drink)	bu
croire (to believe)	cru
écrire (to write)	écrit
dire (to say)	dit
faire (to make)	fait
lire (to read)	lu
mettre (to put)	mis
prendre (to take)	pris
rire (to laugh)	ri
suivre (to follow)	suivi
être (to be)	été

Samedi dernier

Elle a **écrit** une carte.

Il a **lu** le journal.

J'ai **pris** le bus.

Il a **fait** un gâteau.

Exercice 1

Faites des paires ! Match *le participe passé* with the infinitive it belongs to.

rire ouvrir dire pleuvoir avoir mettre courir recevoir boire écrire prendre lire faire

couru fait écrit bu dit ouvert mis plu eu pris lu reçu ri

Coin prononciation : The letter **c** can be pronounced in two ways in French. If the **c** is followed by the letters **a**, **o** or **u**, it is pronounced like a **k**: **ca**rte, **co**llège, **co**urs, **co**urir, **co**mposé, **ca**marade.

However, if it is followed by an **e** or an **i**, it is pronounced like an **s**: **ci**seaux, **ci**nq, **ci**nquante, mer**ci**, commen**ce**r, **ce**, **c**'est, **Cé**line, **ce**nt.

If one wants to soften the **c** from a **k** sound to an **s** sound, one can use the little accent **cédille** to do so: gar**ç**on, ma**ç**on, fran**ç**ais, re**ç**u, **ç**a, avan**ç**ant, gla**ç**on.

Exercice 2

(a) Le journal de Noé. Remplissez les blancs.

Read Noé's diary and fill in the blanks using the **participes passés** from the box.

> fait   dû   mis
> dit
> écrit   pris bu
> plu   reçu fait
> lu   pris

Lundi, le 2 septembre

Aujourd'hui, c'est la rentrée. J'ai _____ me lever tôt ce matin. J'ai _____ mes livres dans mon cartable et j'ai _____ le trajet jusqu'à l'arrêt d'autobus à pied. Tous mes amis ont _____ l'autobus pour aller au collège. Nous avons _____ le règlement du collège. J'ai _____ mon emploi du temps et mes devoirs dans mon cahier d'exercices. Comme d'habitude, j'ai _____ mon déjeuner à la cantine et j'ai _____ beaucoup de jus de fruit car j'avais soif. Malheureusement, il a _____ pendant l'après-midi. Après le dîner, j'ai _____ mes devoirs et avant de me coucher j'ai _____ un roman. À 10 heures, j'ai _____ "bonne nuit" à mes parents.

(b) Answer the following questions in your copy.

1. What did Noé have to do that morning?
2. How did he get to the bus stop?
3. Name **one** thing he had to write down in school.
4. What was the weather like?
5. What did Noé do before he went to bed?

Les matières

Civilisation

All first year classes in France have a set amount of time for each subject each week and all French schools must follow these regulations. This means that no matter which French school you visit, the amount of time allotted to each subject will be the same. The times change a little in second year as students try other subjects. When students go into second year, *la cinquième*, *EPS* classes are reduced from four hours to three, as *Science Physique* is introduced. This subject deals with astronomy and the study of the stars and the planets.

Here is the amount of time allocated for first year classes (*la sixième*) in French schools.

Français	4h30
Mathématiques	4h
Anglais	4 h
Allemand	3 h
Histoire / Géographie	3h
Science de la Vie et de la Terre (SVT)	1h30
Technologie	1h30
Arts plastiques	1h
Éducation musicale	1h
Éducation physique / sportive	4h

Vrai / Faux

Read the recommended times for each subject and then say whether the statements are **Vrai** or **Faux**. Justify your answer in your copy.

	Vrai	Faux
1. All three languages studied have the same amount of time in the timetable.		
2. Physics is studied by First Year students.		
3. Art and Music have the same amount of time each week.		
4. Half an hour less time is spent on sports classes than on French classes.		
5. Technology has more class time than Science.		
6. The least amount of time is given to German class.		

GRAMMAIRE

Emploi du temps de Julie qui est en 6ème au collège.

The subject called *"vie de classe"* is the time when students discuss any issues in relation to school with their tutor. They talk about school rules, timetables, etc. When you see *"temps dégagé"* on the timetable it means students have a free period of supervised study/homework.

Read Julie's timetable and answer the questions that follow.

	lundi	mardi	mercredi	jeudi	vendredi
8h20	SVT	histoire / géo	maths / français	histoire / géo	technologie
9h15	allemand	maths	anglais	anglais	anglais
10h05	*Récréation*	*Récréation*	*Récréation*	*Récréation*	*Récréation*
10h30	EPS	anglais	histoire / géo	vie de classe	maths
11h20	EPS	français	français / maths	français	arts plastiques
12h15	*Repas*	*Repas*	*Fin des Cours*	*Repas*	*Repas*
13h50	histoire / géo	musique		maths	EPS
14h40	français	temps dégagé		français	EPS
15h35	*Récréation*	*Récréation*		*Récréation*	*Récréation*
15h50	temps dégagé	SVT		allemand	allemand
16h45	*Fin des Cours*	*Fin des Cours*		*Fin des Cours*	*Fin des Cours*

Exercice 1

1. What subjects does Julie study every day except Friday?
2. What time does she have morning break?
3. How many periods of sport does she have each week?
4. On what days does Julie have history and geography for first class?
5. Which foreign languages does she study?
6. At what time is afternoon break?
7. There is a change on one afternoon – what is this change?
8. How long is each English class?

3.8 Écoutons maintenant !

Listen to the 8 French students who are talking about their school subjects. Listen to the students and put the correct number in the box as they speak.

Les grands chiffres de 70 à 100

Bon anniversaire Nounours !

soixante-dix ans   quatre-vingts ans   quatre-vingt-dix ans   cent ans

3.9 Écoutons maintenant !

Écoutez et répétez

soixante-dix	70	quatre-vingts	80	quatre-vingt-dix	90
soixante et onze	71	quatre-vingt-un	81	quatre-vingt-onze	91
soixante-douze	72	quatre-vingt-deux	82	quatre-vingt-douze	92
soixante-treize	73	quatre-vingt-trois	83	quatre-vingt-treize	93
soixante-quatorze	74	quatre-vingt-quatre	84	quatre-vingt-quatorze	94
soixante-quinze	75	quatre-vingt-cinq	85	quatre-vingt-quinze	95
soixante-seize	76	quatre-vingt-six	86	quatre-vingt-seize	96
soixante-dix-sept	77	quatre-vingt-sept	87	quatre-vingt-dix-sept	97
soixante-dix-huit	78	quatre-vingt-huit	88	quatre-vingt-dix-huit	98
soixante-dix-neuf	79	quatre-vingt-neuf	89	quatre-vingt-dix-neuf	99
				cent	100
				mille	1000
				un million	1000000

Cent

Cent, has lots of connections with words you know — for example, *centime*, *centimètre*. Remember, the word "*cent*" does not have an "s" if it is followed by another number.

Exemple :   300 = trois **cents**   *but*   340 = trois **cent** quarante

Jouons maintenant !

Using the Bingo card on the right, fill in 70 – 80, 80 – 90, 90 – 100 with your chosen numbers from 70 to 100. Make sure that you have a variety of numbers so you have a better chance of winning! Take two numbers from 70 to 80, two numbers from 80 to 90 and two numbers from 90 to 100. If you use a pencil, you can change your numbers to play several games.

BINGO!

70 – 80	80 – 90	90 – 100

3.10 Écoutons maintenant !

1. Les numéros de téléphone

1. 01 ___ 43 ___ 06
2. 02 ___ 16 ___ 21
3. 01 ___ 30 ___ 01
4. 03 ___ 25 ___ ___
5. 03 ___ 24 ___ ___
6. 01 ___ 05 ___ ___

2. Combien de temps dure… ?

Fill in the blanks in these statements with the number required.

1. Un match de rugby dure _____.
2. Un match de hockey dure _____.
3. Un match de foot dure _____.
4. Une partie de basket dure _____.
5. Un match de camogie dure _____.

Lisons maintenant !

This is an extract from a popular book called *Le Petit Nicolas*, by Sempé-Goscinny. A new pupil has arrived in Nicolas's class and the teacher introduces him to them.

UN NOUVEL ÉLÈVE ARRIVE EN CLASSE

Nous avons eu un nouveau en classe. L'après-midi, la maîtresse est arrivée avec un petit garçon, qui avait des cheveux tout rouges, des taches de rousseur et des yeux bleus comme la bille que j'ai perdue hier à la récréation, mais Maixent a triché. « Mes enfants, » a dit la maîtresse, « je vous présente un nouveau petit camarade. Il est étranger et ses parents l'ont mis dans cette école pour qu'il apprenne à parler français. Je compte sur vous pour m'aider et être très gentils avec lui. » Et puis la maîtresse s'est tournée vers le nouveau et elle lui a dit : « Dis ton nom à tes petits camarades. » Le nouveau n'a pas compris ce que lui demandait la maîtresse, il a souri et nous avons vu qu'il avait des tas de dents terribles. « Le veinard*, » a dit Alceste, un copain gros, qui mange tout le temps « avec des dents comme ça, il doit mordre des drôles de morceaux ! » Comme le nouveau ne disait rien, la maîtresse nous a dit qu'il s'appelait Georges MacIntosh.

* veinard – lucky fellow!

« un nouvel élève arrive en classe », *Le Petit Nicolas* de Sempé/Goscinny @ Editions Denoël, 1960, 2002

Sempé-Goscinny
Le petit Nicolas

folio

GRAMMAIRE

Exercice 1

1. When did the new pupil arrive?
2. Find **two** facts about the new boy's appearance.
3. Why have his parents sent him to this school?
4. Why did the boy not answer the teacher's question?
5. What did the class notice when the boy smiled?
6. How is Alceste described?

Cartes de rentrée

In France, pupils often send cards to their friends to mark **La Rentrée**. Here are four examples:

In France you can go into websites to create your own cards.

Why not try *www.webpratic.free.fr/cartes/rentrée* ?

Communication en classe !

- *Bonne rentrée à tous !*
- *Bon trimestre !*
- *Il faut faire un effort ce trimestre.*
- *Je vous présente un nouvel élève / une nouvelle élève, …*
- *Voici votre nouvel emploi du temps.*
- *Nous avons nos / notre cours de … à quelle heure, Madame ?*
- *Les cours commencent à…*
- *Les cours finissent à…*

Épreuve

Question 1

Lisez le document du collège Émile Zola et répondez aux questions.

La rentrée 2008–2009

Accueil

- Les élèves de sixième et de cinquième rentreront le mardi 3 septembre 2008 à 8h00.
- La matinée sera consacrée à la copie de l'emploi du temps, à la lecture du nouveau règlement et à la remise des livres.
- Les cours indiqués dans l'emploi du temps commencent le mardi 3 septembre à 13h30.
- Les élèves de sixième et de cinquième n'ont pas cours le mercredi 4 septembre.

* * * * * * * * * * * *

Vrai ou faux — cochez la bonne case

Having read the information about the return to school, say whether the following statements are true or false — *vrai / faux*.

	vrai	faux
1. The sixième classes come back on 5th September.		
2. The students get a copy of the timetable on their first day back.		
3. Their textbooks are given out on the first day.		
4. The classes will begin at 8 o'clock on Tuesday 3rd September.		
5. Sixième and cinquième have classes on 4th September.		

Question 2

Listen and fill in the correct times on the clock faces:

1. 2. 3. 4. 5. 6.

Question 3

Ta journée typique — Une amie française a demandé une description d'une journée scolaire en Irlande. Fill in the times in French for your typical school day.

Remplissez les heures dans les phrases suivantes :

1. Je me lève à _____.
2. Je vais à l'école à _____.
3. Je commence les cours à _____.
4. J'ai une récré à _____.
5. Je mange mon déjeuner à_____.
6. Je finis les cours à _____.
7. Je rentre à la maison à _____.
8. Je fais mes devoirs à _____.
9. Je me repose à _____.
10. Je me couche à_____.

Question 4

Molly écrit un courriel à sa correspondante en parlant de son uniforme scolaire. Remplissez les blancs.

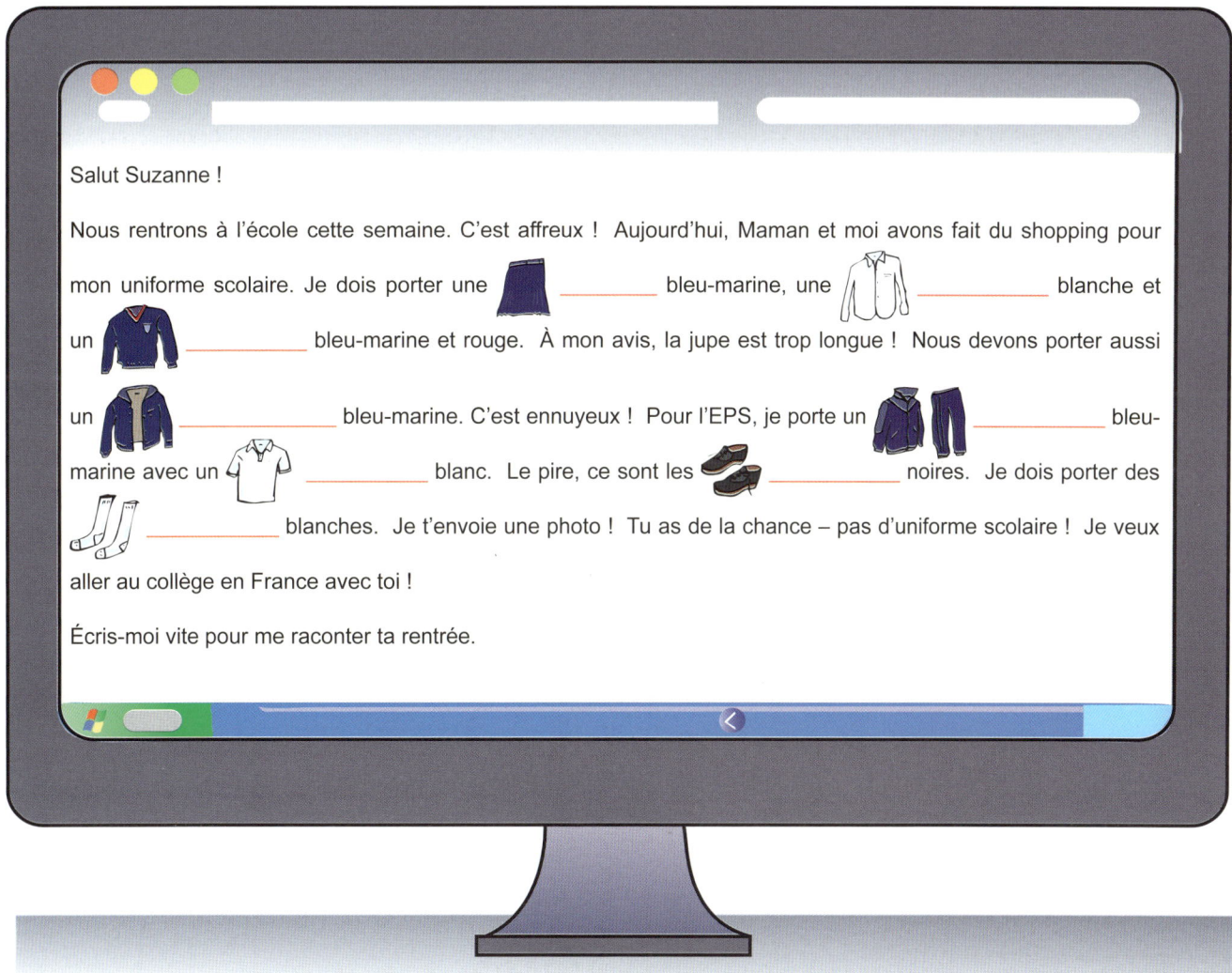

Salut Suzanne !

Nous rentrons à l'école cette semaine. C'est affreux ! Aujourd'hui, Maman et moi avons fait du shopping pour mon uniforme scolaire. Je dois porter une _____ bleu-marine, une _____ blanche et un _____ bleu-marine et rouge. À mon avis, la jupe est trop longue ! Nous devons porter aussi un _____ bleu-marine. C'est ennuyeux ! Pour l'EPS, je porte un _____ bleu-marine avec un _____ blanc. Le pire, ce sont les _____ noires. Je dois porter des _____ blanches. Je t'envoie une photo ! Tu as de la chance – pas d'uniforme scolaire ! Je veux aller au collège en France avec toi !

Écris-moi vite pour me raconter ta rentrée.

Question 5

La loterie nationale ! Quelle est la ligne gagnante ?

Listen and decide on the winning line.

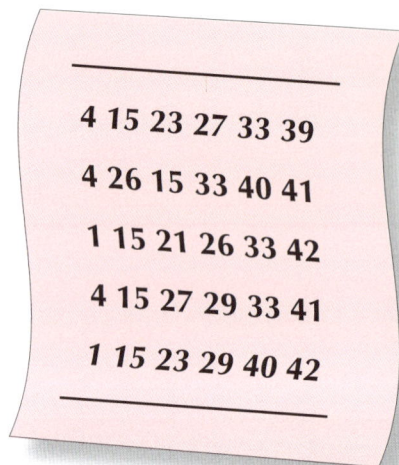

4 15 23 27 33 39

4 26 15 33 40 41

1 15 21 26 33 42

4 15 27 29 33 41

1 15 23 29 40 42

Question 6

Using the following *participes passés*, complete the following sentences.

écrit	fait	lu	mis	ouvert	plu	pris	reçu	voulu	vu

1. J'ai _____ tous les romans de Harry Potter.

2. Le temps est affreux ! Il a _____ pendant toute la semaine.

3. Nous avons _____ l'avion pour aller en France.

4. Paul et Luc ont _____ un bon film à la télé hier soir.

5. Tu as _____ du shopping samedi dernier ?

6. Ils ont _____ les volets pour voir la rue.

7. Mon ami a _____ un super cadeau pour son anniversaire.

8. Maman ne sait pas où elle a _____ ses lunettes.

9. Nous avons _____ une carte postale à notre prof de français.

10. J'ai _____ acheter un nouveau cartable pour la rentrée.

Question 7

Listen to these six conversations and decide which school subject the pupils are talking about. Write the French word for the subject.

Matière

1. _____
2. _____
3. _____
4. _____
5. _____
6. _____

Question 8

Write the following numbers in French.

73	79
_____	_____
82	87
_____	_____
93	98
_____	_____
100	350
_____	_____

Lexique

à pied	*on foot*	intérieur (m.)	*inside/indoors*
acheter	*to buy*	langue (f.)	*language*
accueil (m.)	*welcome*	lunettes (f. pl.)	*reading glasses*
aider	*to help/assist*	malheureusement	*unfortunately*
arts plastiques (m. pl.)	*craftwork*	matériel (m.)	*equipment*
avoir de la chance	*to be lucky*	matière (f.)	*school subject*
avoir soif	*to be thirsty*	moins	*less*
bâton (m.)	*stick*	morceau (m.)	*piece*
bille (f.)	*marble*	mordre	*to bite*
bleu-marine	*navy blue*	partie (f.)	*game/part*
cahier de textes (m.)	*homework journal*	partir	*to leave/go away*
camarade (m./f.)	*schoolmate/workmate*	pire	*worst*
chiffre (m.)	*figure/number*	printemps (m.)	*spring*
colle (m.)	*glue/detention*	promotion (promo) (f.)	*special offer*
collé(e)	*stuck in/attached*	proviseur (m./f.)	*school principal*
comme d'habitude	*as usual*	règlement (m.)	*rule/set of rules*
consacrer	*to devote time to*	remis	*distributed*
conserver	*to keep/mind*	remplir	*to fill out*
se coucher	*to go to bed*	rentrer	*to come back/return home*
courriel (m.)	*e-mail*	scolarité (f.)	*education*
couverture (f.)	*cover*	selon	*according to*
dent (f.)	*tooth*	seul(e)	*alone*
drôle (de)	*fantastic/terrific*	se lever	*to get up*
emploi du temps (m.)	*timetable*	se tenir informé(e)	*to keep oneself informed*
en bon état	*tidy/in good order*	sourire	*to smile*
ennuyeux /-se	*boring*	tache de rousseur (f.)	*freckle*
étranger /-ère	*foreigner/stranger*	tas de (m.)	*pile/heap of*
étude (f.)	*study*	tirage (m.)	*draw*
étui (f.)	*case/cover*	se tourner	*to turn around*
faire la grasse matinée	*to have a lie on*	tôt	*early*
fin de (f.)	*end of*	Toussaint (f.)	*All Saints' Day*
gagner	*to win*	trajet (m.)	*journey*
gratuitement	*free/at no cost*	tricher	*to cheat*
gros/ -sse	*fat*	trimestre (m.)	*term*
guerre (f.)	*war*	uniforme (m.)	*uniform*
indiqué(e)	*marked/indicated*	volet (m.)	*shutter*

Listening Comprehension
Test 1 • Unités 1-3

Q1 Where did these five people go on holidays, with whom and for how long?

	1.	2.	3.	4.	5.
Destination?					
With whom?					
How long?					

(5 x 3) 15 points ☐

Q2 Where was the *Colonie de Vacances* situated and what two activities did the person enjoy?

Where situated	1.	2.	3.	4.	5.
Activity 1					
Activity 2					

(5 x 3) 15 points ☐

Q3 What activity is being suggested for the campsite visitors and at what time will the five activities start?

	1.	2.	3.	4.	5.
Activity suggested					
Time					

(5 x 2) 10 points ☐

Q4 What do these five customers buy for *La rentrée* and how much does the item cost?

	1.	2.	3.	4.	5.
Item bought					
Cost					

(5 x 2) 10 points ☐

Q5 Five people talk about going back to school. Name one thing they like and one they dislike about being back at school.

	1.	2.	3.	4.	5.
Likes					
Dislikes					

(5 x 2) 10 points ☐

Q6 At what time do Luc and Maxime have the following subjects?

	French	History	English	Science	P.E.
Luc					
Maxime					

(5 x 2) 10 points ☐

Q7 In each of the 10 sentences, a time is mentioned. What is this time?

1 _____ 2 _____ 3 _____ 4 _____ 5 _____ 6 _____ 7 _____ 8 _____ 9 _____ 10 _____

(10 x 1) 10 points ☐

Q8 In each of the following 10 requests, what does each person ask permission to do?

1 _____ 2 _____ 3 _____ 4 _____ 5 _____

6 _____ 7 _____ 8 _____ 9 _____ 10 _____

(10 x 1) 10 points ☐

Q9 A number is mentioned in each of the following 10 statements. What is this number?

1 _____ 2 _____ 3 _____ 4 _____ 5 _____ 6 _____ 7 _____ 8 _____ 9 _____ 10 _____

(10 x 1) 10 points ☐

Total: 100 points ☐

Unité 4

Le temps et les saisons

Civilisation

Weather has a great effect on our everyday lives. It determines what we wear and what we can plan to do. It often determines what type of house we live in, what types of crops are grown and, most of all, it often affects our health and humour.

In the north of France, you find that farmers grow cereals, fruit and vegetables which are similar to those that we produce in Ireland. In *la Normandie*, for example, apples and pears are very popular crops, and the cider industry is very important.

un verger normand

In the south of France, olive trees thrive, as well as citrus fruits such as lemons, grapefruit and oranges. Another important crop in the south is lavender, grown to produce essential oils for the perfume industry.

France produces large quantities of wine each year. Vines do best where they get a lot of sun, so you must travel down the map to find most of the wine-growing areas of France. The grapes are harvested in autumn each year and this is called *les vendanges*.

un vignoble

In the springtime, a strong cold wind blows down *le Rhône* river valley. This is called *le mistral*. It brings cold, wintry conditions to an area that is normally warm and sunny, and old people often say they can 'feel it in their bones', when *le mistral* is likely to blow!

Although *les Alpes Maritimes* and *les Pyrénées* mountains are in the south of France, you will find snow on the peaks all year round, even when the sun is shining and there is a blue sky; this is because of their height above sea-level.

les Alpes

France is certainly a land of contrasting weather conditions!

Les points cardinaux

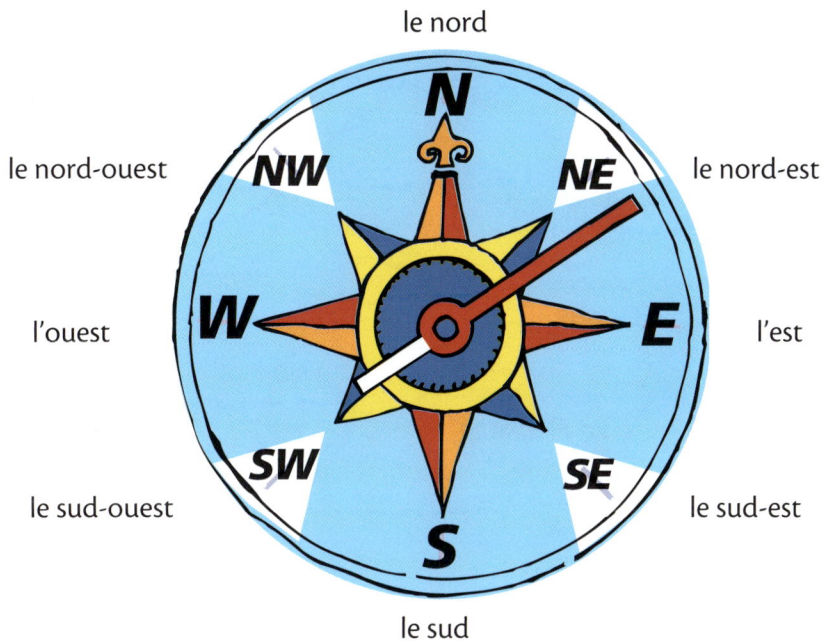

le nord

le nord-ouest

le nord-est

l'ouest

l'est

le sud-ouest

le sud-est

le sud

N
NW
NE
W
E
SW
SE
S

à + le = au   *à + l' = à l'*

4.1 Écoutons maintenant !

Complétez les phrases suivantes :

1. Luc habite _____ _____ de la France.

2. Océane habite _____ _____ de la France.

3. Léa habite _____ _____ de la France.

4. Khalid habite _____ _____ de la France.

5. Sophie habite _____ _____ de la France.

6. Christophe habite _____ _____ de la France.

GRAMMAIRE

Parlons maintenant !

Où se trouve … ?

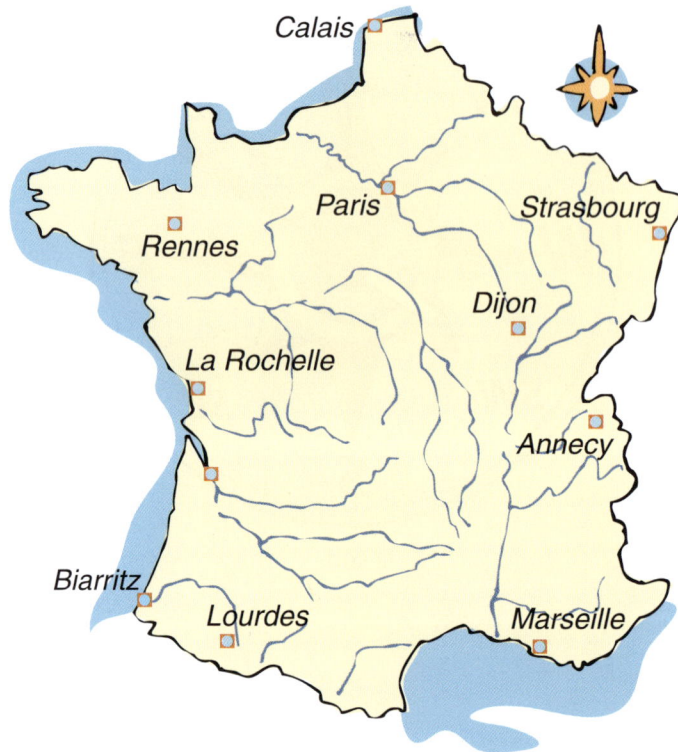

Taking turns, ask each other where the cities marked on the map are situated.

Exemple :

Q. *Où se trouve Marseille ?*

R. *Marseille se trouve au sud de la France.*

1. Où se trouve Calais ?
2. Où se trouve Dijon ?
3. Où se trouve Strasbourg ?
4. Où se trouve Rennes ?
5. Où se trouve Marseille ?
6. Où se trouve Biarritz ?
7. Où se trouve Annecy ?

La météo

Quel temps fait-il ?

You will probably remember these phrases describing the weather which you learned last year in Bon Travail 1 (Unité 6).

Il fait beau. **Il fait mauvais.** **Il fait chaud.**

Il fait froid. **Il fait soleil.** **Il pleut.**

Now we will learn some more:

Il fait du vent.
(le vent)

Il y a du brouillard.
(le brouillard)

Il y a du verglas.
(le verglas)

Le temps est nuageux.
(le nuage)

Il neige.
(la neige)

Il pleut.
(la pluie)

Il grêle.
(la grêle)

Il gèle.
(le gel)

4.2 Écoutons maintenant !

You will hear six people talking about the weather. Number the picture which is being spoken about.

(a) (b) (c)

(d) (e) (f)

GRAMMAIRE

Exercice 1

Using the weather map, say what the weather is like today in each town.

1. À Lille, il _____.
2. À Rennes, il _____.
3. À Paris, il _____.
4. À La Rochelle, il _____.
5. À Lyon, il _____.
6. À Marseille, il _____.

Exercice 2

Can you find these ten different words to do with the weather?

b	a	x	t	v	y	f	p	u	r
r	n	e	i	g	e	r	s	b	g
o	z	l	m	o	q	o	b	c	s
u	i	j	p	l	u	i	e	l	e
i	a	c	h	a	u	d	a	n	g
l	h	b	n	c	h	a	u	x	a
l	t	p	r	o	k	x	i	i	u
a	n	l	i	e	l	o	s	u	n
r	e	d	y	x	v	q	z	n	g
d	v	m	s	a	l	g	r	e	v

beau   nuages
brouillard   pluie
chaud   soleil
froid   vent
neige   verglas

Parlons maintenant !

With your partner, take turns in saying what you do depending on the weather.

Par exemple : *Quand il fait soleil, je peux jouer au tennis.*

Des phrases utiles :

Quand il fait froid, je peux / je dois…

Quand il fait chaud, je peux / je dois…

Quand il neige, je peux / je dois…

4.3 Écoutons ce petit poème !

« Il pleut, il mouille. »

Il pleut, il mouille, c'est la fête à la grenouille,
Il pleut, il mouille, c'est la fête à la grenouille,
Quand il ne pleuvra plus, ce sera la fête à la tortue.
Il pleut, il mouille, c'est la fête à la grenouille,
Quand il ne pleuvra plus, ce sera la fête à la tortue.

La température

Nowadays, temperature is usually given in degrees (*degrés*) centigrade. On a very cold day the thermometer will register 0° (*zéro degré*), which is called freezing point (*point de congélation*). In parts of France, when it is very hot, the temperature can climb to 40°. When there is a heat wave, the French call it *une canicule*. Quite often, the weather report will give the range of temperatures from the lowest (*température minimale*) to the highest (*température maximale*) that is expected. You may hear these on the Junior Certificate Tape Test, where there is normally a weather forecast (*la météo*) given.

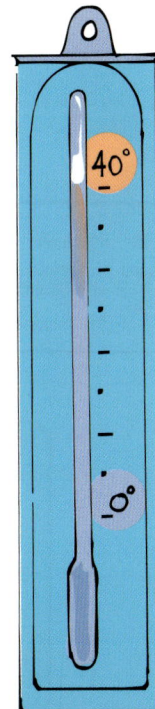

Écoutons maintenant !

On the grid, mark in the type of weather forecast and the temperature expected.

City	Temperature	Type of weather
Bruxelles		
Copenhague		
Dublin		
Lisbonne		
Londres		
Vienne		

Lisons maintenant !

Look at the weather map and forecast below and answer the questions.

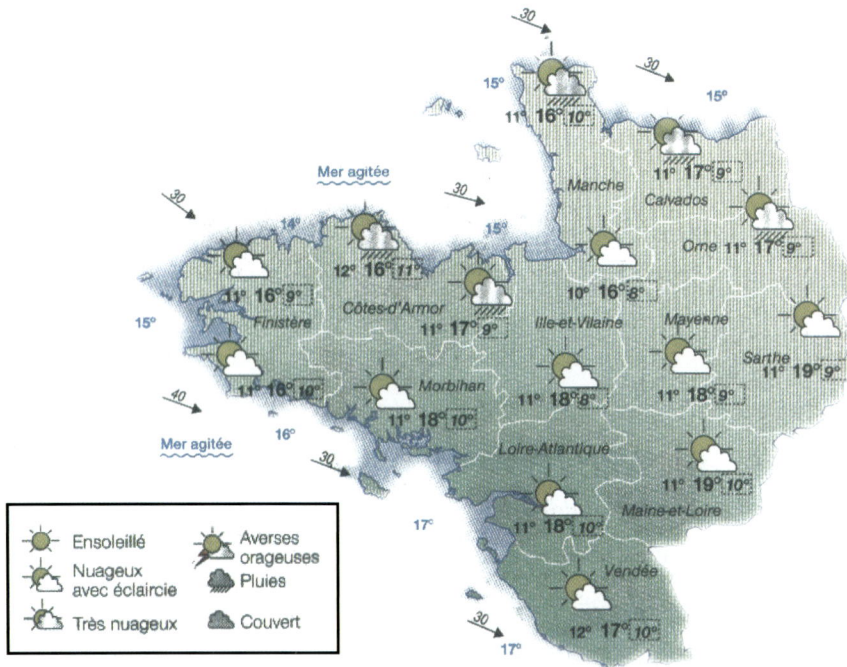

mardi 26 juin :
l'anticyclone essaie de venir sur notre région mais en vain. De belles éclaircies en matinée, excepté sur le Perche et le littoral de la Manche. Cet après-midi, des averses alterneront avec quelques apparitions du soleil. Le vent de nord-ouest est plus fort qu'hier. Mer agitée sur toutes les côtes.

1. From the key, can you find the French word for the following: sunny; bright spell; shower.

2. This is the weather forecast for which day?

3. When will there be some bright spells?

4. What is the forecast for the afternoon?

5. From which direction is the wind?

6. What does it say about the sea?

Lisons maintenant !

Ciel bleu assuré pour l'ouverture des Jeux Olympiques !

Le mois d'août en Chine est une saison traditionnellement orageuse ! Mais, les Chinois veulent s'assurer que l'ouverture des Jeux Olympiques à Béijing à huit heures, le huitième jour du huitième mois 2008 sera sans une goutte de pluie.

Zheng Guoguang, chef des services météorologiques chinois, a annoncé qu'ils vont utiliser des roquettes pour percer les nuages, porteurs de pluie. Les roquettes sont remplies de produits chimiques avant de provoquer des averses. Donc, ils veulent les lancer le matin et l'après-midi du 8, pour s'assurer que les nuages pluvieux seront dispersés avant la cérémonie officielle le soir.

Les Chinois disent que la présence de tant de « huits » (en Chine le numéro 8 est le numéro de bonne chance) et les roquettes vont empêcher la pluie !

1. What type of weather do the Chinese normally expect in August?
2. When will the Olympic Games opening ceremony take place?
3. What type of rockets will the meteorologists use?
4. When will they fire these rockets?
5. What is the significance of the number eight in China?

Coin prononciation : The letters « **au** » and « **eau** » in French are usually pronounced as « oh » in the word « low » - b**eau**, nouv**eau**, gât**eau**, **eau**, ch**au**d, m**au**vais, h**au**t, anim**au**x.

4.5 **Écoutons maintenant !**

Les infos !

Listen to how the weather has made the news headlines in these five recordings from French radio.

Mots clés :

tué	*killed*
inondations	*floods*
une chute de neige	*fall of snow*
un incendie	*fire*

1. What caused the tragedy in Chamonix yesterday?
2. Why were the people in the Languedoc region evacuated?
3. What weather conditions led to the situation in the forest in the Pyrénées mountains?
4. What was the reason for the road accident yesterday?
5. Why are there no ferries from Cherbourg today?

Les régions de France

France is divided into *22 régions*. A region is composed of a number of *départements*, which are like counties. There are *95 départements*. Each of these regions has a capital city and its own parliament. Look at the map and see if you are familiar with any of these areas.

Nord-Pas de Calais — Lille
Haute-Normandie — Amiens — Châlons en Champagne
Basse-Normandie — Rouen — Picardie — Metz — Strasbourg
Caen — Paris — Lorraine
Bretagne — Île de France — Champagne-Ardennes — Alsace
Rennes — Orléans — Besançon
Pays de la Loire — Dijon — Franche-Comté
Nantes — Centre — Bourgogne
Poitiers
Poitou-Charentes — Limousin — Clermont-Ferrand — Lyon
Limoges — Auvergne — Rhône-Alpes
Bordeaux
Aquitaine
Midi-Pyrénées — Montpellier — Provence-Alpes Côte d'Azur
Toulouse — Languedoc-Roussillon — Marseille
Corse — Ajaccio

GRAMMAIRE

Région	Capitale
Nord-Pas-de-Calais	*Lille*
Picardie	*Amiens*
Haute-Normandie	*Rouen*
Île-de-France	*Paris*
Champagne-Ardennes	*Châlons en Champagne*
Lorraine	*Metz*
Alsace	*Strasbourg*
Franche-Comté	*Besançon*
Bourgogne	*Dijon*
Rhône-Alpes	*Lyon*
Auvergne	*Clermont-Ferrand*
Provence-Alpes / Côtes d'Azur	*Marseille*
Corse	*Ajaccio*
Languedoc-Roussillon	*Montpellier*
Midi-Pyrénées	*Toulouse*
Aquitaine	*Bordeaux*
Limousin	*Limoges*
Poitou-Charentes	*Poitiers*
Centre	*Orléans*
Pays de la Loire	*Nantes*
Bretagne	*Rennes*
Basse-Normandie	*Caen*

You need to be familiar with the names of these *régions* as they are often used by the weather-forecaster when talking about the weather.

4.6 Écoutons maintenant !

Regardez la carte et identifiez les régions.

Look at the map and listen to these short weather bulletins. Can you identify which region(s) is/are being spoken of in each bulletin?

1. _____
2. _____
3. _____
4. _____
5. _____

Coin grammaire

L'adjectif

un pull **vert**
(*masculine singular*)

des pulls **verts**
(*masculine plural*)

une chaise **verte**
(*feminine singular*)

des chaises **vertes**
(*feminine plural*)

In Book 1, Unités 5 and 6, you learned about adjectives. Do you remember what an adjective is? It is a describing word. As you can see, in French you must change the spelling of the adjective so that it agrees with the noun it describes.

Making the feminine form of an adjective

Most adjectives form the feminine by adding an **-e**. However, there are several adjectives which form the feminine in other ways.

1. Add **e**

haut(e)
mauvais(e)
ensoleillé(e)
minimal(e)
violent(e) froid(e) couvert(e)
chaud(e) fort(e)

2. Change **eux → euse**

pluvieux/euse brumeux/euse
nuageux/euse
orageux/euse
nombreux/euse dangereux/euse

3. Change **–if → ive**

négatif/ive
positif/ive
actif/ive vif/ive sportif/ive

4. Change **–er → ère**

premier/ère
léger/ère
dernier/ère

5 No change - already ends in **e**

faible

calme rapide

6 Double last letter and add **e**

bas/basse

moyen/moyenne gros/grosse

bon/bonne

7 Adjectives that change completely

long/longue

sec/sèche

nouveau*/nouvelle

vieux*/vieille doux/douce beau*/belle

blanc/blanche

***Attention !**

Beau, nouveau, vieux : These three adjectives have two forms for the masculine:

beau — bel   nouveau — nouvel   vieux — vieil

Bel, **nouvel** and **vieil** are used if the masculine noun begins with a vowel (a, e, i, o, u) or a silent **h** — e.g. un bel **o**iseau; le Nouvel **A**n; un vieil **u**niforme; le bel **h**omme.

4.7 **Écoutons maintenant !**

Cochez la bonne case

Listen to the adjectives and in each case tick the form of the adjective that you hear.

Masculin	chaud		léger		actif		mauvais	
Féminin	chaude		légère		active		mauvaise	

Masculin	moyen		bon		nuageux		sec	
Féminin	moyenne		bonne		nuageuse		sèche	

Exercice 1

Check first that you know the meaning of the adjectives in the **sac à mots** which describe different types of weather. Then using each adjective, complete the sentences which follow.

1. Le vent est très _____ aujourd'hui, le ferry ne peut pas partir.

2. Journée _____ — j'ai passé l'après-midi à la plage.

3. C'est difficile pour le pilote, le ciel est _____.

4. La soirée est _____ : il y a du tonnerre et des éclairs.

5. La salle de classe est _____ — ouvre les fenêtres, s'il te plaît !

6. Après une nuit _____, il y a de l'eau partout.

7. La neige est _____ quand je la touche.

8. J'adore l'eau _____ de la mer quand il fait très chaud.

fraîche   ensoleillée
pluvieuse   nuageux
froide   orageuse
chaude   fort

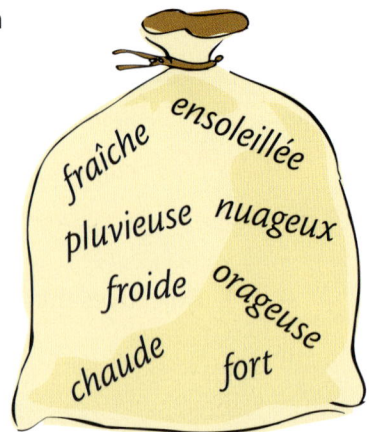

Où mettre l'adjectif ?

Nearly all adjectives in French are put **after** the noun.

La Maison *Blanche*.

Les volets *bleus*.

Le film *intéressant*.

Oú ?

Blanche

____?____ Maison ____?____

Faites attention ! Some adjectives are put **before** the noun.

Exemples :

beau	beau temps	long	longue journée
bon	bon anniversaire	mauvais	mauvaise note
grand	grandes vacances	nouveau	Nouvel An
jeune	jeune fille	petit	petit garçon
joli	jolie fleur	vieux	vieux Rennes

Exercice 1

Remplissez les blancs en utilisant les adjectifs donnés.
Use the adjectives at the bottom of page 108 to make these sentences.

1. J'adore les _____ vacances.

2. _____ anniversaire, Michel.

3. Meilleurs voeux pour le_____ An.

4. C'était une _____ journée — je suis fatigué.

5. Après la pluie, le _____ temps.

6. Le livre s'appelle "Le _____ Nicolas".

7. Le professeur m'a donné une _____note.

8. Voici une _____ fleur pour ta mère.

9. La _____ fille s'appelle Nathalie.

10. Nous avons visité le _____ Strasbourg.

Bon anniversaire

Civilisation

Many expressions in the French language refer to the different seasons. For example: *à la belle saison* means in the summertime or, literally, in the beautiful season. The expression *la mauvaise saison* refers to the wintertime. If the weather is as you would expect for the season, people say *Il fait un temps de saison*. The phrase *au fil des saisons* means 'with the passing of the seasons'. *Hors saison* or *basse saison* beside a phone number on a tourist brochure means that this is the number you ring if you want to visit somewhere during the low season — not the busy summer season, which is called *la haute saison*.

Quelques dictons

In French there are many old sayings (*dictons*) to do with the seasons. Here are some of them. With the help of your dictionary, can you translate them?

juillet

octobre

février

Souvent juillet orageux annonce hiver rigoureux.

Octobre en fleurs, hiver de rigueur.

En février s'il tonne, espère un bel automne.

Les quatre saisons de l'année

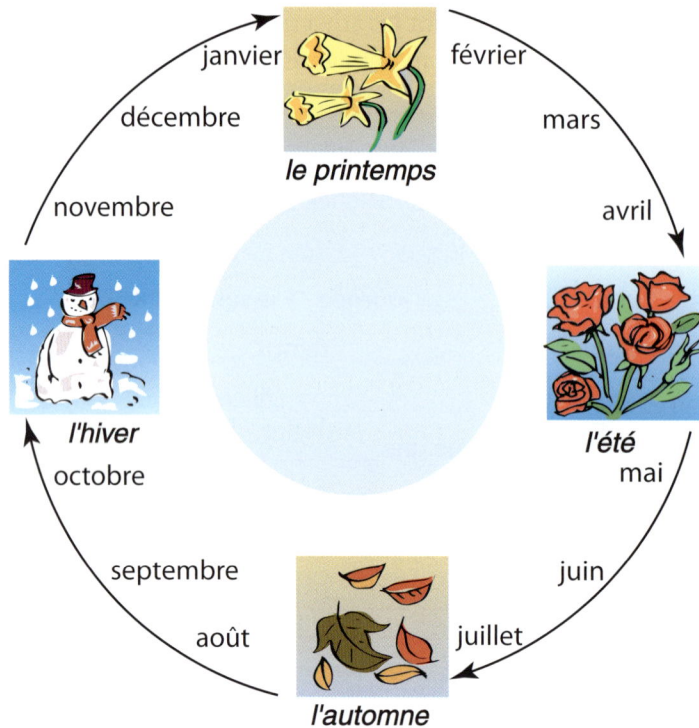

En quelle saison ?

au printemps

en été

en automne

en hiver

Au printemps, les oiseaux font leurs nids.
En automne, les feuilles tombent.

En été, il fait soleil.
En hiver, on fait du ski.

Exercice 1

En quelle saison ?

1. On fête Hallowe'en _____ .
2. Les grandes vacances sont _____ .
3. Il y a beaucoup de bébés-animaux _____ .
4. Le père Noël arrive _____ .
5. Il fait soleil _____ .
6. On fait du patin à glace _____ .
7. Mon anniversaire est _____ .

Exercice 2

Le savez-vous ? Le quiz des quatre saisons.

This **V** is the composer of a piece of music the French call *Les Quatre Saisons*.

This **V** is a very important activity in autumn in areas where grapes are grown.

This **P** is the name of a well-known chain of department stores in France.

This **R** is what the French call going back to school after the summer holidays.

This **N** is what the birds make in spring.

This **S** is the French word for the four divisions of the year.

This **F** is what falls off the tree in autumn.

This **M** is the name of a cold wind that blows in springtime.

On porte quoi ?

(a) un sweat capuche   **(b)** des gants (m. pl.)   **(c)** des bottes (f. pl.)

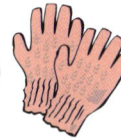

(d) un K-way   **(e)** des lunettes de soleil (f. pl.)

(f) un imperméable   **(g)** un maillot de bain

(h) une écharpe   **(i)** une casquette

Exercice 1

Make sentences using one item from each bag - *les sacs à mots*.

Quand il fait beau,	je porte	un K-way.
Quand il fait soleil,	nous portons	une casquette.
Quand il fait froid,	je porte	des lunettes de soleil.
Quand il pleut,	il porte	mon maillot de bain.
En été,	elle porte	des gants.
En hiver,	tu portes	un sweat capuche.

GRAMMAIRE

4.8 Écoutons maintenant !

Quels sont vos passe-temps ? Listen to these people talking about their hobbies during different times of the year and fill in the chart.

Écoutez les cinq interviews et remplissez la grille.

Interview	Season	Two activities mentioned
1.		
2.		
3.		
4.		
5.		

Lisons maintenant !

Can you make out the abbreviations in French notices? Here are some common ones to do with opening and closing times.

ouv. tlj — ouvert tous les jours

tlj sf merc. — tous les jours sauf mercredi

ttes les heures — toutes les heures

un we par mois — un week-end par mois

tte l'année — toute l'année

jrs fériés — jours fériés

ts les merc. — tous les mercredis

Au fil des saisons — 60 jardins à visiter en France

Parc Florenia

N10, 64122 Urrugne.

Tél. : 05 59 48 02 51.

— Ouv. du 15 mars au 5 nov.,

10h–19h, sf lundi

(en juill. et août tlj jusqu'à 21h).

— Prix d'entrée : 5€85 enfants 6–16 ans : 3€75.

Activités ludiques en période de vacances.

En été, atelier jardinage ts les merc.

Vente de plantes. Cafétéria.

Jardins de Valloires

80120 Argoules.

Tél. : 03 22 23 53 55.

— Ouv. du 24 mars au 4 nov.,

10h–13h en basse saison, à 18h30 de mai à sept.

Animation horticole ou musicale un we par mois.

— Prix d'entrée : 5€85 (4€35 en basse saison) ; tarif réduit : 2€25 et 1€80.

Boutique, jardinerie, salon de thé.

Parc Florenia

1. On which day of the week is the park closed?

2. What is held on Wednesdays during the summer?

3. What is for sale in the gardens?

Jardins de Valloires

1. What are the opening hours during the low season?

2. How often is there musical entertainment in the gardens?

3. Name **two** facilities in the garden.

Coin grammaire

Le passé composé (The Past Tense) avec le verbe *être*.

When forming *le passé composé*, most verbs in French need the helping verb *avoir*, while others — a small number of verbs — need the helping verb *être*.

1. You have already learned to make *le passé composé* with the verb *avoir*. However, a number of verbs need *être* as the helping verb.
   Je suis sorti(e) = I went out   **Je suis parti(e)** = I left

2. This time the helping verb is *être*

3. Do you remember the verb *être* in the present?

je suis +	nous sommes +
tu es +	vous êtes
il est +	ils sont +
elle est +	elles sont +

* the verb *rentrer* is formed like *entrer*

4. Which verbs are the *être* verbs?

   We can group most of the *être* verbs into pairs with opposite meanings

to come/to go	**aller / venir**
to go up/to go down	**monter / descendre**
to arrive/to leave	**arriver / partir**
to be born/to die	**naître / mourir**
to come in/to go out	**entrer */ sortir**
to stay or remain/to fall	**rester / tomber**
to go back	**retourner**

5 What about the *participe passé*?

The past participle continues to be needed with the helping verb.

> All **–er** verbs – take the *infinitif* and replace **–er** with **é**.
>
> regular **-ir** verbs – take the *infinitif* and replace **–ir** with **i**.
>
> regular **-re** verbs – take the *infinitif* and replace **–re** with **u**.

There are a few irregular ones:

Infinitif	Participe passé
naître	né
mourir	mort
venir	venu

Exercice 1

Faites des paires !

Join the correct **infinitif** and **participe passé** and write them in your copybook.

entrer   arriver

rester   venir

partir   descendre

tomber   mourir

aller   retourner

sortir   monter

naître

mort   tombé

monté   sorti

parti   descendu

arrivé   resté

venu

entré   allé

né   retourné

6 Is the spelling of *le participe passé* the same for each person as with *avoir* verbs?

The answer is **Non** ! The *être* verbs are slightly different. *Le participe passé* has to agree with **the person or thing** doing the action, i.e. the subject of the sentence.

> je suis all**é** — if the person is male.
>
> je suis allé**e** — if the person is female.
>
> elle est arrivé**e** — an extra '**e**' is added because *elle* is feminine.
>
> ils sont allé**s** — add '**s**' because *ils* is plural.
>
> elles sont allé**es** — add '**es**' because *elles* is feminine plural.

So, in all cases with *être* verbs, you need to ask yourself "who is doing the action?"

> If subject is feminine, add **e** to *le participe passé*.
>
> If subjects are plural masculine, add **s** to *le participe passé*.
>
> If subjects are plural feminine, add **es** to *le participe passé*.

4.9 Écoutons maintenant !

Here is an example of an −**er** verb *au passé composé* with the verb *être*.

Attention ! Although the *participe passé* sounds the same, the spelling for the different persons changes.

			verbe auxiliaire	participe passé
(m.)	je		suis	all**é**
(f.)	je		suis	all**ée**
(m.)	tu		es	all**é**
(f.)	tu		es	all**ée**
(m.)	il		est	all**é**
(f.)	elle		est	all**ée**
(m. pl)	nous		sommes	all**és**
(f. pl)	nous		sommes	all**ées**
(m. pl)	vous		êtes	all**és**
(f. pl)	vous		êtes	all**ées**
(m. pl)	ils		sont	all**és**
(f. pl)	elles		sont	all**ées**

Exercice 1

Remplissez la grille avec le verbe *retourner* (to return) *au passé composé*.

		verbe auxiliaire	participe passé			verbe auxiliaire	participe passé
(m.)	je		retourné	*(m. pl)*	nous	sommes	
(f.)	je	suis		*(f. pl)*	nous	sommes	
(m.)	tu		retourné	*(m. pl)*	vous		retournés
(f.)	tu	es		*(f. pl)*	vous	êtes	
(m.)	il	est		*(m. pl)*	ils		retournés
(f.)	elle		retournée	*(f. pl)*	elles	sont	

4.10 ## Écoutons maintenant !

Here is an example of an **-ir** verb *au passé composé* with the verb *être*.

			verbe auxiliaire	participe passé
(m.)	je		**suis**	sort**i**
(f.)	je		**suis**	sort**ie**
(m.)	tu		**es**	sort**i**
(f.)	tu		**es**	sort**ie**
(m.)	il		**est**	sort**i**
(f.)	elle		**est**	sort**ie**
(m. pl)	nous		**sommes**	sort**is**
(f. pl)	nous		**sommes**	sort**ies**
(m. pl)	vous		**êtes**	sort**is**
(f. pl)	vous		**êtes**	sort**ies**
(m. pl)	ils		**sont**	sort**is**
(f. pl)	elles		**sont**	sort**ies**

Exercice 2

Remplissez la grille avec le verbe *partir* (to leave) *au passé composé*.

		verbe auxiliaire	participe passé			verbe auxiliaire	participe passé
(m.)	je		parti	*(m. pl)*	nous		partis
(f.)	je	suis		*(f. pl)*	nous	sommes	
(m.)	tu		parti	*(m. pl)*	vous		partis
(f.)	tu	es		*(f. pl)*	vous	êtes	parties
(m.)	il	est		*(m. pl)*	ils		
(f.)	elle		partie	*(f. pl)*	elles	sont	parties

4.11 Écoutons maintenant !

Here is an example of an **-re** verb *au passé composé* with the verb *être*.

			verbe auxiliaire	participe passé
(m.)	je		**suis**	descend**u**
(f.)	je		**suis**	descend**ue**
(m.)	tu		**es**	descend**u**
(f.)	tu		**es**	descend**ue**
(m.)	il		**est**	descend**u**
(f.)	elle		**est**	descend**ue**
(m. pl)	nous		**sommes**	descend**us**
(f. pl)	nous		**sommes**	descend**ues**
(m. pl)	vous		**êtes**	descend**us**
(f. pl)	vous		**êtes**	descend**ues**
(m. pl)	ils		**sont**	descend**us**
(f. pl)	elles		**sont**	descend**ues**

GRAMMAIRE

Exercice 3

Remplissez la grille avec le verbe **naître** (to be born) *au passé composé*:

		verbe auxiliaire	participe passé
(m.)	je	suis	né
(f.)	je	suis	
(m.)	tu		né
(f.)	tu	es	
(m.)	il	est	né
(f.)	elle		
(m. pl)	nous	sommes	
(f. pl)	nous		nées
(m. pl)	vous		nés
(f. pl)	vous	êtes	
(m. pl)	ils		nés
(f. pl)	elles	sont	

Rappel! Le verbe *naître* a un participe passé irrégulier.

Exercice 4

Choissisez la bonne réponse. Pick the correct *participe passé* in each of these sentences and then write them in your copy.

1. Marie est (allé / allée) dans les Alpes l'hiver dernier.

2. Mes cousines sont (arrivé / arrivés / arrivées) sous la pluie.

3. Paul et Luc sont (sorti / sortis / sorties) hier soir, car il faisait beau.

4. Luc est (né / née) à Toulouse.

5. Marie et Julie, quand est-ce que vous êtes (parti / partis / parties) ?

6. Julie, tu es (venu / venue) de Strasbourg au printemps ?

7. Mes grands-parents sont (mort / morts / mortes) il y a longtemps.

8. Le frère de Céline est (retourné / retournée) à l'université en automne.

Exercice 5

Qu'est-ce qu'ils disent ?

Match the correct caption to each picture.

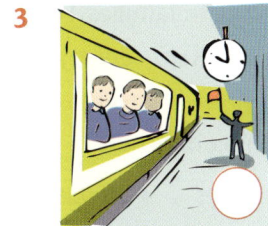

1
2
3

4
5
6

(a) Oui, Maman, je suis arrivée saine et sauve.

(b) Les garçons sont descendus du train.

(c) Je suis sorti de la classe à midi.

(d) Nous sommes partis à 10 heures.

(e) Nous sommes descendues de l'avion à Paris.

(f) Quand êtes-vous montés sur la Tour Eiffel ?

Exercice 6

Write eight sentences in your copy using one item from each type of weather.

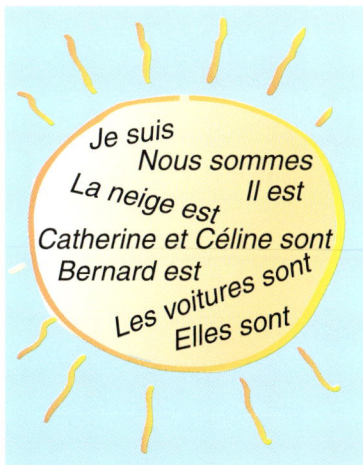

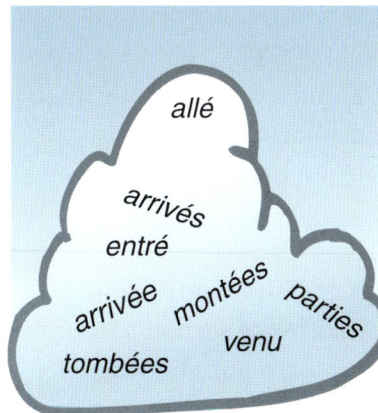

Je suis
Nous sommes
Il est
La neige est
Catherine et Céline sont
Bernard est
Les voitures sont
Elles sont

allé
arrivés
entré
arrivée   montées   parties
venu
tombées

dans le brouillard
en été
sur le verglas
avec un parapluie
au printemps
au lycée en automne
de bonne heure
dans les Alpes

Coin dictionnaire

Familles de mots

Words can belong in families. For example, in English we have the words
cook / cooking / cooker / cookery book — all related to the word 'cook'.

Here is an example of a family of French words. Knowing one of the words may help you to guess the meaning of others.

- *pleuvoir — to rain*
- *un parapluie — an umbrella*
- *un pluvier — a plover (a bird that appears in the wet season!)*
- *pluvieux — rainy*
- *la pluie — the rain*

When you look up a word in a dictionary, you will often find related words. This can help you to identify the word family.

Ensoleillé — can you see the word '*soleil*', which gives you a clue as to its meaning? Can you find the core word in these?

en   soleil   lé

- *refroidir*
- *tournesol*
- *paravent*
- *perce-neige*
- *congélateur*
- *météorologue*

Lisons maintenant !

Here is a little poem by the French poet, Jean Rivet. Born in 1933, he lives near Caen in Normandy. He helps to organise a festival of poetry each year to encourage new poets.

Collages by Jean Rivet

Le petit garçon avait dessiné une maison :

La première partie, faite au printemps,
En était très bleue avec un nuage bien blanc,

La seconde, dessinée en été, éclatait de soleil ;

La troisième, conçue en automne, était couverte de feuilles d'arbre mortes ;

Et la dernière partie était tout enneigée.

Le petit garçon, dans son tableau, avait aussi collé du jour, de la nuit noire ou étoilée, des semailles et des moissons.

Il y avait également une mère, un père, des enfants, un chien et des oiseaux.

Enfin, il avait ajouté du bonheur et des larmes.

1. When was the first part of the picture drawn?
2. What was the weather like in the second part of the drawing?
3. What was used to illustrate the autumn season?
4. How was the night shown?
5. Which animals did he include?
6. Find three words to do with weather in the poem.

Écrivons maintenant !

Exercice 4

When you are writing about events in the past tense (*le passé composé*) you will be using verbs which use *avoir* as a helping verb and those which take *être*. Read the following two postcards.

(a) In your copy make two lists, one of the verbs which use *avoir* and the second of the verbs which use *être*.

(1)

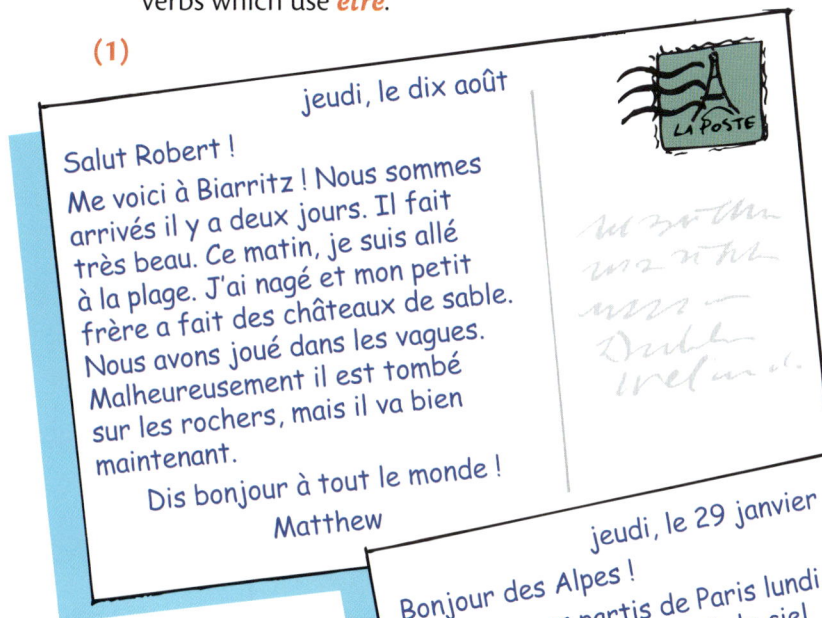

jeudi, le dix août

Salut Robert !
Me voici à Biarritz ! Nous sommes arrivés il y a deux jours. Il fait très beau. Ce matin, je suis allé à la plage. J'ai nagé et mon petit frère a fait des châteaux de sable. Nous avons joué dans les vagues. Malheureusement il est tombé sur les rochers, mais il va bien maintenant.
Dis bonjour à tout le monde !
Matthew

(2)

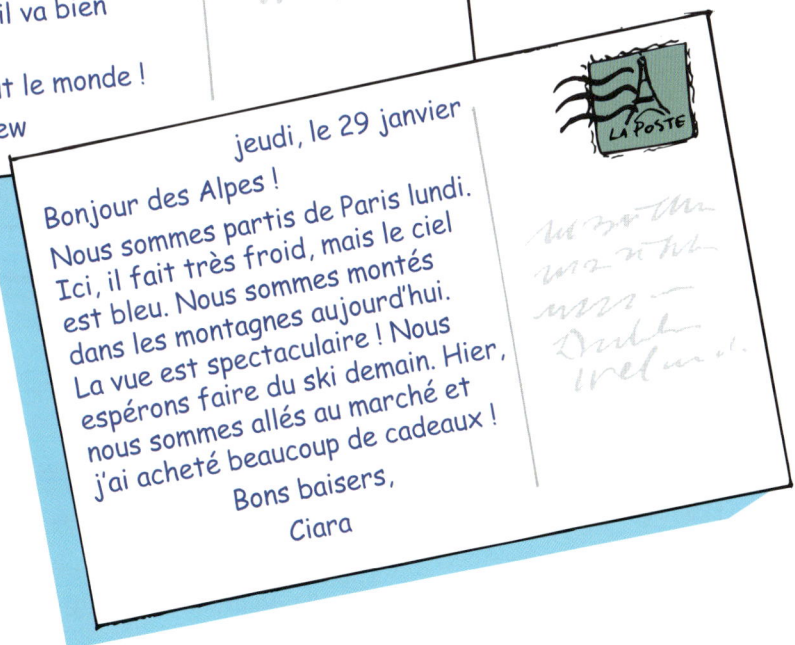

jeudi, le 29 janvier

Bonjour des Alpes !
Nous sommes partis de Paris lundi. Ici, il fait très froid, mais le ciel est bleu. Nous sommes montés dans les montagnes aujourd'hui. La vue est spectaculaire ! Nous espérons faire du ski demain. Hier, nous sommes allés au marché et j'ai acheté beaucoup de cadeaux !
Bons baisers,
Ciara

(b) Now using some of the verbs which you have found above, write a postcard from a seaside resort in Ireland to your French penfriend saying:
- when you arrived and who is with you
- some of the things you have done
- that your brother returned home, because he has an exam.

GRAMMAIRE

Communication en classe !

- *Quel temps fait-il aujourd'hui ?*
- *Il fait chaud dans la salle de classe.*
- *Il fait froid dans la cour.*
- *Aujourd'hui, c'est le début du printemps.*
- *Désolé(e) – le bus est parti tard.*
- *À quelle heure est-ce que tu es rentré(e) ?*
- *Où est-ce que tu es né(e) ?*
- *Tu es né(e) à quelle saison ?*
- *Les vacances de printemps commencent la semaine prochaine.*
- *N'oubliez pas vos K-ways demain pour l'excursion !*

Épreuve

Question 1

Complete the sentence with a suitable adjective.

basse   froide   haute   agitée
longue   sportive   dernière   mauvaise

1. Quand il fait très chaud, je bois une boisson _____.

2. Je porte un parapluie quand la journée est _____.

3. Il fait un degré — la température est _____.

4. Le Mont Blanc — c'est une montagne très _____.

5. Le 21 juin, c'est la plus _____ journée de l'année.

6. Chantal adore faire du sport ; elle est très _____.

7. On ne peut pas faire de la voile quand la mer est trop _____.

8. Cette phrase est la _____ de l'exercice !

Question 2

Listen to these advertisements. What items are being offered?

1	
2	
3	
4	
5	

Question 3

Lisons maintenant

Faites des paires !

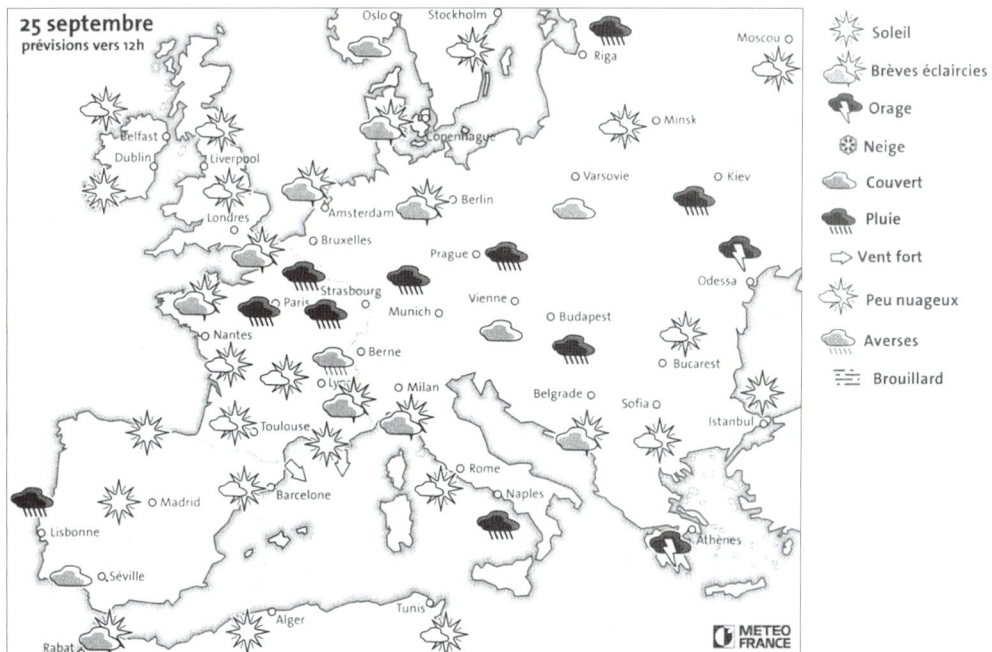

25 septembre prévisions vers 12h	

À Berne	il fait du soleil.
À Londres	il pleut.
À Cork	il y a des orages.
À Milan	il y a de brèves éclaircies.
À Athènes	il y a des averses.
À Paris	le temps est peu nuageux.

Question 4

Read this article on swallows and answer the questions which follow.

Part 1

Les hirondelles ne migrent toujours pas !

La Ligue pour la Protection des Oiseaux (LPO) est inquiète. En raison de l'automne très doux, les oiseaux migrateurs ne semblent toujours pas prêts à quitter la France. Normalement, à cette période, ils hivernent déjà en Afrique.

Des hirondelles partout en France, même dans le Nord ! *« De mémoire d'ornithologue, on n'a jamais vu ça »*, a indiqué la Ligue pour la Protection des Oiseaux, jeudi. Selon elle, leur présence début décembre est inquiétante. D'habitude, à cette période, les oiseaux migrateurs hivernent en Afrique.

Part 2

Réchauffement

Les oiseaux restent en France, car il a fait très doux : cet automne a été le plus chaud depuis 1950 ! Pour la LPO, ce changement est dû au réchauffement climatique. Et, selon elle, la Terre se réchauffe si vite que cela bouleversera peut-être leurs habitudes de vie.

---

1. Why is the LPO (Ligue pour la Protection des Oiseaux) worried? (Part 1)
2. Where do swallows normally spend their winter? (Part 1)
3. Why are the swallows still in France in December? (Part 2)
4. What was so remarkable about the Autumn this year in France? (Part 2)
5. What has caused this? (Part 2)

Question 5

Quel temps fait-il ? Quel est le résultat ?

Listen to the speakers and complete the grid below.

	Type of weather	Outcome
1		
2		
3		
4		
5		
6		

Question 6

Complete the sentences using the correct form of the *passé composé* of the verbs in brackets.

1. Je (arriver) _____ _____ lundi dernier.
2. Ma petite sœur (naître) _____ _____ en 2000.
3. Nous (descendre) _____ _____ dans la cave.
4. Ils (partir) _____ _____ en vacances en France.
5. Elle (sortir) _____ _____ avec son petit ami le week-end dernier.
6. Elles (rentrer) _____ _____ avant le déjeuner.
7. Quand est-ce que vous (entrer) _____ _____ au lycée ?
8. Noémie, tu (aller) _____ _____ au marché hier ?
9. Le grand-père de Thomas (mourir) _____ _____ à l'âge de 85 ans.
10. Ma correspondante française (venir) _____ _____ en juin dernier.

Question 7

Luc is on an exchange in Ireland with the McGrath family, who live in Cork. Below is a description of what he did on his first day in Ireland. He rings his mum in France and tells her what he has done. Write out what he says to her, by changing all the words in heavy print to the « *je* » form.

Exemple :   Luc est descendu à la cuisine à 8 heures.
   You will write: *Je suis descendu à la cuisine à 8 heures.*

1. **Il a pris** le petit-déjeuner avec la famille.
2. **Il est parti** pour l'école avec Monsieur McGrath et Paul.
3. Quand **il est arrivé** à l'école, **il est allé** directement en cours.
4. **Il a passé** la matinée en cours.
5. L'après-midi, **il a eu** un cours d'EPS.
6. **Il est rentré** dans sa famille vers 4 heures.
7. Plus tard le soir, **il est sorti** pour aller au centre sportif.
8. Là, **il a rencontré son** ami Philippe et son correspondant irlandais.
9. **Il a regardé** un peu la télévision.

1. _____
2. _____
3. _____
4. _____
5. _____
6. _____
7. _____
8. _____
9. _____

Question 8

Read the following news items and then fill in the grid below.

1. Quelque 80 mm de pluie ont inondé les rues de New York et du nord du New Jersey, aux États-Unis, dans la nuit du 26 avril et la matinée du 27 avril.

2. Selon l'institut météorologique royal des Pays-Bas, avril 2007 a été le mois d'avril le plus chaud, le plus sec et le plus ensoleillé jamais enregistré.

3. En Israël, des températures atteignant 42 degrés ont conduit à un record de demande en énergie électrique (9 500 MW).

4. La quatrième tempête majeure pilonnant les côtes est de l'Australie ce mois-ci, a déclenché de graves inondations dans l'État de Victoria, ainsi qu'une mer agitée.

5. Jusqu'à 46 cm de neige, poussés par des vents forts, ont paralysé certains aéroports. Par conséquent, une centaine de vols a été annulée. Les autorités ont déclaré l'état d'urgence dans le New Jersey et l'ouest de la Virginie.

6. De violents orages ont balayé le centre et l'est des États-Unis dans la nuit du 11 au 12 avril avec des vents forts. De fortes pluies et de la grêle (des grêlons jusqu'à 2,5cm) sont tombées sur l'Indiana. Des immeubles ont été détruits et les lignes électriques coupées.

	News item number
Flights cancelled because of snow	
Driest and hottest month ever	
Enormous hailstones fall	
Increased demand for electricity	
April floods	
Flooding and rough seas	

Lexique

acheter	to buy		état d'urgence (m.)	state of emergency
agité(e)	rough		étoilé(e)	starry/starlit
ainsi que	as well as		évacuer	to evacuate/move to another place
animations (f. pl.)	entertainment		faible	weak
annoncer	to announce/predict		favori / -te	favourite
annulation (f.)	cancellation		fêter	to celebrate
annuler	to cancel		feuille (f.)	leaf
apparition (f.)	appearance		fort(e)	strong
atelier (m.)	workshop		frais / fraîche	fresh
atteindre	to reach		froid(e)	cold
avalanche (f.)	avalanche		glace (f.)	ice
avant de	in order to		glissant(e)	slippy
averses (f. pl.)	rainshowers		goutte (f.)	drop
balayer	to sweep		grêlon (m.)	hailstone
bas / -se	low		grenouille (f.)	frog
beau / belle	fine/good-looking		gros / -se	huge/fat
blanc / -he	white		haut(e)	high
bonne heure	early/in good time		hirondelle (f.)	swallow
bouleverser	to overturn/upset		hiverner	to spend the winter
brumeux / -se	misty		interdit(e)	forbidden
chaud(e)	warm/hot		inondation (f.)	flood/flooding
cher / ère	dear/expensive		inonder	to flood
ciel (m.)	sky		inquiétant(e)	worrying
conduire	to drive		jamais	never
congélateur (m.)	freezer		jeune	young
côte (f.)	coast		joli(e)	pretty
couper	to cut		journée (f.)	day
couvert(e)	overcast		jour férié (m.)	bank holiday
debout	standing up		laine (f.)	wool
demain	tomorrow		larme (f.)	tear
dessiner	to draw		léger / -ère	light
doux / -ce	soft/mild		lentement	slowly
dernier / -ère	last		littoral (m.)	shore/coast
détruit(e)	destroyed		ludique	play/games
éclair (m.)	lightning		malheureusement	unfortunately
éclaircie (f.)	sunny spell		Manche (f.)	English channel
éclater	to break out/burst		mauvais(e)	bad
ensoleillé(e)	sunny		meilleurs voeux (m. pl.)	best wishes
essayer de	to try to		météorologue (m./f.)	weather forecaster

mettre	*to put on (clothes)*	refroidir	*to chill*
moisson (f.)	*crop/harvest*	rempli(e)	*full*
mouillé(e)	*damp/moist*	rez-de-chaussée	*ground-floor*
moyen / -ne	*average*	rigueur (f.)	*harshness/severity*
natation (f.)	*swimming*	rigoureux / -se	*severe/harsh*
nid (m.)	*nest*	rocher (m.)	*rock*
nombreux / -se	*numerous*	roquette (f.)	*rocket*
note (f.)	*mark/grade*	sable (m.)	*sand*
nouveau / nouvelle	*new*	saison (f.)	*season*
Nouvel An (m.)	*New Year*	salon de thé (m.)	*tea-room*
nouvelles (f. pl.)	*news*	sauf	*except*
nuage (m.)	*cloud*	sec / sèche	*dry*
nuageux / -se	*cloudy*	semailles (f. pl.)	*seeds*
orage (m.)	*storm*	stage (m.)	*course*
ouvert(e)	*open*	suite à	*following*
ouverture (f.)	*opening*	tarif réduit (m.)	*reduced price*
Pâques (f. pl.)	*Easter*	tempête (f.)	*storm*
paravent (m.)	*windbreak*	temps (m.)	*weather*
par conséquent	*as a result*	tirer	*to pull*
partout	*everywhere*	tomber	*to fall*
patinage (m.)	*skating*	tonner	*to thunder*
percer	*to pierce*	tonnerre (m.)	*thunder*
perce-neige (m.)	*snowdrop*	tortue (f.)	*tortoise*
pilonner	*to pound/beat*	toucher	*to touch*
planche à voile (f.)	*windsurfing-board*	toujours	*always*
plusieurs	*several*	tournesol (m.)	*sunflower*
pluvieux / -se	*rainy*	**se** trouver	*to be situated*
poids-lourd (m.)	*heavy lorry*	tuer	*to kill*
porter	*to wear/carry*	vague (f.)	*wave*
pousser	*to push*	vendanges (f. pl.)	*the grape harvest*
premier / -ère	*first*	vent (m.)	*wind*
prendre	*to take*	vente (f.)	*sale*
prêt(e)	*ready*	verglas (m.)	*ice*
prévision (f.)	*forecast*	vieux / vieille	*old*
provoquer	*to cause*	vif / -ive	*lively*
quitter	*to leave*	vivre	*to live*
réchauffement (m.)	*warming*	voiture (f.)	*car*

Unité 5

Les transports - se déplacer en France

Civilisation

The French pride themselves on their transport systems and have always led the way in the development of rail, motor and air transport. We can think of their high-speed train *le TGV*; their *Airbus A380*, their network of motorways, *les autoroutes* and their underground railway system, *le métro*. Young French people often use a scooter/moped — *la mobylette* — to get around, and cycling — *faire du vélo* — is one of the most popular sports in France. Many cities have a tramway system (*le tramway*). Although this form of transport is quite old — the first trams were drawn by horses — the new trams are speedy and more friendly to the environment.

le Train à Grande Vitesse (TGV)

l'Airbus A380

une autoroute

le tramway à Bordeaux

Les moyens de transport

Je vais...

> Check the verb **aller**, page 14.

à vélo / **en** vélo
(le vélo)

à moto
(la moto)

à mobylette
(la mobylette)

en / **par** avion
(l'avion m.)

en / **par** bateau
(le bateau)

Mais attention !

> Je vais **à pied**.

en autobus
(l'autobus m.)

en car
(le car)

par ferry
(le ferry)

en / **par** train
(le train)

en auto / voiture
**(l'auto f. /
la voiture)**

Exercice 1

Complétez les phrases.

1. Je vais à l'école_____.

2. Cet été, je suis allé(e) en vacances_____.

3. Mes parents vont au travail_____.

4. Les Irlandais vont en France _____ ou _____.

5. Je vais en ville _____ ou_____.

Le moyen de transport	Le point de départ	en route / d'ici à là
le bus	la gare routière	un voyage / un trajet
le car	la gare routière	un voyage / un trajet
le train	la gare SNCF	un voyage / un trajet
l'avion	l'aéroport	un vol
le ferry	la gare maritime	une traversée / une croisière

Exercice 2

Quel point de départ ?

1. On prend le train à _____.

2. Le car part de _____.

3. On prend l'avion à _____.

4. On prend le ferry à _____.

5. Le bus quitte _____ à 7 heures.

> Je vais en autobus

Parlons maintenant !

Sondage

Ask each other the questions in this travel survey.

Comment tu vas… ?   *Je vais… / nous allons….*

Comment il / elle va … ?   *Il / elle va…*

Comment… ?	en voiture	à / en vélo	en autobus	en / par le train	en avion / à pied
Tu vas à l'école…					
Tu vas en ville…					
Tu vas au centre sportif…					
Tu vas chez ton ami(e)…					
Tu vas à Cork / Dublin / Waterford …?					
Ton père / ta mère va au travail…					
Tu vas en vacances…					
Tu vas au cinéma…					

5.1 Écoutons maintenant !

Faites des paires

Listen to the six speakers and link their names to the type of transport mentioned

1. Luc   2. Océane   3. Khalid   4. Léa   5. Christophe   6. Sophie

a.   b.   c.   d.   e.   f.

Luc =	Océane =	Khalid =	Léa =	Christophe =	Sophie =

Coin grammaire

Comparaison

When you want to make a comparison, you use:

plus _____ que	more _____ than
moins _____ que	less _____ than
aussi _____ que	as _____ as

Here is the adjective *rapide*. We will use this adjective to make comparisons.

Plus rapide que means *faster than*.
L'avion est *plus rapide que* le ferry.

Aussi rapide que means *as fast as*.
La voiture verte est *aussi rapide que* la voiture rouge.

Moins rapide que means *less fast than*.
Le vélo est *moins rapide que* la voiture.

Complétez les phrases suivantes.

1. Le train est _____ rapide que le vélo.

2. L'hélicoptère est _____ grand que l'Airbus.

3. Un voyage par avion coûte _____ cher qu'un voyage par le train.

4. Le TGV est _____ moderne que l'Orient-Express.

5. Le voyage Dublin-Cork est _____ court que le voyage Dublin-New York.

6. La mobylette en ville est _____ pratique que la voiture.

7. Voici la nouvelle Renault. Elle est _____moderne que la Renault 4.

8. Un vélo est _____ utile pour de longs voyages qu'une voiture.

9. Notre nouvelle Peugeot est _____ moderne qu'une nouvelle Porsche !

10. La voiture de mes grands-parents est _____ vieille que notre voiture.

GRAMMAIRE

Civilisation

The French railway system is one of the most highly developed in the world and is constantly expanding. The railway company is called the SNCF — which stands for **Société Nationale des Chemins de Fer Français**. The first journey by rail was on a route from St Etienne to Lyon in 1831. The passengers were carried in open wagons pulled by a steam engine. This was the brainchild of a pioneering engineer, Marc Séguin. How those nineteenth-century travellers would stare at the **TGV**, France's high-speed trains, which can reach over 270 kmph!

Gare du Nord station, Paris - the busiest train station in Europe

The TGV (**Train à Grande Vitesse**) holds the world speed record for train travel (574.8kmph, recorded on 3rd April, 2007). The aerodynamic carriages travel on a special track, which has a minimum of bends or inclines. This allows the train to reach high speeds in safety. All passengers must be seated — you must *réserver votre place*. Besides the usual services, such as a restaurant, bar and toilets, the trains can connect to Internet and phone services. Each crew consists of four employees: two *contrôleurs* in the passenger area who check tickets and ensure safety, one engineer/driver, and one food-service worker. The driver, who is specially trained, is at all times linked by computer to the Paris headquarters, which monitors the journey. The driver has a screen, like radar, which shows the track ahead. This means that the train can be brought to a halt in time if there is anything blocking the track. If the driver becomes ill and loses contact with Paris, this is seen in headquarters and an automatic braking system comes into operation to stop the train.

Lisons maintenant !

TGV Paris-Strasbourg

Après six mois d'essais, le TGV circule depuis juin (2007). Il relie les villes de Paris et de Strasbourg (Bas-Rhin) en deux heures et vingt minutes, au lieu de quatre heures. Le TGV roule à la vitesse moyenne de 320 km/h.

To what do the following refer:

(a) six mois ?

(b) juin 2007 ?

(c) deux heures et vingt minutes ?

(d) quatre heures ?

(e) 320 km/h ?

GRAMMAIRE

Au guichet !

Le billet

un aller simple   un aller-retour   première classe   deuxième classe

5.2 Écoutons maintenant !

Number the conversations in the order in which you hear them.

Conversation no.	Single ticket	Return ticket	Destination
	✓		Cannes
		✓	Rennes
	✓		Paris
	✓		Rennes
		✓	Paris

Parlons maintenant !

Practise asking for the following train tickets.

1 A single ticket, first class to Cannes

2 A return ticket, second class to Lyon

3 A single ticket, second class to Cherbourg

4 A return ticket, first class to Marseille

5 A single ticket, second class to Lourdes

6 Two return tickets, second class to Strasbourg

You will be asked whether you want to sit by the window — *côté fenêtre* — or beside the aisle/corridor — *côté couloir*.

fenêtre   couloir

Le Billet

You can gather a lot of information about a passenger's journey from a railway ticket. When you book your ticket, all the details are computerised. Look at the example here.

departure date and time

point of departure

class

carriage number

seat number

arrival time and destination

corridor seat

cost of the journey

BILLET   RENNES   PARIS MONT 1 ET 2
Valable 24 heures maximum après compostage   01ADULTE

DEPART EN BLEU
Dép 30/06 à 13H03 de RENNES   Classe 2 VOIT 16: PLACE NO 12
    à 15H15 à PARIS MONT 1 ET 2   01ASSIS
VALABLE DANS LE TGV VERT 8632   SALLE   01COULOIR
TARIF TRAINS VERTS 15

Dép   à   de ***   Classe *
Arr   à   à

Prix par voyageur : €58.00   Prix EUR   **€58.00

PC 15 KM0374   : DV 377910352 ALMA BUREAU DE V
225   264   : CK   250607 18H18
BP   8737779103522   :526F9A Dossier   RTBDUY   Page 1/1
           718751376

French railways offer lots of discounts to people to encourage them to use the trains. Each Tuesday on the SNCF website – www.voyages.sncf.com – 50 destinations are offered at a 50% reduction, subject to some restrictions. There are lots of different types of « *Cartes* » offered - « *Carte Escalade* », « *Carte Jeunesse* » - look up the website and see what you can find!

Exercice 1

BILLET à composter avant l'accès au train
TOULOUSE MATABIAU → GOURDON
                                          02ADULTES

COMPOSTE:27/08 A 11h07

Départ 27/08 à 11H30 de TOULOUSE MATABIAU   Classe 2   VOITURE   17
Arriv.   à13H14 à GOURDON   PLACE ASSISE 85, 86
            CORAIL TEOZ 13650   01FENETRE 01COULOIR
TARIF NORMAL   DUO

Départ   à   de ***   Classe *
Arriv.   à   à

Prix par voyageur :   23.40   Prix EUR   **46.80
BP   879563562146   23.40   KM0154   DV 956356214 CA
                                          TOULOUSE MATABIAU   270807   11H07
                                          6B032A   Dossier SDEACU   Page 1/1

08705212857193

Look at the ticket, which was issued for two people, and answer the questions.

1. Where are the passengers travelling from?
2. On what date are the passengers travelling?
3. At what time is the train leaving?
4. What class compartment have the passengers reserved?
5. What type of seat is seat number 86?

5.3 Écoutons maintenant !

Listen to these people buying their tickets and fill in the details.

Remplissez la grille ci-dessous.

	Single/ Return ticket	Destination	Window/ Corridor seat
1.	return		
2.			window
3.		Lille	
4.	single		
5.			

Les panneaux dans une gare SNCF

(a) Accès aux quais

(b) Consignes automatiques

(c) Départ

(d) Arrivée

(e) Guichet

(f) Buffet de la gare

(g) Salle d'attente

(h) Objets trouvés

(i) Point de rencontre

(j) Passage souterrain

(k) Consigne

(l) Quai

(m) Accès interdit

(n) Eau potable

(o) Billetterie

(p) Renseignements

Quel panneau ?

Look at the signs on the previous page and insert the correct letter in the grid.

	Letter		Letter		Letter		Letter
1. Left Luggage		5. Ticket Machine		9. Arrivals		13. No Entry	
2. Platform		6. Ticket Desk		10. Lockers		14. Information	
3. Subway		7. Waiting Room		11. Refreshments		15. Departures	
4. Drinking Water		8. Lost Property		12. Meeting point		16. To platforms	

Exercice 1

Remplacez les symboles dans la conversation suivante avec des mots.

Emer et Sinéad vont à la gare. Elles voyagent de Paris à Rennes.

Emer : Bonjour ! Le prochain _____ pour Rennes part à quelle heure ?

L'employé : À _____ .

Emer : Bon ! Deux _____ , s'il vous plaît.

L'employé : Première ou deuxième classe ?

Emer : _____ .

L'employé : Côté fenêtre ou côté couloir ?

Emer : _____ , s'il vous plaît. Ça fait combien ?

L'employé : Ça fait 140€.

Emer : Le train part de quel quai ?

L'employé : Quai numéro _____ .

Emer : C'est loin ?

L'employé : Non, c'est juste à côté du _____ .

Emer : Merci. Nous allons prendre un _____ avant de partir.

À quelle heure… ?

The twenty-four hour clock is used for train, bus or airline journeys. This means that you do not have to use a.m. and p.m. when telling the time. So, 3.00 p.m. becomes '15.00' and 8 p.m. is '20.00'.

À vous maintenant !

Quelle heure est-il ?

Exemple : Il est quatorze heures.

(a) Il est _____ heures.

(b) Il est _____ heures.

(c) Il est _____ heures.

(d) Il est _____ heures.

(e) Il est _____ heures.

In French, when using the 24-hour clock, you use the exact number of minutes after the hour when telling the time.

14h15 — Il est quatorze heures **quinze**.

13h30 — Il est treize heures **trente**.

16h45 — Il est seize heures **quarante–cinq**.

> **Tip:** You do **not** use **et quart**, **et demie** or **moins le quart** with the 24 hour clock.

Exercice 1

Faites des paires !

Match the words with the clock to which they refer.

1. Il est dix-huit heures cinquante. ☐
2. Il est vingt heures trente-cinq. ☐
3. Il est dix-neuf heures quarante-cinq. ☐
4. Il est seize heures cinquante-cinq. ☐
5. Il est dix-sept heures cinquante-cinq. ☐
6. Il est quatorze heures vingt-cinq. ☐
7. Il est quinze heures trente. ☐
8. Il est treize heures quinze. ☐

(a) 16:55
(b) 14:25
(c) 17:55
(d) 15:30
(e) 19:45
(f) 20:35
(g) 18:50
(h) 13:15

5.4 Écoutons maintenant !

Listen to the conversations and tick which time you hear.

Le train arrive à quelle heure ?

Rennes	Lille	Nantes	Lourdes	Saumur	Tours	Nancy	Nice
2h25	3h05	1h10	7h20	4h40	22h20	21h45	6h30
12h25	3h50	11h10	17h20	14h40	20h22	21h25	16h30

L'horaire

Sometimes, reading the train or bus timetable can be a tricky business — there is so much information given. However, usually there is a key — *une légende* — to help you. In France, as in many other countries, each train has a number, which is given on top of the column of information about that train.

Lisons maintenant !

Read the timetable for Paris – Rennes – Saint Malo and answer the following questions.

Paris - Rennes - Le Mont-St-Michel

N'oubliez pas de vous reporter aux renvois ci-de:

Lundi à Vendredi (sauf Fêtes)

	Lun à Ven	Lun à Ven	Lun à Ven	Lun à Ven	Lun à Ven	Lun à Ven	Lun à Ven	Lun à Ven
			①		①			
	★	🚌	★	🚌	★	★	★	★
PARIS-MONTPARNASSE	7.05		9.05					15.05
Aéroport-Ch.-de-Gaulle-TGV					10.28	13.38		
Massy-TGV					10.46	11.18	14.21	
RENNES	9.08		11.08		12.50	13.27	16.26	17.08
RENNES		9.30		11.30				
LE-MONT-ST-MICHEL		10.50		13.00				

★ Train à Grande Vitesse : Réservation obligatoire.
🚌 Desserte assurée par autocar.

① **Les horaires des autocars après le 31 mars ne sont pas connus à la date d'impression.**

① La responsabilité de la SNCF ne peut être engagée en cas de rupture de correspondance suite au retard d'un autocar. Contacter le transporteur : Courriers Bretons - 02.99.19.70.80

① **Desserte assurée par autocar à tarification régionale, la SNCF assure la vente des billets pour les voyageurs en correspondance avec des services SNCF.**

❶ Circule jusqu'au 30 mars.
❷ Circule aussi le 17 mai.
❸ Circule jusqu'au 31 mars.

SNCF Tél. 36 35 (0,34 euro / min.)
www.ter-sncf.com/bretagne

1. For which days of the week are these times valid?

2. If the train is indicated with a star, what does this mean for a traveller?

3. What does the bus symbol indicate according to the key?

4. If the train is marked with (1), what does this mean?

5. If you were travelling from Paris on the 7h05 train, how long would you have to wait for the connection to Le-Mont-St-Michel?

6. If you arrived at Paris Airport at 12 noon, at what time could you arrive in Rennes if you travel by train?

Il faut composter !

In France, you must stamp your own ticket before boarding the train. If you don't, you may have to pay quite a large fine (*une amende*). At the entrance to all platforms, you will find a bright orange machine, into which you put your ticket. This is called *un composteur*. It will stamp the date and time on your ticket. This means that your ticket is now valid. Most trains have a ticket inspector called *le contrôleur*, who will also check your ticket to make sure you have stamped it. If you haven't, this can be most embarrassing, as well as being costly, as you will be asked to pay a fine on the spot!

Le Chunnel et l'Eurostar

The idea of building a tunnel under the English Channel — *la Manche* — is not a new one. Napoléon planned to construct a roadway under the sea to link France and England. His idea was part of his plan to take over England. However, it wasn't until the 1980s that the Channel Tunnel — *le Chunnel* — finally came to be a reality. In 1988, the first tunnelling began. The tunnel was officially opened on 6th May 1994. There are three parallel tunnels linking Calais in France with Folkestone in England.

One tunnel is used for trains travelling to France, one for trains travelling to England, and in the centre, there is a smaller maintenance tunnel.

The high-speed shuttle trains can transport cars, lorries and buses, as well as passengers. You drive on, travel the 39km under the sea at almost 46m and disembark at your destination. The journey under the sea takes 23 minutes. *Eurostar* is the company that runs the service. There is a line to Brussels, in Belgium, which runs via Lille in northern France. In summer *Eurostar* trains travel to Avignon and in winter to the Alps. New plans are coming into operation all the time (see article below). For more information on Le Chunnel click on www.eurotunnel.com.

Lisons maintenant !

Paris – Londres en 2 heures 15 minutes

Depuis l'automne 2007, le trajet entre les capitales française et britannique ne prend pas plus de 2 heures et 15 minutes en train. C'est-à-dire vingt-cinq minutes de moins qu'avant.

Grande vitesse

Une ligne à grande vitesse (300km/h) reliant la sortie du tunnel (côté Royaume-Uni) à Londres a été ouverte pour permettre ce gain de temps. Le train arrive à la gare londonienne de Saint-Pancras, et non plus à celle de Waterloo.

Les travaux pour creuser le tunnel ont duré six ans. La ligne entre Paris et Londres a été inaugurée en 1994.

1. When did this new service start?
2. How much time has been cut off the current journey?
3. Where did the Eurostar formerly arrive in London?
4. How long did the extension to the tunnel take to excavate?
5. What happened in 1994?

Civilisation

Le Métro

The Paris underground train system is known as *le Métro* (short for *le Métropolitain*). It has become a symbol of the capital city. It is the fastest and the cheapest way to get around in Paris. It was first opened over 100 years ago on 19th July, 1900. It is considered to be one of the world's best underground train systems. Several other French cities have underground train systems — Lille, Lyon, Marseille, Toulouse, Rouen and Rennes.

The *RATP* (Régie Autonome des Transports Parisiens) is the company responsible for métro, train and bus networks in Paris where about 9 million people are carried every day in the city area! *Le Réseau Express Régional* (*RER*) is the fast suburban railway network around Paris and the outlying districts. Like the métro, the trains run from 05.30 to just after midnight.

Tickets for the bus, train and métro are interchangeable.

If you are going to use the system several times, you can buy a book of ten tickets, called *un carnet*, which works out cheaper. If you are staying in Paris for a month or more, you can buy an orange card — *une carte orange* — which is valid for one month and can be used on buses or trains. Tourists can purchase special 1-, 2-, 3- or 5-day passes called *Paris Visite*.

Some web addresses for projects:

www.ratp.fr   www.paris.org   www.francekeys.com

Le grand quiz des transports

This **T** is a means of transport.

This **R** is the sign for information.

This **A** is the word for Arrivals.

This **N** is the second letter in the name of the French railway company.

This **S** is the sign for Exit.

This **P** tells you that you have a 1st class ticket.

This **O** tells you where to find your lost property.

This **R** is the company responsible for transport in Paris.

This **T** is the name of France's rapid train.

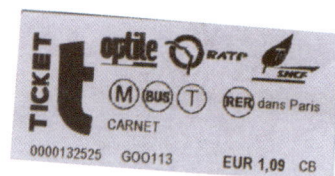

Écrivons maintenant !

N'oubliez pas de laisser un petit mot !

Remplissez les blancs avec les mots ci-dessous.

Joël has left a note for Ronan, his Irish correspondant, telling him about the details for tomorrow's outing by train. Use the words in the box to complete the note.

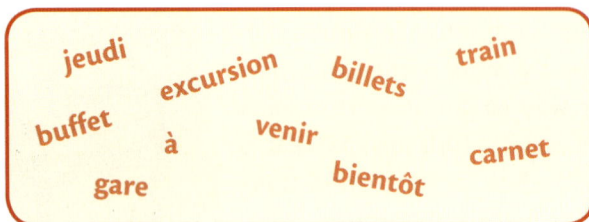

jeudi
excursion
billets
train
buffet
à
venir
carnet
gare
bientôt

_____ 8h00.

Ronan,

Nous faisons une _____ à Disneyland Paris samedi avec Jean, Charles et les deux Irlandais. Tu veux _____ ? Nous prenons le _____ pour Paris _____ 6h30. ! Nous allons nous retrouver devant la _____ à 6 heures. Nous allons acheter les _____ en avance, car il faut réserver une place dans le TGV.

Nous allons prendre le petit-déjeuner au _____ de la gare.
Ce sera formidable ! N'oublie pas ton _____ de tickets pour le RER.

À _____ !

Joël

On a téléphoné

Sometimes you will have to take a telephone message and leave a note. Don't forget to write on the note the day and time you took the message!

Qui a téléphoné ?		Pourquoi ?
Thomas / Céline		Il / elle est malade.
Ton ami / amie		Il / elle ne va pas …
Votre ami / amie		Il / elle ne peut pas aller …
Votre mari / femme		Il / elle ne peut pas venir ce soir.
Votre père / mère	a téléphoné / a appelé	Il /elle va être en retard, car le train a du retard
L'électricien		Il / elle a raté l'autobus / le train.
Le plombier		Le vol est annulé.
		Il / elle va arriver demain / samedi.
Monsieur / Madame Dubois		Il /elle va téléphoner ce soir/demain.

Exercice 1

Using some of the phrases above, complete these sentences.

1. Ta mère a téléphoné de son bureau. Elle va _____.
2. Éric a téléphoné de la gare. Il n'arrive pas, car _____.
3. Sandrine a téléphoné. Elle ne peut pas aller au cinéma, car_____.
4. Votre père a téléphoné de l'aéroport. Le vol _____.
5. Le plombier a téléphoné. Il va _____.

Tip: When you are answering the telephone in France, you usually say "**Allô !**" and the telephone number.

5.5 Écoutons maintenant !

Who has telephoned and what message did they leave?

Who has telephoned?	What message did they leave?
1.	
2.	
3.	
4.	
5.	

Écrivons maintenant !

Exercice 1

Noémie laisse un petit mot à Nathalie. Remplissez les blancs.

Using the information from the first conversation in the last exercise (**5.5**), leave the message for Nathalie.

_____ 11h
_____
_____ .

Nathalie !
Ton amie, Marie-Claire, a _____ mercredi.
Elle ne _____ pas aller au _____ .
Elle doit _____ du baby-sitting pour sa _____ .
Elle _____ désolée. Je sors maintenant — je vais en
Elle _____ .
_____

Noémie

Exercice 2

You are staying in the Bellanger house. Madame Bellanger's friend, Madame Hervé, rings. Leave a note for Madame Bellanger to tell her that Madame Hervé says:

- she cannot go shopping with Madame Bellanger on Friday.
- she can go on Saturday.
- she will telephone later on this evening.
- End by saying you are going out now to the pool. You will be back for lunch.

> **Attention !** Don't forget that you are writing to an adult — use **vous** and **votre**!

GRAMMAIRE

Civilisation

Sur les routes

Getting around France by road is made easier by the very good network of roads which exist throughout the country. There are motorways (*autoroutes*), national roads (*routes nationales*), main roads (*routes départementales*) as well as secondary roads (*routes secondaires*).

The **autoroutes** run the length and breadth of France. They allow you to travel long distances at a faster pace. Most of the **autoroutes** are toll roads. You pay at the toll booth (*le péage*) before you leave the motorway. There are frequent rest areas (*aire de repos*) or service areas (*aire de services*) along the way, which offer a wide range of facilities to motorists and their passengers.

Des véhicules

un camion

un camion-citerne

une camionnette

un poids lourd

une voiture

un car

un autobus / un bus

un tram

5.6 Écoutons maintenant !

Listen to these short news items about road accidents and say which vehicles are involved.

Infos	Type of vehicles mentioned
1.	
2.	
3.	
4.	
5.	

En route !

Quand vous roulez en France, vous voyez des panneaux sur la route.

1. **TOUTES DIRECTIONS**

2. **CENTRE-VILLE**

3. **AIRE DE SERVICES**

4. **PÉAGE**

5. **PROCHAINE SORTIE**

6. **AIRE DE REPOS**

Quel panneau ?

Which is the correct sign number if you want to

(a) go to the town centre?

(b) get some petrol and something to eat?

(c) take the next exit off the motorway?

(d) take a short break from the journey?

(e) prepare for the toll?

(f) find your way to the road you want?

Exercice 2

Look at this sign in a motorway rest area and answer the questions.

1. What facilities are there for children?

2. Is there petrol available here?

3. Where could I go to get cash?

4. Where would I go to look for a battery for my camera?

La voiture

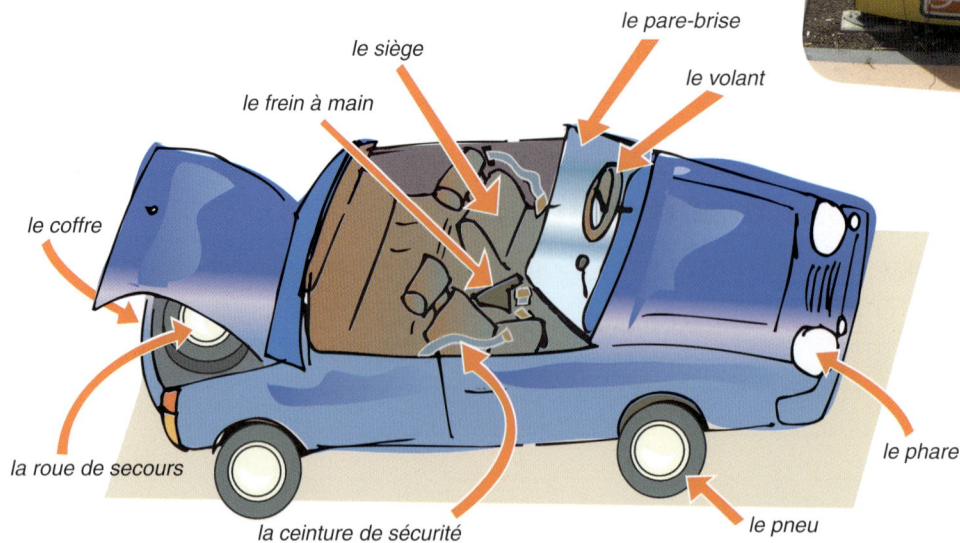

le pare-brise
le siège
le volant
le frein à main
le coffre
la roue de secours
la ceinture de sécurité
le pneu
le phare

Écrivons maintenant !

Complete these sentences using some of the words you have just learned.

1. On peut mettre les valises et les courses dans le_____.
2. On doit allumer les _____ quand il fait sombre.
3. Il est interdit de rouler sans mettre la _____.
4. On utilise le _____ pour s'assurer que la voiture ne roule pas.
5. On tient le _____ pour diriger la voiture.
6. On ne peut pas rouler si on a un _____ crevé.

À la station service

Faites le plein, s'il vous plaît.

le pompiste | le lave-auto | l'eau et l'air | l'essence sans plomb | la dépanneuse

5.7 Écoutons maintenant !

Number the cartoon with the requests you will hear, made by people in the petrol station.

(a)    (b)    (c)

(d)    (e)    (f)

(g)

Lisons maintenant !

Le guide des garages du Morbihan.

Read the following ads for garages and answer the questions.

Le guide des garages du Morbihan

LA ROCHE-BERNARD

SARL **GARAGE Paul MACÉ**
PEUGEOT AGENT PEUGEOT

Relais Manche Océan
Le Pont - Marzan
56130 LA ROCHE-BERNARD
02 99 90 76 47

VENTES & RÉPARATIONS
Neuf et Occasions
toutes marques

Dépanneur conventionné
24h/24 agréé toutes assistances

PLESCOP

DUGAST AUTOMOBILES

SPÉCIALISTE CHRYSLER

Ventes et Réparations
TOUTES MARQUES
Entretien climatisation

Prêts de véhicules
pour toutes réparations

ZAC de Tréhuinec - PLESCOP **02 97 40 85 86**

MALANSAC

STATION TOTAL
SARL
ROBIN Jean-Yves

Entretien automobile
Forfait vidange
à partir de €30 TTC
(huile total + MO + joint)

Motoculture de plaisance

Venez découvrir
la nouvelle gamme
Staub

MALANSAC **02 97 66 20 49**

VANNES

GARAGE
ROOSEVELT

POSTEC Philippe

5, avenue ROOSEVELT
56000 VANNES

Tél. 02 97 63 29 13
Fax 02 97 63 85 34
Réparations toutes marques

SARZEAU

Garage Mahéas
Réparations et ventes toutes marques
Station essence TOTAL - Carte **GR**
Route des 4 vents - Direction Arzon
Ouvert dès 8 h 00
Tél. 02 97 41 85 65

PLOËRMEL

Centre de Lavage
Face à la
concession
de Ploërmel

SA PAYOUX
Concessionnaire
Z.I. du Bois Vert - **PLOËRMEL**
Tél. 02 97 74 05 07

Agence Citroën **Guer/Coëtquidan**
30, rue St Cyr Bellevue
Tél. 02 97 75 70 10

What is the phone number of the garage that...?

	Phone number
1. specialises in one make of car and also repairs air conditioning	_____
2. is the local Citroën agent	_____
3. offers a complete oil change from €30	_____
4. gives a fax number	_____
5. sells and repairs new and secondhand cars	_____

La plaque d'immatriculation

La plaque d'immatriculation en France montre le département d'origine de la voiture. Regardez les deux derniers numéros pour trouver le département d'où vient la voiture. Il y a 96 départements en France.

LA FRANCE DES DÉPARTEMENTS

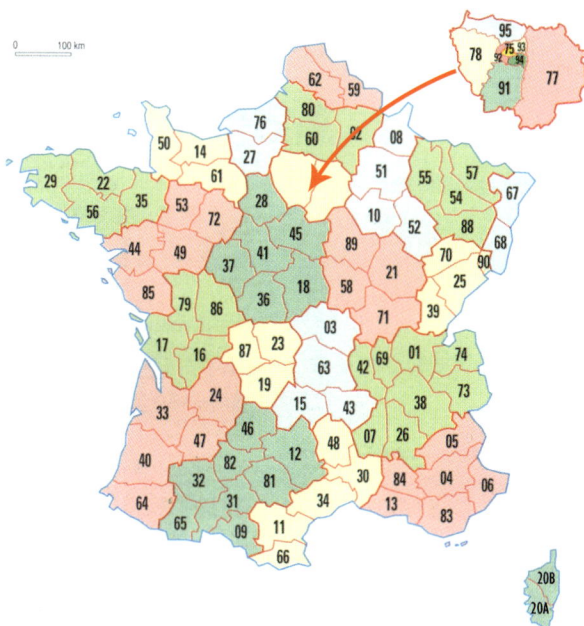

01. Ain	40. Landes	68. Rhin (Haut)
02. Aisne	41. Loir-et-Cher	69. Rhône
03. Allier	42. Loire	70. Saône (Haute)
04. Alpes-de-Haute-Provence	43. Loire (Haute)	71. Saône-et-Loire
05. Alpes (Hautes)	44. Loire-Atlantique	72. Sarthe
06. Alpes-Maritimes	45. Loiret	73. Savoie
07. Ardèche	46. Lot	74. Savoie (Haute)
08. Ardennes	47. Lot-et-Garonne	75. Paris (Ville de)
09. Ariège	48. Lozère	76. Seine-Maritime
10. Aube	49. Maine-et-Loire	77. Seine-et-Marne
11. Aude	50. Manche	78. Yvelines
12. Aveyron	51. Marne	79. Sèvres (Deux)
13. Bouches-du-Rhône	52. Marne (Haute)	80. Somme
14. Calvados	53. Mayenne	81. Tarn
15. Cantal	54. Meurthe-et-Moselle	82. Tarn-et-Garonne
16. Charente	55. Meuse	83. Var
17. Charente-Maritime	56. Morbihan	84. Vaucluse
18. Cher	57. Moselle	85. Vendée
19. Corrèze	58. Nièvre	86. Vienne
20A. Corse du sud	59. Nord	87. Vienne (Haute)
20B. Corse (Haute)	60. Oise	88. Vosges
21. Côte-d'Or	61. Orne	89. Yonne
22. Côtes-d'Armor	62. Pas-de-Calais	90. Territoire de Belfort
23. Creuse	63. Puy-de-Dôme	91. Essonne
24. Dordogne	64. Pyrénées-Atlantiques	92. Hauts-de-Seine
25. Doubs	65. Pyrénées (Hautes)	93. Seine-Saint-Denis
26. Drôme	66. Pyrénées-Orientales	94. Val-de-Marne
27. Eure	67. Rhin (Bas)	95. Val-d'Oise
28. Eure-et-Loir		
29. Finistère		
30. Gard		
31. Garonne (Haute)		
32. Gers		
33. Gironde		
34. Hérault		
35. Ille-et-Vilaine		
36. Indre		
37. Indre-et-Loire		
38. Isère		
39. Jura		

D'où vient cette voiture ?

Look at the map of the *départements* on page 149 and find out where these cars come from.

6199 SP 16

293 BNC 60

6 1·47 TG 33

5659 WB 24

9743 SQ 19

1 179 ZQ 35

5.8 Écoutons maintenant !

1. Name the **two** types of vehicle involved in the accident.
2. What is causing traffic jams on the Autoroute du Sud?
3. How many people were injured?
4. What caused the train accident?
5. Why was the flight cancelled?

Bienvenue à bord !

Cherbourg, Le Havre, Roscoff and Calais are all well-known names of ferry ports for those who travel from Ireland or Britain to France.

Facilités à bord

(a) Escaliers de secours

(b) Cabines

(c) Pont

(d) Bureau de change

(e) Fauteuils inclinables

(f) Point de rassemblement

(g) Salle de jeux pour enfants

5.9 ## Écoutons maintenant !

Listen to these announcements made during a ferry crossing and place the correct number beside the illustration.

☐ ☐ ☐ ☐ ☐ ☐

Lisons maintenant !

Read this ad for the Pont Aven Ferry and answer the questions which follow.

En mer !

Avec une capacité de 2 400 passagers, six cent cinquante véhicules et avec 2 000 couchettes, le navire Pont Aven vous accueille, et vous offre tout en confort.

Construit sur un chantier allemand, le Pont Aven est entré en service en 2004. Il relie régulièrement la France et l'Irlande, la France et la Grande-Bretagne, et la Grande-Bretagne avec l'Espagne. C'est le navire le plus rapide de sa catégorie, naviguant sur la Manche, le Golfe de Gascogne et la mer d'Irlande.

Services à bord

Orchestre, DJ, cabaret et pianiste (en saison)
Piscine et Mezzanine
Pont promenade
Jeux vidéos et machines à sous

Animations pour enfants (en saison)
Salle de jeux pour enfants
Cinémas
Bureau de Change et Information Tourisme

Installations à bord

Cabines Commodores
Cabines de luxe
Cabines 4 couchettes (avec ou sans hublot)
Cahines 2 couchettes (avec ou sans hublot)
Sièges inclinables

Restauration et bars

Restaurant principal (Le Flora)
Self service (La Belle Angèle)
Salon de thé (Le Café de Festival)
Bar principal (Le Grand Parvois)
Piano et cocktail bar (le Fastnet)
Bar de la piscine (Les Finistères Pool Bar)

1. How many vehicles can the Pont Aven accommodate?
2. Where was the Pont Aven built?
3. Besides the Ireland/France crossing, name **one** other crossing this boat makes.
4. When is there entertainment for the children?
5. What two types of 4-berth cabin are available?
6. What does it say about the seats?

![pen icon] **Écrivons maintenant !**

Frank and his family are crossing to Cherbourg in France on a holiday. He sends a postcard from the boat to his French friend Alexis. Complete the gaps in the postcard with the words below and rewrite it in your copy.

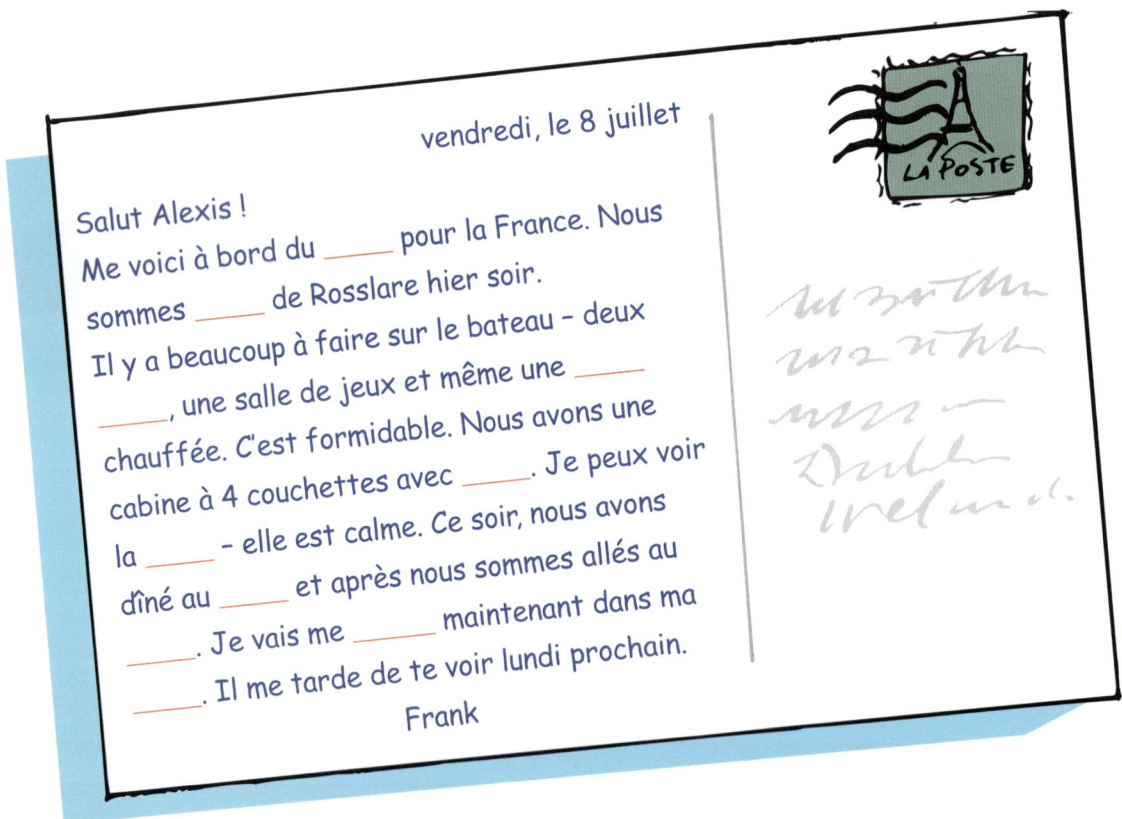

cabaret hublot mer cinémas restaurant piscine couchette coucher partis ferry

---

vendredi, le 8 juillet

Salut Alexis !

Me voici à bord du _____ pour la France. Nous sommes _____ de Rosslare hier soir.

Il y a beaucoup à faire sur le bateau – deux _____, une salle de jeux et même une _____ chauffée. C'est formidable. Nous avons une cabine à 4 couchettes avec _____. Je peux voir la _____ – elle est calme. Ce soir, nous avons dîné au _____ et après nous sommes allés au _____. Je vais me _____ maintenant dans ma _____. Il me tarde de te voir lundi prochain.

Frank

LA POSTE

You can make **une visite virtuelle** to Pont Aven by visiting the website www.brittanyferries.fr

Lisons maintenant !

Read this brochure for boat excursions from St. Malo and answer the questions which follow.

Bateau Promenade

CROISIERE D'1H30
Départ 16h, retour 17h30
—
Départ du Barrage de la Rance
et navigation jusqu'au pont
Chateaubriand et retour

ADULTE (prix ttc) 19 €
JUNIOR (13 à 18 ans) 15 €
ENFANT (2 à 12 ans) 12 €
FORFAIT FAMILLE 57 €
(2 adultes + 2 enfants)

CROISIERE D'1H
Départ 10h, retour 11h
—
Départ du Barrage de la Rance et na-
vigation jusqu'à Saint-Suliac et retour
Selon programme des croisières,
nous consulter

CROISIÈRE COMMENTÉE
Pont supérieur couvert
Terrasse   Bar
Embarquement 15 mn avant

TARIFS GROUPES
+ 10 Personnes

CROISIERE DE 3H
Départ à 12h, retour 15h
—
Départ du Barrage de la Rance et
demi-tour entre Plouer sur Rance
et La Hisse

ADULTE (prix ttc) 30 €
JUNIOR (13 à 18 ans) 25 €
ENFANT (2 à 12 ans) 20 €
FORFAIT FAMILLE 95 €
(2 adultes + 2 enfants)

Bateau Rando

Remontée des bords de Rance
avec escale à Dinan,
Catamaran 52 places,
Trajet aller 2h30,
Programme selon marées,
Tarifs : nous consulter.

Bord de Rance Café

En attendant l'embarquement...
Bar, dégustation d'huîtres,
petite brasserie, boutique.
Location de salle pour réunion.

1. How much does it cost a family of two adults and two children for the one and a half hour trip?

2. When must you be on board for a guided trip?

3. How many people form a group?

4. At what time does the three hour trip depart?

5. What type of seafood is available in the Bord de Rance Café?

Coin grammaire

In the Unité 4 you learned to make **le passé composé** of verbs which use « **être** » as their helping verb. Can you remember the list of 13 verbs?

How is the negative of these verbs formed?

ne suis pas

Rappel ! le sandwich ! See page 64.

Je suis allé(e). — Je **ne** suis **pas** allé(e).
Nous sommes parti(e)s. – Nous **ne** sommes **pas** parti(e)s.

As with **avoir** verbs, the **ne** is placed before the helping verb and the **pas** after it.

5.10 Écoutons maintenant !

Read the sentences and write the negative beside each one. Then correct your answer from the recording.

1. Je suis allé en ferry. _____ .
2. Elles sont arrivées en voiture. _____ .
3. Nous sommes venus en avion. _____ .
4. Le train est parti à l'heure. _____ .
5. Il est allé en autobus à la gare. _____ .
6. Elles sont rentrées en taxi. _____ .

Attention ! **Ne** becomes **n'** before a vowel.
Par exemple : Tu **n'**es **pas** parti de bonne heure !

Par avion !

Nowadays nearly every large French city has its own airport. The two main airports in Paris are Paris-Orly and Roissy-Charles de Gaulle. Both of these are a short distance outside the city of Paris (www.aeroportsdeparis.fr). The most well-known French airline is **Air-France-KLM** which has bases in Orly, Charles de Gaulle and Lyon St Exupéry.

Roissy-Charles de Gaulle

À l'aérogare

(a) Ascenseur

(b) Escalier roulant

(c) Accès handicapés

(d) Point de vente

(e) Infirmerie

(f) Station de taxi

(g) Porte de départ

(h) Distributeur automatique

(i) Cabine téléphonique

(j) Zone d'enregistrement

Lisons maintenant !

This is the guide to Rennes airport. Say what you would find at the following areas marked on the plan.

Services de l'aéroport
Airport facilities

Aérogare

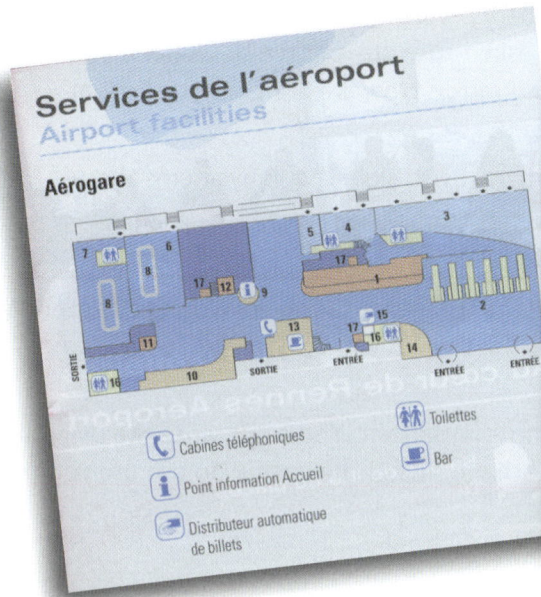

Cabines téléphoniques

Point information Accueil

Distributeur automatique de billets

Toilettes

Bar

1. Comptoirs compagnies aériennes
2. Zone d'enregistrement
3. Salle d'embarquement national
4. Salle d'embarquement international
5. Salon V.I.P.
6. Arrivée vols nationaux
7. Arrivée vols internationaux
8. Arrivée bagages
9. Accueil-information
10. Agences de location de voitures
11. Comptoir services bagages
12. Poste caissier parcs de stationnement
13. Bar
14. Presse, tabac
15. Distributeur de billets
16. Nurserie
17. Ascenseur

No.	Facility mentioned	No.	Facility mentioned
2.		10.	
6.		14.	
8.		17.	

5.11 Écoutons maintenant !

For each of the airport announcements, fill in the chart giving the flight number, destination and reason for the announcement.

	Flight no.	Destination	Reason for announcement
1.			
2.			
3.			
4.			
5.			

Coin prononciation : The letters 'ch' in French words are pronounced like 'sh' - change, machine, chemin, guichet, prochain, Cherbourg, cher, chantier.

cent cinquante-cinq
Les transports - se déplacer en France
155

Écrivons maintenant !

La lettre

On both the Higher and Ordinary Level papers of the Junior Certificate you will be asked to write a letter. In Unité 1, you learned about writing a *formal letter*. Now we are going to look at writing an *informal letter*.

Unité 1, page 20

The letter usually breaks down into five tasks – that is five items about which you must write a few sentences.

1 In an informal letter you will use "*tu*" because you are writing to a friend you know. This means you also use "*ton / ta / tes*" when you want to say "your".

2 The layout of the letter is most important. You must write the place and date you are writing from on the top righthand side of the page – do not use your full address!

Exemple :

Monaghan, le 2 septembre

Don't forget! Use a small letter for the month of the year!

3 Start your letter with "*Cher*" if you are writing to a boy or "*Chère*" if you are writing to a girl.

4 Always check the tense of the verbs required for dealing with each task and mark this beside the task.

Exemple :

Thank your penfriend for your stay in France	*présent*
Say something about your journey home	*passé composé*
Say what you are doing in school at present	*présent*
Say what you are planning to do next weekend	*futur*
Give some news about your family	*présent / passé composé*

Some sentences to help you:

Task 1 — thank your penfriend for your stay in France. (le présent)
- Dis merci à tes parents / à tout le monde surtout à tes parents.
- Je te remercie beaucoup pour les vacances merveilleuses chez toi.
- Je me suis très bien amusé(e).

Task 2 — say something about the journey home. (le passé composé) See also page 449
- *Je suis arrivé(e) chez moi sain et sauf / saine et sauve / sans problème.*
- *J'ai eu une heure de retard à Paris.*
- *Je suis parti(e) de… je suis arrivé(e) à…*
- *Trajet très agréable ! La mer a été calme.*
- *Traversée horrible ! J'ai eu le mal de mer.*
- *Il y avait beaucoup de monde / beaucoup de personnes à bord.*
- *J'ai lu mes magazines / J'ai mangé un sandwich / J'ai bu un coca.*
- *Quel voyage ! L'avion / le ferry a eu deux heures de retard.*
- *Mon père / Ma mère m'a attendu(e) / Mes parents m'ont attendu(e) à l'aéroport.*

> **Tip: Il y avait** is a useful phrase when writing in the past tense – it means "there was/were".

Task 3 — say how you are getting on in school at the moment. (le présent)
See also page 452
- *Tout va bien à l'école – pas de problème !*
- *J'ai un nouveau prof de géo – il est très stricte, mais intéressant.*
- *Les profs sont sympas mais ils donnent trop de devoirs.*
- *Il y a des examens la semaine prochaine – j'étudie beaucoup.*
- *Je passe le Junior Cert. au mois de juin / l'année prochaine – Je travaille d'arrache-pied !*
- *Il y a tellement de travail pour les examens ! Je suis surchargé(e).*

Task 4 — say how you are planning to spend next weekend. (le futur) See also page 453
- *Le week-end prochain, je vais faire du camping à Wexford avec le Club des Jeunes.*
- *Nous allons prendre le train / le bus / les vélos.*
- *Je vais voir un film au cinéma avec ma sœur / mon copain / ma copine.*
- *Je vais rendre visite à mes grands-parents à Galway.*
- *Mes copains et moi, nous allons à une fête / en discothèque / à un match de football.*

Task 5 — give some news about your family. (le présent / le passé composé)
See also page 447
- *Tout le monde chez nous va bien en ce moment.*
- *Mon père / ma mère / ma grand-mère est malade en ce moment, mais ce n'est pas grave.*
- *Mon petit frère est tombé de son vélo et il doit rester au lit pour trois jours.*
- *Ma sœur a eu un accident sur sa mobylette et elle a dû passer deux jours à l'hôpital.*
- *Mon frère passe des examens en ce moment. C'est tendu chez nous !*
- *Ma sœur a un nouveau petit ami – il est beau !*
- *Mon père est parti en avion aux États-Unis pour son travail.*

✏ Écrivons maintenant !

Write a letter to your French penpal Luc/Lucie in which you:

- Thank your penpal for your stay in France.
- Say something about your trip home.
- Say what you are doing in school at present.
- Say what you are planning to do next weekend.
- Give some news about your family.

📖 Lisons maintenant !

This is an extract from *La Ronde et autres faits divers*, a collection of short stories. In this paragraph you read about Pouce and Poussy, who have run away to Monte Carlo. They have long dreamt of having a great adventure. Unfortunately, they didn't have enough money for two train tickets, so they just bought one. Read about their journey and answer the questions.

1. Il faisait chaud dans le compartiment, et le bruit des trolleys sur les rails résonnait régulièrement dans leurs têtes, alors Pouce s'est endormie, pendant que sa sœur faisait le guet. Après Dijon, il fallait faire attention aux contrôleurs, et Poussy a réveillé Pouce. Leur plan était simple : elles devaient se séparer chacune dans un wagon. La première qui verrait le contrôleur prendrait le billet puis le rapporterait à l'autre, et elles se feraient passer l'une pour l'autre.

Monte Carlo

2. Le contrôleur était un jeune homme avec une petite moustache…. Quand il l'a revue, un peu plus loin, il lui dit simplement : vous êtes mieux ici ? À partir de là, Pouce et Poussy ont compris qu'elles voyageraient tranquilles.

3. Le train a roulé le jour, puis, quand la nuit est tombée, Pouce et Poussy ont vu la mer Méditerranée pour la première fois, les grandes flaques couleur de métal dans l'échancrure des montagnes noires. « C'est beau ! » disait Pouce.

---

1. What is it like in the compartment? (Part 1)
2. What did Pouce do? (Part 1)
3. Why did they separate? (Part 1)
4. Describe the ticket-inspector — **two** details. (Part 2)
5. When did the train arrive at its destination? (Part 3)
6. What did they see that told them they were near their journey's end? (Part 3)

GRAMMAIRE

Communication en classe !

- *Je m'excuse. Je suis en retard.*
- *Le bus est arrivé en retard.*
- *J'ai raté le bus / le train.*
- *La voiture est tombée en panne.*
- *Il y avait un accident sur la route.*
- *Le train était en retard.*
- *J'ai eu un pneu crevé.*

Épreuve

Question 1

Read the brochure for new buses in Bordeaux and answer the questions that follow.

1. What improvement has been made to the new bus? (Part 1)

2. Who controls the platform for wheelchairs? (Part 2)

3. Where are wheelchair passengers accommodated? (Part 3)

4. For which passengers are you asked to give up your seat? (Part 4)

5. When does the door for wheelchair passengers open? (Part 5)

6. What do the letters **tbc** stand for?

1 Les nouveaux bus sont équipés d'une plate-forme extérieure permettant l'accès à toute personne à mobilité réduite.

2 La plate-forme se demande depuis l'extérieur. Elle est actionnée par le conducteur et se déploie en quelques secondes portes fermées.

3 Un espace spécifique est réservé à l'intérieur des bus pour les personnes en fauteuil roulant. Merci de libérer cet espace et d'en faciliter l'accès si besoin.

4 Des places sont réservées aux personnes à mobilité réduite. D'une façon générale, n'oubliez pas de laisser votre place à toute personne présentant des difficultés à la station debout !

5 L'emplacement réservé aux personnes en fauteuil roulant est équipé d'un bouton de demande d'arrêt. Quand il est activé, au prochain arrêt, les portes ne s'ouvrent qu'une fois la plate-forme extérieure déployée.

300 000 voyageurs / jour, on a tous intérêt à mieux vivre ensemble !

TRAM ET BUS DE LA CUB **tb** (CIVISME

Question 2

Match the following sets of signs and pictures – indicate your answer by inserting the letters that correspond to the numbers in the boxes below.

1 Guichet		**(a)**	
2		**(b)** Essence	
3 Salle d'attente		**(c)**	
4		**(d)** Buffet	
5 Consigne automatique		**(e)**	
6		**(f)** Eau potable	
7 Dépanneuse		**(g)**	
8		**(h)** Ascenseur	
9 Point de rencontre		**(i)**	
10		**(j)** Escalier roulant	

No.	Letter
1.	
2.	
3.	
4.	
5.	
6.	
7.	
8.	
9.	
10.	

Question 3

Read the signs which follow and answer the questions.

1. If you became ill at a French airport, which sign would you look for?

    (a) BOISSONS **(b)** POINT DE VENTE **(c)** RENSEIGNEMENTS **(d)** INFIRMERIE

2. If you wanted to buy your ticket at a French railway station, which sign would you look for?

    (a) INFORMATIONS **(b)** ACCÈS AU QUAI **(c)** GUICHET **(d)** SALLE D'ATTENTE

3. If you were travelling on a French motorway and you needed to take a break on the journey, which sign would you look for?

    (a) AIRE DE JEUX **(b)** AIRE DE REPOS **(c)** ESSENCE **(d)** PÉAGE

4. On your way home from France, you want to buy a present at the airport shops, which sign would you look for?

    (a) PORTE DE DÉPART **(b)** POINT DE VENTE **(c)** RESTAURATION RAPIDE
    (d) CENTRE DE SOINS

5. If you want to hire a car at the railway station, which sign do you look for?

    (a) LOCATION DE VOITURES **(b)** LAVE-AUTO **(c)** PARKING
    (d) ACCÈS AUX VOITURES

Question 4

Write the following sentences in their negative form in your copy.

1. Le train est arrivé à l'heure.
2. L'avion est parti à 2 heures tapantes.
3. Manon est sortie à vélo.
4. Nous sommes rentrés par le car scolaire.
5. Ils sont allés à Nice en train.
6. Le tram est entré en service au mois de décembre.
7. Le bus est resté longtemps à l'arrêt.
8. Vous êtes repartis en avion ?

Question 5

Listen to the following conversations and write down where they take place.

1. _____
2. _____
3. _____
4. _____
5. _____

GRAMMAIRE

Question 6

Listen to this conversation at the ticket office and fill in the blanks:

Marc : Le prochain train pour Lyon part à _____ heure ?

L'employée : Il y a un train à _____ heures quarante-cinq.

Marc : D'accord. Deux _____ pour Lyon.

L'employée : Aller simple ou aller- _____ ?

Marc : Aller-retour, s'il vous plaît.

L'employée : Première ou _____ classe ?

Marc : Deuxième classe. Côté_____, si c'est possible. Ça fait combien ?

L'employée : Ça fait 32€.

Marc : Voilà ! Le train part de quel_____, s'il vous plaît ?

L'employée : Il part du quai numéro _____. C'est à droite du _____.

Marc : Bon. Est-ce que nous devons_____ ?

L'employée : Non. Le train est direct.

Question 7

Listen to the train announcements and fill in the grid.

Destination	Departure time	Platform number
1.		
2.		
3.		
4.		
5.		

Question 8

Telephone message.

You are alone in your French penfriend's home. His/her friend Lucas rings to say:

- He cannot go to the cinema this evening as planned.
- His grandparents have arrived to stay.
- He suggests going to the beach on the train on Saturday.
- Say you are going to the post office now.

Tip: Ça te dit de… ?

Write a note which you leave for your penfriend.

Question 9

You are on holiday. Write a letter to a French penpal. Include the following points:

- You are in Arles in an apartment which has a large pool.
- You flew to Toulouse - tell something about the journey.
- Your Dad has hired a car and you have been on some trips.
- The weather is very good.
- Tell your friend of some of your plans for the coming week.

Question 10

P+R Les parcs-relais : laissez votre voiture et prenez le tram !

Les parcs-relais sont ouverts tous les jours à partir de 5h du matin

Fermeture : 15 mn après le dernier tram.

● **Qu'est-ce qu'un parc-relais ?**
Une aire de stationnement surveillée, réservée aux véhicules des clients du réseau tram+bus, sans supplément de prix.

● **Quelles sont les conditions d'accès ?**
- Pour les abonnés et pour ceux qui ont un Tickarte "1 jour" ou un Tickarte "7 jours", c'est gratuit.

- Pour les autres voyageurs, il existe un Tickarte parc-relais de 2,60 € à se procurer auprès du gardien du parc. Il donne droit au stationnement et à un aller-retour dans la journée sur le réseau tram et bus de la Cub.

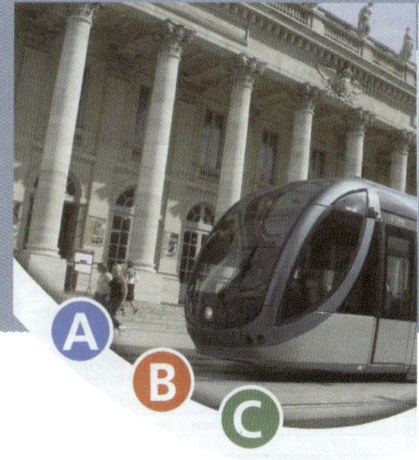

Read this information from the tramway company in Bordeaux and answer the questions:

1. At what time each day does the parking open?
2. What service does "les parcs-relais" offer the traveller?
3. Who can use the special car-park?
4. Where can you get the Tickarte at €2.60?
5. What does the Tickarte entitle you to?

Lexique

accès (m.)	access/entrance	informations (f. pl.)	information
aéroport (m.)	airport	interdit(e)	forbidden
allumer	to light/turn on lights	lave-auto (m.)	carwash
annuler	to cancel	ligne (f.)	line
arrêt (m.)	stop/bus stop	machine à sous (f.)	slot machine
attendre	to wait for	Manche (f.)	English Channel
au lieu de	instead of	mort(e)	dead
billet (m.)	ticket/bank note	moyen (m.)	means
billetterie (f.)	ticket machine	moyen/-ne	average
blessé(e)	injured	objets trouvés (m. pl.)	lost property
buffet (m.)	self-service counter	panneau (m.)	sign
c'est-à-dire	that is to say	place (f.)	seat (on train/bus/plane)
chantier (m.)	shipyard/building site	plaque d'immatriculation (f.)	registration plate
chemin de fer (m.)	railway	point de rassemblement (m.)	assembly point
circulation (f.)	traffic	point de rencontre (m.)	meeting point
circuler	to circulate/move around	point de vente (m.)	sales outlet
climatisation (f.)	air-conditioning	pompiste (m./f.)	petrol pump attendant
comblé(e)	overwhelmed/happy	pont (m.)	deck/bridge
concessionnaire (m.)	agent/concession holder	porte de départ (f.)	departure gate
consigne automatique (f.)	luggage locker	potable	drinking
consigne (f.)	left-luggage office	pratique	convenient
construire	to construct/build	prochain(e)	next
couchette (f.)	bunk on a train/boat	provoquer	to cause
couloir (m.)	corridor/aisle	quitter	to leave
court(e)	short	rater	to miss
coûter	to cost	relier	to link
creuser	to dig	remplacer	to replace
crevé(e)	punctured/tired (slang)	renseignements (m. pl.)	information
croisière (f.)	crossing/cruise	réparations (f. pl.)	repairs
de bonne heure	early/in good time	réparer	to repair
débarquer	to disembark	réseau (m.)	network
dépannage (m.)	breakdown service	rouler	to travel/move/drive
dépanneuse (f.)	tow-truck	route (f.)	road/highway
dérailler	to be de-railed	rue (f.)	street
desserte (f.)	service (transport)	sain et sauf / saine et sauve	safe and sound
embarquer	to go on board	salle d'attente (f.)	waiting room
embouteillage (m.)	traffic-jam	sans plomb	lead-free
en route	on the way	séjour (m.)	holiday/stay
entrée (f.)	entrance	sortie (f.)	exit
escalier (m.)	stairs	souterrain(e)	underground
escalier roulant (m.)	escalator	station (f.)	Metro station
essai (m.)	trial/test	station de taxi (f.)	taxi rank
essence (f.)	petrol	tendu(e)	tense/strained
éteindre	to turn off/out	tenir	to hold
faire le guet	to keep watch	trajet (m.)	short journey/trip
ferroviaire	rail	transmanche	cross channel
forfait (m.)	special offer/package/deal	transporter	to transport/carry/bring
flaque (f.)	pool of water	traversée (f.)	crossing
freins (m. pl.)	brakes	utile	useful
grave	serious	vérifier	to check
horaires (m. pl.)	timetable	vidange f	oil change
hublot (m.)	porthole	vitesse (f.)	speed
huître (f.)	oyster	voie (f.)	track/way
inaugurer	to start	vol (m.)	flight
infirmerie (f.)	sick bay	voyage (m.)	journey

Unité 6

Le corps et la santé

Civilisation

The French spend a large amount of their income on health and bodycare, buying many products on the Internet, as well as in shops and chemists. Many of the health and beauty products used worldwide are French — such as Vichy, L'Oréal, Clarins and Laboratoires Garnier.

The chemist shop, *la pharmacie*, is an important place in the French town and is easily recognised by its distinctive large sign — a green cross.

It is not as expensive to go to the doctor's surgery — *le cabinet (médical)* — in France as it is in Ireland. When you go to the doctor, you get a prescription, *une ordonnance*, which you then bring to *la pharmacie*. Here you receive whatever medicine — *le médicament* — you need. The French healthcare system is recognised as one of the best in Europe. French people feel that they receive good healthcare whether they go to a public hospital — *l'hôpital* — or a private one — *la clinique*.

In the past, France has pioneered many advances in the area of health. **Louis Pasteur** gave his name to the process by which milk is 'pasteurised'. He also discovered a vaccine against rabies. **Marie Curie**, along with her husband, was responsible for the discovery of radium. **Louis Braille** developed an alphabet, based on raised symbols, which enables blind people to read. In 1971, a humanitarian organisation was set up to help people in the Third World and in zones of conflict. This voluntary organisation, made up of doctors, nurses and other healthcare workers, is called *Médecins sans Frontières*. It received the Nobel Prize for Peace in 1999.

Les parties du corps

Le corps

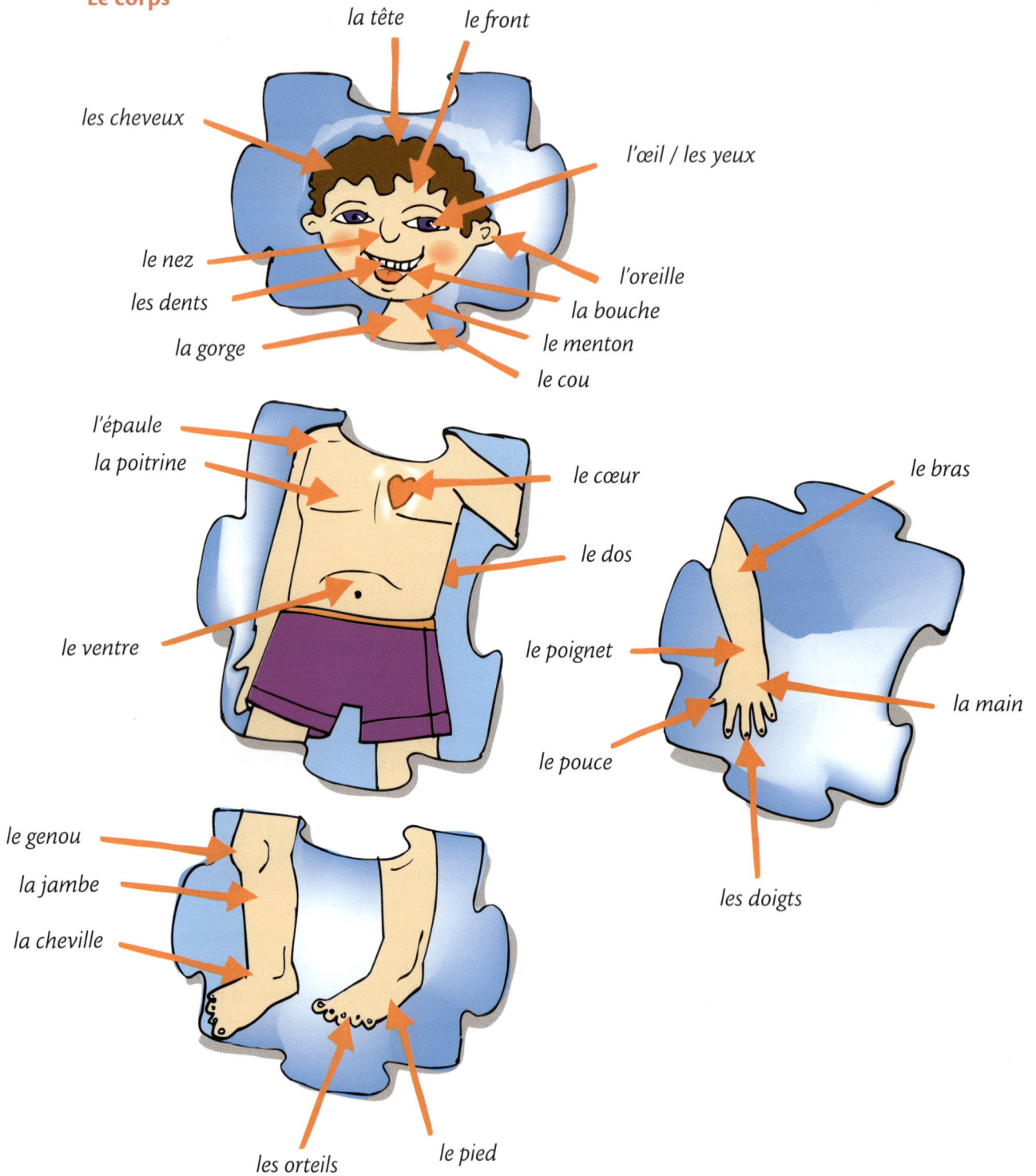

la tête
le front
les cheveux
l'œil / les yeux
le nez
l'oreille
les dents
la bouche
la gorge
le menton
le cou

l'épaule
la poitrine
le cœur
le bras
le dos
le ventre
le poignet
la main
le pouce
les doigts

le genou
la jambe
la cheville
les orteils
le pied

Exercice 1

Nommez la partie du corps !

(a) (b) (c) (d) (e) (f) (g)

(h) (i) (j) (k) (l) (m) (n)

Exercice 2

Trouvez les mots dans la baleine !

Write out the words you find and put the correct **article défini** (le / la / l' / les) in front of each one.

Tip: In French you use the *article défini* in front of the parts of the body, rather than the *adjectif possessif* which we do - je me brosse **les** dents, il se lave **les** mains.

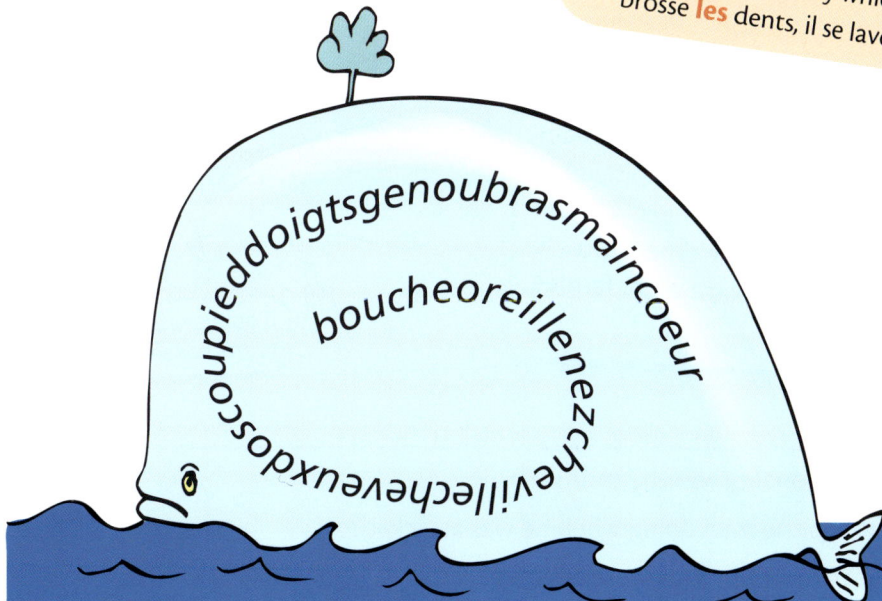

GRAMMAIRE

6.1 Écoutons maintenant !

Quelle partie du corps ? What part of the body is mentioned?

1. _____		2. _____	
3. _____		4. _____	
5. _____		6. _____	
7. _____		8. _____	

Jouons à Eureka !

Draw a grid with sixteen boxes and write a part of the body in French into each box. Your teacher will call out parts, and whoever gets four in a row wins — the game continues until someone gets a whole panel and shouts Eureka !

Lisons maintenant !

Read the following article and answer the questions

Un touriste canadien se souviendra longtemps de ses vacances dans l'archipel américain d'Hawaï, dans l'océan Pacifique. Le week-end dernier, un homme de vingt-neuf ans a été attaqué par un requin alors qu'il nageait, tout près de la plage. Il a été mordu à la main et à la jambe par l'animal. Hospitalisé, il est aujourd'hui hors de danger. C'est le quatrième accident de ce type depuis le début de l'année. La plage a été fermée pendant deux jours.

AAh!.... J'ai été mordu à la jambe et au bras par un requin !

J'aurais préféré qu'il te morde la langue, tu me casserais moins la tête !

1. What nationality was the tourist?

2. What was the man doing when he was attacked?

3. What parts of his body were affected?

4. How is he now?

5. What happened as a result of the attack?

Les descriptions

J'ai les yeux marron et les cheveux noirs et frisés.

Moi, j'ai les yeux bleus et les cheveux longs, blonds et raides.

J'ai les yeux bleus et les cheveux courts et bruns.

J'ai les yeux marron et les cheveux bruns et un peu longs.

Les yeux :

J'ai	les yeux bleus	les yeux marron	les yeux verts	les yeux gris	les yeux noisette

Tip: Notice neither marron nor noisette take an '**s**' in the plural

Je porte des lunettes.　　*Je porte des lentilles.*　　*Je porte un appareil dentaire.*

Exercice 1

1. Moi, j'ai les yeux _____ .

2. Ma mère a les yeux _____ .

3. Mon / Ma meilleure(e) ami(e) a les yeux _____ .

4. Mon professeur a les yeux _____ .

5. La personne qui est assise à côté de moi a les yeux _____ .

Les cheveux :

Il / Elle a

les cheveux **blonds** — les cheveux **noirs** — les cheveux **roux** — les cheveux gris

les cheveux **bruns** — les cheveux **blancs** — les cheveux **châtains**

Tip: In French the word *les cheveux* is masculine plural (you have more than one hair on your head!)

Quel style ?

cheveux courts — *cheveux longs* — *cheveux frisés* — *cheveux raides*

en queue de cheval — *des tresses / des nattes* — *en brosse*

Moi, je suis chauve !

J'ai une barbe

6.2 ## Écoutons maintenant !

Listen and match the description to the correct face.

Exercice 1

(a) (b) (c) (d) (e) (f)

1. Il a les yeux bleus et les cheveux blonds en brosse. ☐

2. Elle a les cheveux longs, blonds et raides. Elle a les yeux verts. ☐

3. Elle a les yeux bleus et les cheveux courts et bruns. Elle porte des lunettes. ☐

4. Il a les cheveux longs et noirs en queue de cheval. Il a les yeux bruns. ☐

5. Elle a les cheveux courts et gris. Elle a les yeux bleus. ☐

6. Il a les cheveux roux et frisés, et les yeux marron. ☐

Parlons maintenant !

Take turns to describe someone in your class. The rest of the class must guess who you are describing.

J'ai mal !

Aïe….J'ai mal à la jambe !

avoir mal à (to have a sore…)

J'ai mal…	Nous avons mal…
Tu as mal…	Vous avez mal…
Il a mal…	Ils ont mal…
Elle a mal…	Elles ont mal…

le pied		= j'ai mal **au** pied
la tête		= j'ai mal **à la** tête
l'oreille		= j'ai mal **à l'**oreille
les dents		= j'ai mal **aux** dents

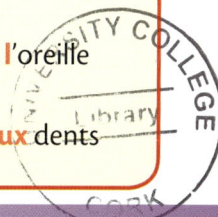

6.3 Écoutons maintenant !

Number the drawings as you hear them.

Vous avez mal où ?

6.4 Écoutons maintenant !

Faites correspondre la phrase avec le dessin et ensuite écrivez les phrases dans votre cahier.

Lisons maintenant !

Answer the questions after you have read the extract.

Here is another extract from *Le Petit Nicolas*. These short stories were written by René Goscinny, the author of *Astérix*. They first appeared in 1956 as a newspaper column. An artist called Sempé drew the original cartoons to go with the stories. Recently a new edition of *Le Petit Nicolas* has appeared following the discovery of 80 unpublished stories in an attic by Goscinny's daughter Anne.

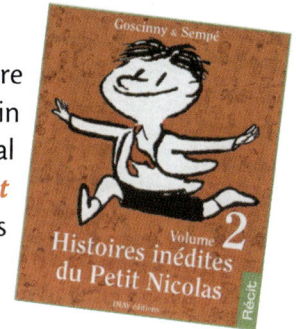

Goscinny & Sempé

Volume **2**

Histoires inédites
du Petit Nicolas

'Je suis malade'

1 Je me sentais très bien hier, la preuve, j'ai mangé des tas de caramels, de bonbons, de gâteaux, de frites et de glaces, et, dans la nuit, je me demande pourquoi, comme ça, j'ai été très malade.

2 Le docteur est venu ce matin…. Le docteur n'est pas resté longtemps, il m'a donné une petite tape sur la joue et il a dit à Maman: « Mettez-le à la diète et surtout, qu'il reste couché, qu'il se repose. » Et il est parti.

3 Maman m'a dit: « Tu as entendu ce qu'a dit le docteur. J'espère que tu vas être très sage et très obéissant ». Moi, j'ai dit à Mamam qu'elle pouvait être tranquille. C'est vrai, j'aime beaucoup ma maman et je lui obéis toujours. Il vaut mieux, parce que, sinon, ça fait des histoires.

4 J'ai pris un livre et j'ai commencé à lire, c'était chouette avec des images partout et ça parlait d'un petit ours qui se perdait dans la forêt où il y avait des chasseurs. Moi, j'aime mieux les histoires de cow-boys, mais tante Pulchérie, à tous mes anniversaires, me donne des livres pleins de petits ours, de petits lapins, de petits chats, de toutes sortes de petites bêtes. Elle doit aimer ça, tante Pulchérie.

---

1. Name **three** of the items Nicolas had eaten the day before he became ill. (Part 1)

2. What did the doctor advise he should do? (Part 2)

3. How does Nicolas show that he loves his mother? (Part 3)

4. What did he do to amuse himself? (Part 4)

5. What type of books does he normally like? (Part 4)

6. What type of books does his aunt give him for his birthday? (Part 4)

Coin dictionnaire

When you use your dictionary to look up nouns, besides giving you the meaning of the word, you may also find little sayings or idioms (*locutions*) which use this noun.

Exemple :

Bouche	*n.f.* **1.** (*of pers.*) mouth; (a) **avoir, parler la b. pleine**, to have, to talk with, one's mouth full; **garder qch. pour la bonne b.,** to save something until last, as a titbit; **faire la fine b.,** to turn one's nose up; **manger à pleine b.,** to eat greedily; to gobble one's food.

Exercice 1

Here are some idioms which use a noun which is a part of the body – look them up to see what their meaning in this context is.

> donner un coup de **main**
> avoir un chat dans la **gorge**
> se casser la **tête**
> c'est **le pied !**
> **nez** à **nez**
> apprendre par **cœur**
> faire les gros **yeux** à …

Ça ne va pas !

Sometimes when you are away from home, you don't feel well. If you are on an exchange you may need to tell your host family or friend about how you feel.

Je me sens malade.   *J'ai chaud.*   *J'ai froid.*   *J'ai la grippe.*   *J'ai de la fièvre.*   *Je tousse.*

J'ai sommeil.   *J'ai pris un coup de soleil.*   *Je suis allergique aux cacahuètes.*   *Je suis allergique aux chats.*   *Je suis allergique à la pénicilline.*   *Je suis asthmatique.*

Depuis quand ?

Depuis quand est-ce que tu es malade ?
Depuis quand est-ce que vous êtes malade ?

Depuis   *ce matin*
                mon petit-déjeuner
                hier
                hier soir
                deux jours

Exercice 1

Qu'est-ce qui ne va pas ? Que dit Nounours ?

Remplissez les bulles !

6.5 Écoutons maintenant !

What is each person complaining of, and for how long have they felt unwell?

	What's wrong?	For how long?
1.		
2.		
3.		
4.		
5.		
6.		

Parlons maintenant !

Tell your host how you feel and for how long you have felt unwell.

(a) toothache   *Depuis trois jours, j'ai _____.*

(b) headache   *Depuis hier soir, j'ai _____.*

(c) stomach-ache   *Depuis mon petit-déjeuner, j'ai _____.*

(d) temperature   *Depuis ce matin, j'ai _____.*

(e) cough   *Depuis une semaine, je _____.*

(f) feeling cold and cough   *Depuis quelques heures, j'ai _____.*

Exercice 1

Que faire ?

What advice is given to each person?

Faites des paires !

1. J'ai pris un coup de soleil.	(a) Voilà une boisson chaude.
2. Je tousse.	(b) Va chercher ton inhalateur.
3. J'ai mal aux dents.	(c) Ne mange pas pour le moment.
4. J'ai mal au ventre et j'ai vomi.	(d) Essaie cette crème solaire.
5. J'ai de la fièvre.	(e) Téléphone au dentiste.
6. J'ai mal à la gorge.	(f) Tiens ! Voilà du sirop.
7. J'ai une crise d'asthme.	(g) Prends une aspirine.

1 = **d**	2 =	3 =	4 =	5 =	6 =	7 =

Prenons un rendez-vous chez le médecin

NATHALIE LAFOND-RICHET
OSTEOPATHE
Soins sur Rendez-Vous
Tél: 06.07.42.50.56

6.6 Écoutons maintenant !

Écoutez cette conversation et remplissez les blancs.

Madame Ménard :	Allô ! Ici Madame Ménard. C'est le cabinet du Docteur Roger ?
Secrétaire :	Oui, c'est ça. Je peux vous aider ?
Madame Ménard :	Oui. Le correspondant _____ de mon fils Jean s'est _____. Je voudrais prendre un _____ avec le Docteur aujourd'hui. C'est possible ?
Secrétaire :	Oui, le Docteur est libre à _____heures et quart. Cela vous convient ?
Madame Ménard :	Oui. Cela me convient. Le jeune _____ Dara Byrne — ça s'écrit D-A-R-A B-Y-R-N-E.
Secrétaire :	Oui, je note son _____.
Madame Ménard :	Merci. Nous venons à onze heures et _____.
Secrétaire :	Au _____, Madame Ménard.

Chez le médecin

Lisons maintenant !

Madame Ménard emmène Dara au cabinet du Docteur Roger.

Lisez le texte suivant et répondez aux questions.

Médecin :	Bonjour, Madame Ménard. Comment allez-vous ?
Madame Ménard :	Bonjour, Docteur Roger. Je vous présente notre jeune ami irlandais, Dara.
Médecin :	Bonjour, Dara. Qu'est-ce qui ne va pas ?
Dara :	Bonjour, Docteur Roger. J'ai mal au pied — ici près de la cheville.
Médecin :	Et depuis quand as-tu ce problème ?
Dara :	Depuis hier soir. Nous avons fait un match de volley et je suis tombé. Ce n'était pas grave et j'ai continué le match. Plus tard c'est devenu pire. J'avais du mal à marcher.
Médecin :	D'accord. Fais voir ton pied, s'il te plaît. Mmm … c'est un peu gonflé. Ça te fait mal ?
Dara :	Aïe ! Oui.
Médecin :	Eh bien ! Je crois que tu t'es foulé la cheville. Je t'envoie à l'hôpital pour faire une radio.
Madame Ménard :	Bon. Je dois avoir une lettre ?
Médecin :	Je vous donne une lettre pour les Urgences.
Madame Ménard :	Merci, Docteur Roger. Nous allons à l'hôpital tout de suite.

1. What is Dara's complaint?
2. How did the injury occur?
3. How does the doctor describe the injury?
4. What does the doctor suggest?
5. What does Mme Ménard need to bring to the hospital?
6. When will they go to the hospital?

Et maintenant, chez le dentiste !

Lisez les phrases suivantes et mettez-les dans le bon ordre.

The conversation between the dentist and the patient has got jumbled up.

Can you sort out these sentences and write them in the correct order? The first one is done for you.

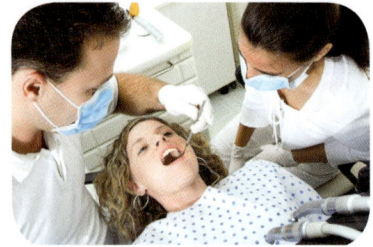

---

1. *Bonjour, Amélie. Qu'est-ce qui ne va pas ?*

C'est quelle dent ?

Ah ! je vois. Ce n'est pas grave. Je peux sauver ta dent.

Ouvre ta bouche, s'il te plaît. Depuis quand as-tu ce problème ?

C'est cette dent — à gauche. Ça me fait mal et j'ai du mal à manger.

Tant mieux ! Je ne voudrais pas perdre ma dent.

Bonjour, Monsieur Garnier. J'ai mal à la dent.

Je te fais une piqûre et j'aurai fini dans quelques minutes.

Depuis quelques jours.

D'accord. J'essaie de me relaxer.

---

1. Bonjour, Amélie. Qu'est-ce qui ne va pas ?

2. _____

3. _____

4. _____

5. _____

6. _____

7. _____

8. _____

9. _____

10. _____

GRAMMAIRE

6.7 **Écoutons maintenant !**

Remplissez la grille.

Name	Reason for appointment	Day and time of appointment
Madame Bellanger		
Monsieur Leclerc		
Jean-Luc Pidou		
Marie-Louise Godet		
Madame Richard		

Lisons maintenant !

Here are some useful telephone numbers, if you need to contact an emergency service during the Autumn holiday weekend in Sarlat. Read the information and answer the questions which follow:

dimanche 29 octobre – mercredi 1 novembre

Médecins de garde le week-end

Veuillez appeler en journée :
Tél. 05 59 43 52 53

la nuit (de 20 h à 8 h) Tél. 05 53 53 15 15

En cas d'urgence, le 15

Pharmacie de garde

Semaine : de 20 h à 8 h.

Week-end : du samedi 20 h au lundi 8 h

Pharmacie Lacoste, 47 rue de la République.

Pour des raisons de sécurité, il est demandé aux patients de se présenter à la gendarmerie avec leur ordonnance et leur carte Vitale.

Chirurgiens dentistes de garde

De 9 h à 12 h et de 17 h à 19 h.

Dr. Philippe Gachot, tél. 05 53 28 07 59

Dr. Lucie Rocher, tél. 05 53 82 43 07

Infirmière de garde

Marie-Claire Delahaye Tél. 05 53 96 86 06

Croix Rouge

Soin aux personnes âgées, Tél. : 05 53 15 15 31

Alcooliques Anonymes

Tél. 05 53 34 96 53

Protection de l'enfance

Tél. 05 53 20 58 20

Hôpital

Tél. 05 53 00 21 41

Ambulances-Taxis

SAMU – Tél. 05 53 28 53 46

Âllo Taxi – Tél. Tél. 05 53 26 10 59

Autres services d'urgences

Pompiers   faire le 18

Gendarmerie   Tél. 05 53 31 71 30

EDF-GDF Services – 0810 024 333

1. What number would you call if you needed a doctor during the night?
2. During what hours is the chemist available over the weekend?
3. Why do you need to go to the police station first?
4. What service does the Red Cross provide?
5. What service would you get if you dialled 05 53 28 53 46?
6. If you wanted to call the fire brigade, what number should you dial?

Les accidents / les mésaventures

Il s'est fait piquer.

Il s'est cassé le bras.

Elle s'est cassé la jambe.

Elle s'est blessé le genou.

Il s'est enrhumé.

Il s'est foulé la cheville.

Elle s'est coupé le doigt.

Il s'est brûlé.

Coin prononciation :
The letters « **ou** » in French are pronounced as « **oo** », as in the English word « boot » - b**ou**che, c**ou**, p**ou**ce, gen**ou**, c**ou**rt, r**ou**x, t**ou**sse, j**ou**rs.

Coin grammaire

> **Rappel !** The past participle sometimes changes when *être* is the helping verb.

Le passé composé of reflexive verbs (Verbes pronominaux)

Apart from the 13 verbs you learned in Unit 5, the only other verbs which use *être* to form *le passé composé* are reflexive verbs, *les verbes pronominaux*.

Exemples :

se lever, *to get up*	**s'amuser**, *to enjoy oneself*	**se coucher**, *to go to bed*
se laver, *to wash oneself*	**se doucher**, *to shower*	**s'habiller**, *to dress oneself*

6.8 Écoutons maintenant !

This is how the verb *se laver* (to wash oneself) sounds *au passé composé*.

(m.)	je	me	suis	lavé
(f.)	je	me	suis	lavé**e**
(m.)	tu	t'	es	lavé
(f.)	tu	t'	es	lavé**e**
(m.)	il	s'	est	lavé
(f.)	elle	s'	est	lavé**e**
(m. pl.)	nous	nous	sommes	lavé**s**
(f. pl.)	nous	nous	sommes	lavé**es**
(m. pl.)	vous	vous	êtes	lavé**s**
(f. pl.)	vous	vous	êtes	lavé**es**
(m. pl.)	ils	se	sont	lavé**s**
(f. pl.)	elles	se	sont	lavé**es**

Exercice 1

Remplissez la grille avec le verbe
s'enrhumer (to catch a cold) au *passé composé*.

> **Rappel !** The past participle sometimes changes when **être** is the helping verb.

(m.)	je	me	suis	enrhumé
(f.)	je	me	suis	
(m.)	tu	t'		enrhumé
(f.)	tu	t'	es	
(m.)	il	s'		enrhumé
(f.)	elle	s'	est	
(m. pl.)	nous	nous	sommes	
(f. pl.)	nous	nous	sommes	enrhumées
(m. pl.)	vous	vous	êtes	enrhumés
(f. pl.)	vous	vous		enrhumées
(m. pl.)	ils		sont	
(f. pl.)	elles	se		

Exercice 2

Les verbes pronominaux are often used when reporting accidents. Here are five examples of news. Read each news item and put in the correct verb in each case from the list below. (for help, see page 180)

LYON -

Une vieille dame _____ en préparant des frites dans sa cuisine dans un immeuble du centre-ville. Elle a été transportée à l'hôpital.

GRENOBLE -

Un accident a eu lieu sur l'autoroute hier soir. Deux hommes _____ .

NÎMES -

Des scouts écossais _____ quand ils ont été attaqués par des moustiques dans leur camping au bord de la rivière.

Catastrophe pour Marseille

Un joueur_____ la jambe pendant le match entre Marseille et Nice hier soir.

ARLES -

Un touriste américain est tombé dans l'arène. Il _____ la cheville.

- *s'est cassé*
- *se sont blessés*
- *s'est foulé*
- *s'est brûlée*
- *se sont fait piquer*

Exercice 3

Complètez les phrases avec *les verbes pronominaux* au *passé composé* et écrivez-les dans vos cahiers.

1. Je (se laver) _____ à sept heures.

2. Nous (se sentir) _____ malades après le déjeuner.

3. Mon ami Paul (s'intéresser) _____ à sa santé.

4. Julie (se dépêcher) _____ au gymnase pour être en forme.

5. Mes amis (se disputer) _____ hier soir.

6. Tu (se fouler) _____ le poignet pendant le match de foot ?

Coin grammaire

La forme négative des verbes pronominaux

Sometimes you may be lucky and have to say that you did not hurt yourself, that you were not stung, etc., so you need to use the negative of these reflexive verbs. Where will you put the **ne** and **pas**?

Je ne me suis pas blessé(e).

Tu ne t'es pas blessé(e).

Il ne s'est pas blessé.

Elle ne s'est pas blessée.

Nous ne nous sommes pas blessé(e)s.

Vous ne vous êtes pas blessé(e)(s).

Ils ne se sont pas blessés.

Elles ne se sont pas blessées.

6.9 Écoutons maintenant !

This is how the verb *se blesser* in the *négatif* sounds in the *passé composé*.

Je **ne** me suis **pas** blessé(e).	Nous **ne** nous sommes **pas** blessé(e)s.
Tu **ne** t'es **pas** blessé(e).	Vous **ne** vous êtes **pas** blessé(e)s.
Il **ne** s'est **pas** blessé.	Ils **ne** se sont **pas** blessés.
Elle **ne** s'est **pas** blessée.	Elles **ne** se sont **pas** blessées.

Exercice 1

Write these sentences à la forme **négative** in your copy.

1. Je me suis brûlé(e) dans la cuisine.
2. Il s'est blessé au pied.
3. Marie s'est levée de bonne heure.
4. Nous nous sommes reposé(e)s pendant les vacances.
5. Ils se sont endormis devant la télévision.
6. Tu t'es coupé(e) avec le couteau.
7. Vous vous êtes enrhumé(e)s après le concert.
8. Je me suis amusé(e) au parc.

À la pharmacie

(a) le dentifrice **(b)** la brosse à dents **(c)** la brosse à cheveux **(d)** le shampooing **(e)** le rouge à lèvres

(f) le pansement **(g)** les cachets (m.) **(h)** les antibiotiques (m.) **(i)** le sirop **(j)** les sparadraps (m.)

(k) la crème solaire **(l)** les pastilles (f.) **(m)** des gouttes pour les yeux (f.) **(n)** des gouttes pour les oreilles (f.) **(o)** l'inhalateur (m.) **(p)** les lunettes de soleil (f.)

(q) le bain moussant **(r)** le vernis à ongles **(s)** le parfum **(t)** le gel coiffant **(u)** la crème pour les mains

Exercice 1

Quelle colonne ?

Copy these two headings into your copy and put the articles from *la pharmacie* in the correct column.

Les médicaments	Les produits de beauté
_____	_____
_____	_____
_____	_____
_____	_____

6.10 Écoutons maintenant !

Voici quelques clients à la pharmacie. Écoutez leurs conversations.

Conversation 1

1. What was the customer's problem? _____

2. What medicine did the chemist give her? _____

Conversation 2

3. What has the doctor given to the man? _____

4. What costs €12? _____

Conversation 3

5. What kind of cream does the girl want? _____

6. When should the customer avoid the sun? _____

6.11 Écoutons maintenant !

Tu as bien entendu ? Coche la bonne case.

doux	toux	sec	infirmier	médecin	piquer	absent	nocif
douce	tousse	sèche	infirmière	médecine	piqûre	absente	nocive

Coin grammaire

In Unité 5 (see page 132) you learned how to make a comparison between two items.

Exemples :

l'avion est *plus rapide que* le ferry.   **le vélo est *moins rapide que* l'auto.**   **la voiture verte est *aussi rapide que* la voiture rouge.**

When you want to compare more than two items – *par exemple* big, bigger, biggest, you say:

grand   **plus grand**   **le plus grand**   **grande**   **plus grande**   **la plus grande**

Here is another example:

grave   **plus grave**   **le plus grave**

Attention ! There is one important exception to this rule — the adjective *bon*.

When you want to say that something is **good**, **better** and **the best** you use the words:

bon / bonne   **meilleur(e)**   **le meilleur / la meilleure**

Mon maquillage est *bon*.   Mon maquillage est *meilleur*.   Mon maquillage est *le meilleur* !

With the adjectives **mauvais** (bad) and **petit** (small) you have two choices of forms:

or	mauvais (e)	plus mauvais (e)	le pire / la pire
	mauvais (e)	plus mauvais (e)	le / la plus mauvais(e)

Exemple :

Ma blessure est *mauvaise*.   Ma blessure est *plus mauvaise*.   Ma blessure est *la pire* !

or	petit(e)	plus petit(e)	le / la plus petit(e)
	petit(e)	moindre	le moindre / la moindre

Exemple :

Mon pied est petit.

Mon pied est plus petit.

Mon pied est le plus petit.

Exercice 1

Remplissez les blancs avec les mots suivants : *pire*, *plus mauvaise*, *meilleur*, *meilleure*, *plus petit*.

1. Le sirop est _____ pour ma toux qu'une boisson chaude.

2. La grippe est _____ qu'un rhume.

3. Janine, ma _____ amie, est à l'hôpital en ce moment.

4. Un dosage de 20ml est _____ qu'un dosage de 30ml.

5. Pour moi, entre une radio et une piqûre, la piqûre est la _____.

GRAMMAIRE

6.12 Écoutons maintenant !

Listen to these people speaking about themselves and their families, and fill in the tables below.

1.

Name	Nadia
Colour of hair	
Colour of eyes	
Who is tallest?	

2.

Name	Guillaume
Colour of hair	
Who is youngest?	
Colour of sister's hair	
Colour of mother's eyes	

3.

Name	Lionel
Colour of dad's eyes	
Colour of dad's beard	
Who is the smallest in the family?	
Colour of mother's eyes	

4.

Name	Florence
Age of sister	
One point about her hair	
Colour of sister's eyes	

Lisons maintenant !

L'Astro

Qu'est-ce qui va se passer cette semaine ?

Read the predictions for next week and answer the quesions. (You can use the French or English word for the star sign)

Verseau (21 janvier — 18 février)
Santé : Fatigué(e) ? Mange des produits frais et vitaminés !
Couleur chance : violet
Nombre chance : sept

Poissons (19 février — 20 mars)
Santé : Prends du repos, va te coucher plus tôt !
Couleur chance : bleu marine
Nombre chance : quatre

Bélier (21 mars — 20 avril)
Santé : Beaucoup d'énergie
Couleur chance : bleu
Nombre chance : treize

Taureau (21 avril — 20 mai)
Santé : Change ton rythme, fais du sport, par exemple.
Couleur chance : rose
Nombre chance : cinq

Gémeaux (21 mai — 21 juin)
Santé : De petites nuisances — dans deux semaines, tout sera rentré dans l'ordre !
Couleur chance : jaune
Nombre chance : onze

Cancer (22 juin — 22 juillet)
Santé : Si tu as des soucis, parle à un copain qui te comprend.
Couleur chance : vert
Nombre chance : neuf

Lion (23 juillet — 22 août)
Santé : Tension nerveuse — passe plus de temps en plein air.
Couleur chance : blanc
Nombre chance : trois

Vierge (23 août — 22 septembre)
Santé : Des problèmes de peau — possibilité de boutons cette semaine.
Couleur chance : orange
Nombre chance : un

Balance (23 septembre — 22 octobre)
Santé : Exceptionnelle !
Couleur chance : jaune
Nombre chance : quinze

Scorpion (23 octobre — 21 novembre)
Santé : Quelle énergie ! Continue à manger des fruits !
Couleur chance : turquoise
Nombre chance : douze

Sagittaire (22 novembre — 22 décembre)
Santé : Des journées stressantes – écoute de la musique calmante avant de te coucher.
Couleur chance : marron
Nombre chance : seize

Capricorne (21 décembre — 20 janvier)
Santé : Sois prudent – n'en fais pas trop !
Couleur chance : rouge
Nombre chance : vingt et un

Questions

1. Who should go to bed early?
2. Who is having skin problems?
3. Who should wind down with some quiet music before going to bed?
4. Who may be feeling tired?
5. Who is advised to eat fruit?
6. Who should seek help from a friend?
7. Who should spend more time out of doors?
8. Who should be back in form in a fortnight?

Lisons maintenant !

Here are some tips for healthy eating.

Privilégiez !

- 4 repas par jour : un bon petit-déjeuner, un déjeuner complet, un goûter et un dîner léger
- les légumes pour leur apport en fibres et en minéraux
- les fruits pour leur richesse en vitamines
- les produits laitiers pour le calcium
- des quantités raisonnables de sucre — pour ton corps et ton moral !
- du pain complet ou pain au son
- riz, pâtes, pommes de terre en alternance avec des légumes, deux ou trois fois par semaine
- boire un litre et demi d'eau par jour

Évitez !

- les régimes draconiens
- les excès dans les quantités
- les sodas et autres boissons sucrées
- de grignoter des bonbons, gâteaux, etc.
- les sandwichs tous les jours
- de sauter un repas
- de rester enfermé(e) sans rien faire

Vrai ou faux ?

		vrai	faux
1.	It is best to eat four meals a day.		
2.	Fruit contains minerals and fibre.		
3.	Dairy products are needed to stay healthy.		
4.	Wholegrain bread is healthier than white-flour bread.		
5.	Rice, pasta and potatoes should be eaten only once a week.		
6.	We should drink more than a litre of water a day.		
7.	Sandwiches every day are a good idea.		
8.	It is alright to skip meals now and then.		

Parlons maintenant !

Tu es en forme ? Un sondage.

Using the questions below, ask your partner these questions.

Put a tick in the box which corresponds to their answer.

Question 1 – Tu prends un petit-déjeuner ?

tous les jours ☐   *de temps en temps* ☐   *rarement* ☐

Question 2 – Tu manges des friandises ?

tous les jours ☐   *de temps en temps* ☐   *rarement* ☐

Question 3 – Tu bois des sodas ?

tous les jours ☐   *de temps en temps* ☐   *rarement* ☐

Question 4 – Tu manges des chips ?

tous les jours ☐   *de temps en temps* ☐   *rarement* ☐

Question 5 – Comment vas-tu à l'école ?

à pied ☐   *à / en vélo* ☐   *en voiture / car / train* ☐

Question 6 – Tu fais du sport ?

souvent ☐   *de temps en temps* ☐   *rarement* ☐

Question 7 – Si tu n'es pas sportif/ve, tu fais quand même un peu d'exercice ?

Je fais des promenades ☐   *Je fais de la natation / du jogging* ☐   *Je ne fais rien* ☐

Question 8 – Tu passes combien de temps devant l'ordinateur / la télévision ?

une heure chaque jour ☐   *1-2 heures chaque jour* ☐   *plus de 3 heures chaque jour* ☐

Question 9 – Tu as commencé à fumer ?

Oui, un peu ☐   *Oui, mais rarement* ☐   *Non, je ne fume pas du tout* ☐

Maintenant faites un petit bilan de tous les résultats dans la classe.

Écrivons maintenant !

Remplissez les blancs.

Balrothery, le 23 novembre

Cher Tony,

Merci de ta longue lettre. Désolé, je n'ai pas écrit, mais j'étais malade. J'ai fait du camping avec les scouts et il a plu sans cesse tout le week-end. Le lundi matin, j'avais mal à _____, je toussais et j'avais de la _____.

Ma mère a appelé le _____ qui est passé me voir dans l'après-midi. Elle m'a examiné et elle a écrit une _____.

Elle m'a dit de garder le _____ car j'avais la grippe. Maman est allée à la _____. Elle a acheté du _____ et des _____. J'ai bu beaucoup de _____ chaudes et j'ai pris mes médicaments.

Maintenant, je vais mieux et j'ai repris l'école hier, je _____ toujours mais ce n'est pas grave. J'espère aller au concert ce week-end !

Et toi ? Écris-moi vite.

Amitiés,

Rob

Je n'ai pas écrit — désolé !

You may not have written to your French friend for a while because you or someone in your family was sick. You begin your letter by apologising for not writing sooner.

Aughrim, le 14 septembre

Cher Mikael,
Merci de ta lettre. Je n'ai pas écrit – désolé(e).
Comment vas-tu ?
…

Chère Lucie,
Je m'excuse de ne pas avoir écrit plus tôt, mais j'étais malade…

Bray, le 4 mai

Limerick, le 12 novembre

Chère Séverine,
Merci beaucoup de ta longue lettre.
Je m'excuse de ne pas avoir écrit depuis longtemps.
Malheureusement mon père a eu un accident…

Des phrases utiles

Malheureusement,	*je suis malade.*
	j'ai la grippe.
	j'ai mal à la gorge.
	je me suis cassé le bras / la jambe / le doigt pendant un match.
	je suis tombé(e) de mon vélo.
	je ne peux pas écrire / jouer au foot / au basket – c'est pénible !

Mon père / Ma mère ne va pas bien.

Ma sœur / Mon frère est malade.

Il / Elle a la grippe.

Mon père / Ma mère / Mon ami(e) a eu un petit accident à la maison.

Il est tombé / Elle est tombée en descendant l'escalier.

Il s'est foulé / Elle s'est cassé la cheville / le bras / la jambe.

Il / Elle a passé quelques jours à l'hôpital.

Heureusement, il / elle va mieux maintenant !

Comment va ton père maintenant ?

Il va mieux après son accident de voiture ?

Mon copain Seán / Ma copine Sara est malade en ce moment.

Il / Elle ne peut pas sortir / aller au concert / au match – c'est dommage !

Écrivons maintenant !

1. Write a letter in French to your French penpal, Hélène/Alain. Include the following points:

- Thank him/her for his/her letter.
- Ask how he/she is.
- Comment on the weather.
- Explain that your friend Seán / Sara is sick and cannot go to the concert next weekend.

2. You received a letter from your penfriend Martin/Martine three weeks ago and you are sorry that you have not replied before now. Write a letter in French to Martin/Martine in which you:

- Apologise for not having replied sooner.
- Tell about a minor accident that happened in your home.
- Ask how your friend's mother is after her car accident.
- Say that you are tired at the moment because you are studying for your Junior Cert.

Coin dictionnaire

Many nouns in French form their plural by adding **-s**. These regular plurals are not shown in the dictionary entry. A dictionary indicates how a plural is formed **only** if the plural is irregular.

- la main → les mains
  le doigt → les doigts
  le pied → les pieds

> **main** *nf* hand; à la main, in one's hand; se donner la main, to hold hands; ...

However, you should find

- The plural of most nouns ending in **-al** is **-aux**.

> hôpital, (pl aux) *nm* hospital, infirmary; salle d'h., ward.

- The plural of nouns ending in **-ou** is generally **-ous**, e.g. le **cou** → les **cous**

But, there are seven nouns ending in **-ou** which do not follow the rule.

In the plural, they end instead in **-x**. You need to learn these.

These irregular plural endings are always shown in the dictionary.

> genou – (pl oux) *nm* knee; enfoncé jusqu'aux genoux dans la boue, knee-deep in mud; se mettre à genoux, to kneel (down); à genou(x), kneeling, on one's knees; demander qch à genoux, to ask for sth on bended knee; tenir qn sur ses genoux, to hold s.o on one's lap.

❤ Par cœur !

le bijou	les bijoux
le caillou	les cailloux
le chou	les choux
le genou	les genoux
le hibou	les hiboux
le joujou	les joujoux
le pou	les poux

> **Attention !** Hibou is a French word where you do pronounce the « h », so you use **le** before it.

Exercice 1

Find the English meanings of the words above in your dictionary.

- The nouns **œil** and **ciel** have irregular plural *yeux / cieux*

> **ciel** *nm* sky; (REL) heaven, cieux *nmpl* (REL) heaven sg; à ciel ouvert, open-air; (mine) open-cast.

> œil – pl yeux *nm* 1. eye; il a les yeux bleus, he has blue eyes; visible à l'o. nu, visible to the naked eye; je n'ai pas fermé l'o. de la nuit, I didn't sleep a wink all night; faire qch les yeux fermés, to do sth with one's eyes shut; risquer / jeter un o., to take a peep; ouvrir de grands yeux, to stare wide-eyed.

Lisons maintenant !

Read the following article about the dangers of the sun and answer the questions.

Le soleil : pas toujours un bon copain !

Michel Le Maître, dermatologue à Caen, président de la société française de dermatologie, vient de participer à la réalisation d'un livre intitulé, **« Soleil et peau. »**

Quels sont les dangers du soleil ?

Le soleil est le principal facteur de vieillissement de la peau. Nous aurions des peaux de bébé à 40 ans si nous vivions à l'abri du soleil. Le soleil n'est pas toujours un bon copain : il faut résister au culte du bronzage. Nous avons écrit un livre pour bien vivre avec le soleil, essentiel à notre existence.

1. What does the heading say about the sun?
2. According to Michel Le Maître, what is the principal cause of skin ageing?
3. What kind of skin would we have if we avoided the sun?
4. What should we avoid doing?
5. What does he say about the sun in the last sentence?

Communication en classe !

- *Madame, je peux aller aux toilettes ? Je me sens malade.*
- *J'ai très froid. Je peux fermer la fenêtre ?*
- *J'étais absent(e) hier. J'avais mal à la tête.*
- *Je m'excuse, Monsieur. Je peux prendre mon inhalateur ?*
- *Je dois prendre mon médicament à 10 heures.*
- *Je ne peux pas jouer. Je me suis foulé la cheville.*
- *Je ne peux pas écrire, je me suis foulé le poignet.*
- *Je n'ai pas de devoirs, Monsieur. J'étais malade hier soir.*
- *J'ai chaud, Madame. Je peux enlever mon pull ?*
- *Paul est absent. Il a la grippe.*

Épreuve

Question 1

Cherchez l'intrus.

1. jambe, genou, main, orteil.
2. dos, œil, bouche, oreille.
3. épicerie, clinique, hôpital, cabinet.
4. comprimés, sirop, sparadrap, parfum.
5. asthme, serpent, fièvre, grippe.
6. dentiste, chirurgien, chauffeur, infirmière.

Question 2

Read the nameplates and answer the questions.

a.
Marie-José Pidou
Infirmière / sage-femme

d.
Marc Rocher
Kinésithérapeute sportif

b.
Docteur Le Rouzic
Médecin Généraliste

e.
Docteur P. Dupont
*Maladie et Chirurgie du nez,
de la gorge et des oreilles*

c.
Docteur Marie Toubiane
Pédiatre

f.
Jean-Luc Quéré
Radiologue

1. Who would you visit if you had a problem with your tonsils?
2. Who would you visit if you needed an X-ray?
3. Who would you visit if you pulled a muscle during training?
4. Who would you visit if a baby needed special care?
5. Who would you visit if you needed a dressing changed?

Question 3

Listen to the following conversations and say where each one takes place.

1. _____
2. _____
3. _____
4. _____
5. _____

Question 4

Listen to these phone calls to the school secretary about absences, and fill in the table below.

Name of pupil	Reason for absence
1. Léa	
2. Luc	
3. Océane	
4. Sophie	
5. Khalid	
6. Christophe	

Question 5

Read the review and answer the questions.

1. What are the hospital doctors trying to do?

2. What does the number 19 refer to?

3. How do Mark, Miranda and Derek seem in this episode?

20.50 SÉRIE   ✍ 192034   ⏱ 45 MINUTES

Chandra Wilson.

Grey's Anatomy
Affaires de famille.

Hospitalière. EU. 2006. Réal. : Seith Mann. 10/25. Stéréo. Inédit. Scénario : Carolina Paiz. Avec : Ellen Pompeo (Meredith Grey), Eric Dane (Mark Sloan), Chandra Wilson (Miranda Bailey), Patrick Dempsey (Derek Sheperd).

Tous les médecins de l'hôpital travaillent ensemble pour tenter de séparer deux frères siamois. Cette opération très lourde nécessite une équipe qui comprend pas moins de 19 personnes. Parmi les membres du personnels amenés à intervenir figurent Mark, Miranda et Derek. Ils se montrent très motivés.

Question 6

Fill in the gaps using the verbs from the list.

s'est foulé
me suis brûlé
t'es cassé
s'est blessée
nous sommes couchés
se sont habillés
se sont coupées
vous êtes fait piquer

1. Jean _____ la cheville en jouant au rugby.

2. Mes amis _____ dans leurs maillots pour le match.

3. Je _____ en faisant des frites.

4. Nous _____ car nous avions sommeil.

5. Maman _____ dans le jardin.

6. Tiens ! Tu _____ le bras ! Qu'est-ce que tu as fait ?

7. Les jumelles _____ avec un couteau.

8. Vous _____ au camping par des moustiques.

Question 7

Write the following verbs underlined in the **la forme négative**.

1. Kate **s'est levée** tôt en vacances.

2. Luke et Richard **se sont blessés**.

3. Je **me suis foulé** la cheville quand j'ai trébuché.

4. Tu **t'es senti** malade après ce grand repas ?

5. Charles **s'est coupé** avec un couteau.

6. Coralie **s'est amusée** en discothèque, elle avait mal à la tête.

Question 8

This brochure on good dental hygiene practices is aimed at primary-school students. Read it and answer the questions.

- Il faut se brosser les dents après les repas et surtout le soir avant de se coucher.
- Pour bien se brosser les dents, une bonne brosse à dents, de petite taille adaptée à la bouche, est nécessaire.
- Une brosse à dents doit être changée en général au bout de trois mois.
- N'oublie pas d'aller consulter ton dentiste deux fois par an.
- Il faut manger des bonbons le moins souvent possible et surtout pas le soir avant de t'endormir. Le sucre aide les microbes à se développer dans ta bouche et à attaquer tes dents et tes gencives.
- Évite de casser des noisettes, des noix, des amandes avec tes dents, tu pourrais ainsi les fracturer.

Pour garder de belles et bonnes dents – brosse-les bien, brosse-les souvent !

1. When is the most important time to brush your teeth?
2. What does the article say about the type of toothbrush you should use?
3. How often should you change your toothbrush?
4. How often should you visit the dentist?
5. When should you particularly avoid eating sweets?
6. Name **two** things that you should avoid breaking with your teeth.

Question 9

Leave a note for your French friend, telling him/her:

- You are sick/you have a cold.
- You can't go to the pool this afternoon.
- You've been to the chemist for a cough bottle.
- You are going to phone later.

Question 10

Write a letter to your French friend saying the following:

- You are not in school because you have the flu.
- What you have been doing each day at home.
- You hope to go on a school outing next week.
- Send good wishes to all his/her family and say that you hope they are all well.

Lexique

abeille (f.)	*bee*	court(e)	*short*
abri (m.)	*shelter/shade*	**se** coucher	*to go to bed*
allergie (f.)	*allergy*	coup de soleil (m.)	*sun-burn*
aller mieux	*to be better*	crise (f.)	*attack*
amande (f.)	*almond*	Croix Rouge (f.)	*Red Cross*
au secours	*help!*	décoller	*to take off (a plane)*
avoir chaud	*to feel hot/warm*	de garde	*emergency/on call*
avoir du mal à	*to have difficulty in*	dentiste (m./f.)	*dentist*
avoir froid	*to feel cold*	**se** dépêcher	*to hurry*
avoir sommeil	*to be sleepy*	dermatalogue (m./f.)	*skin specialist*
Balance (f.)	*Libra*	désolé(e)	*sorry*
barbe (f.)	*beard*	**se** disputer	*to argue/row*
Bélier (m.)	*Aries*	doux/-ce	*soft*
bijou (m.)	*jewel*	draconien/-ne	*harsh/severe*
blessé(e)	*injured*	efficace	*effective/efficient*
blond(e)	*fair haired*	emmener	*to bring /to take*
boisson (f.)	*drink*	**s'**endormir	*to fall asleep*
bouton (m.)	*spot*	essayer de	*to try to*
bronzage (m.)	*tanning*	être en pleine forme	*to be in good form/to be fit*
se brosser	*to brush*	éviter	*to avoid*
se brûler	*to burn oneself*	faire une radio	*to have an x-ray*
cacahuètes (f.pl.)	*peanuts*	fracturer	*to break/fracture*
caillou (m.)	*pebble*	friandises (f.pl.)	*sweets/goods*
caramel (m.)	*toffee*	frisé(e)	*curly*
chance (f.)	*luck*	fumer	*to smoke*
chasseur (m.)	*hunter*	fumeur/-euse (m./f.)	*smoker*
châtain	*chestnut brown*	garder le lit	*to stay in bed*
chauve	*bald*	Gémeaux (m.pl.)	*Gemini*
chips (f.pl)	*crisps*	gencive (f.)	*gum*
chirurgien/-ne (m/f.)	*surgeon*	gonflé(e)	*swollen*
choqué(e)	*shocked*	grave	*serious*
chou (m.)	*cabbage*	grignoter	*to nibble*
conseil (m.)	*advice*	grippe (f.)	*flu*
convenir	*to suit*	heureusement	*luckily/happily*

hibou (m.)	*owl*	preuve (f.)	*proof*
hors de danger	*out of danger*	privilégier	*to give priority to*
image (f.)	*picture*	prudent(e)	*careful/cautious*
inattendu(e)	*unexpected*	radiologue (m./f.)	*radiologist*
infirmier/-ère (m./f.)	*nurse*	raide	*straight*
joujou (m.)	*toy*	**se** reposer	*to relax/rest*
jumeau / jumelle (m./f.)	*twin*	requin (m.)	*shark*
kinésithérapeute (m./f.)	*physiotherapist*	rester enfermé(e)	*to be cooped up*
laitier/-ère	*dairy*	retard (m.)	*delay*
léger/-ère	*light*	rhume (m.)	*headcold*
lentilles (f.pl.)	*lenses*	roux / rousse	*red-haired*
lunettes (f.pl.)	*glasses*	sage	*well-behaved*
Lion (m.)	*Leo*	sage-femme (f.)	*midwife*
malheureusement	*unfortunately/unluckily*	SAMU	*ambulance service*
maquillage (m.)	*make-up*	sang (m.)	*blood*
marron	*brown*	sauter un repas	*to skip a meal*
médecin (m./f.)	*doctor*	sauver	*to save*
médecine (f.)	*study of medicine*	séance (f.)	*session/sitting*
moral (m.)	*well-being*	sec/sèche	*dry*
mordre	*to bite*	**se** sentir	*to feel*
moustique (m.)	*mosquito*	sensible	*sensitive*
nocif/-ve	*harmful*	siamois(e)	*siamese*
noisette (f.)	*hazel-coloured/hazelnut*	soda (m.)	*fizzy drink*
noix (f.)	*nut/walnut*	soin (m.)	*care/protection*
obéir	*to obey*	souci (m.)	*worry/care*
obéissant(e)	*obedient*	soulager	*to relieve*
occupé(e)	*busy/occupied*	**se** souvenir de	*to remember*
ours (m.)	*bear*	sucré(e)	*sugary/sweet*
pain au son (m.)	*bran bread*	tabac (m.)	*tobacco*
pain complet (m.)	*wholemeal bread*	tape (f.)	*pat/slap/tap*
pâle	*pale*	tas (m.)	*heap/pile*
parfait(e)	*perfect*	Taureau (m.)	*Taurus*
partout	*everywhere*	tenter	*to try to*
pâtes (f.pl.)	*pasta*	traiter	*to treat*
peau (f.)	*skin*	trébucher	*to stumble*
pénible	*painful*	tousser	*to cough*
se perdre	*to get lost*	tout de suite	*immediately*
piqûre (f.)	*injection/sting*	toux (f.)	*cough*
pire	*worse*	Urgences (f.pl.)	*casualty department*
plein air (m.)	*fresh air/open air*	Verseau (m.)	*Aquarius*
plus tard	*later (on)*	vieillissement (m.)	*ageing*
pompier (m.)	*firefighter*	Vierge (f.)	*Virgo*
pou (m.)	*louse*	vomir	*to vomit*
prendre rendez-vous	*to make an appointment*		

Listening Comprehension

Test 2 – Unités 4-6

Q1 Where do these five people live?

a) Jean-Luc _____   b) David _____   c) Manon _____

d) Sophie _____   e) Anne _____   **(5 x 2) 10 points** ☐

Q2 What are the temperatures for the following days?

a) Tuesday _____   b) Saturday _____   c) Monday _____

d) Wednesday _____   e) Friday _____   **(5 x 2) 10 points** ☐

Q3 What season of the year is being spoken about?

a) _____   b) _____   c) _____   d) _____

(4 x 2) 8 points ☐

Q4 How do these people get around?

1 _____   2 _____

3 _____   4 _____

5 _____   6 _____

(6 x 2) 12 points ☐

Q5 What type of train tickets do these people want to buy?

a) _____   b) _____   c) _____

d) _____   e) _____   **(5 x 2) 10 points** ☐

Q6 At what times are the trains departing in the following announcements?

1 Marseille _____   2 Nantes _____   3 Strasbourg _____

4 Rennes _____   5 Nancy _____   **(5 x 2) 10 points** ☐

Q7 What are these people asking for in the garage?

Conversation 1 _____   Conversation 2 _____

Conversation 3 _____   Conversation 4 _____

Conversation 5 _____   **(5 x 2) 10 points** ☐

Q8 What parts of the body are mentioned in the following conversations?

1=	2=	3=	4=	5=	6=	7=	8=

(8 x 1) 8 points ☐

Q9 Listen to these four French people describing themselves and fill in the grid below :

	Marie-Ange	Arnaud	Lucien Berger	Annick Leroy
Colour of eyes				
Colour of hair				
One other detail				

(12 x1) 12 points ☐

Q10 Name the presents that these five people received.

1	2	3	4	5

(5 x 2) 10 points ☐

Unité 7

Fêtes et Festivals en France

Civilisation

Je fais la fête !

Just like the Irish, the French love to celebrate and enjoy themselves. There are eleven official *jours fériés* during the year, as well as *fêtes* which are celebrated in particular regions. Some of these days are linked to religious feasts like Christmas — *Noël*, Easter — *Pâques*, and *la Toussaint* (le 1ᵉʳ novembre). Others are celebrated to mark an historic event — *la Fête Nationale* (le 14 juillet), or *l'Armistice* (end of First World War).

You may remember that French children celebrate not only their birthday, *l'anniversaire*, but also *la fête*, their name day. Close friends and family give presents on these days — usually sweets, chocolates or flowers. French children who are Jewish will celebrate *Hannukah* and children of the Muslim tradition will celebrate *Aïd*.

Faire la fête means to have a family celebration or party, for occasions like *les anniversaires*, *les mariages* and *les baptêmes*. At weddings and baptisms, guests are given little boxes of *dragées* (sugared almonds), as a souvenir.

les dragées

The word *fête* can also mean a festival. Some of the well-known French festivals are the Cannes Film Festival, which takes place annually in May, the Avignon Festival of Theatre, which takes place in July, and the annual Celtic Music Festival, which is held in Lorient in early August. At this festival, you are just as likely to hear Irish traditional music as you would at a Fleadh Ceoil in Ireland.

Les fêtes régionales

Many regions in France have their own local festivals — *la Fête des Gitans* (Gypsy Festival) is held in Les Saintes-Maries-de-la-Mer, in the Camargue area, in May each year.

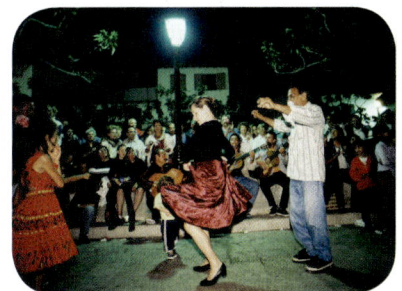

la Fête des Gitans

Around Brittany, a series of local festivals called *pardons* celebrate the feastday of the local saint. The statue of the saint is carried in procession and the people — in particular the women — wear traditional costumes. In many French towns, St John's Day (24th June) is celebrated. Large bonfires are lit and there are displays of local dancing and singing. A firework display — *un feu d'artifice* — usually takes place. In fact, few French fêtes take place without fireworks. There are also big celebrations to mark the end of the grape harvest in autumn — *les vendanges* — in all the wine-growing areas of France. So, throughout the year, no matter where you travel in France, you may be sure that there will be someone celebrating some fête or festival. Be sure to join in and don't forget to wish '*Bonne Fête !*'

Lisons maintenant !

Read the following extract and answer the questions below.

This is the opening chapter of *Le Piègeur d'Ombres*, an adventure story for teenagers by Marie-Sabine Roger where the main character is describing how she used to spend her summer holidays.

1. Je passais l'été chez mes grands-parents, dans un petit hameau, au cœur d'une vallée austère des Cévennes, où chaque pierre grise semble taire un secret …

2. Il n'y avait pas d'autre enfant de mon âge dans le coin. Pourtant, je ne m'ennuyais pas. Je lisais. Je jardinais avec mamie. Je m'occupais des lapins, et de Victor, le petit âne. Et comme, depuis peu, j'étais 'grande', j'avais enfin la permission de m'éloigner du village et de courir dans les bois.

3. Au sortir du hameau, à deux ou trois cents mètres en montant la colline, il y avait une maison en ruine, qui avait subi un incendie. Un grand arbre mort semblait monter la garde auprès du bâtiment. Sur le tronc calciné, on devinait encore la cicatrice en spirale qu'avait laissée la foudre, en tombant.

4. J'étais déjà passée à cet endroit les autres années, quand j'accompagnais mon grand-père au torrent, où il s'évertuait à traquer, presque toujours en vain, la truite. Mais je ne m'étais jamais intéressée à cette baraque fantôme.

1. Where did the girl's grandparents live? (Part 1)

2. She wasn't bored. Name **two** things that she used to do. (Part 2)

3. Where was the old house? (Part 3)

4. What had caused the house to fall into ruin? (Part 3)

5. What used her grandad fish for? (Part 4)

Coin grammaire

When French people are talking about the past and how they used to celebrate various fêtes when they were young, they often use a tense which is called *l'imparfait*.

Reading the extract from **Le Piègeur d'Ombres** you might have noticed that a lot of the verbs ended in -**ais** or -**ait**. This is because the author is telling us what '**used to**' happen when she was on holidays. You already know one past tense, *le passé composé*, which tells what happened. This new tense is called *l'imparfait*. It is used to tell:

- what <u>used to</u> happen in the past:
  I used to go to primary school.
  I used to go on holidays to Mayo.

  J'**allais** à l'école primaire.
  Je **passais** les vacances dans le comté de Mayo.

- what <u>was happening</u> in the past when:
  I was walking down the street, when …
  We were playing football, when …

  Je **descendais** la rue quand …
  Nous **jouions** au foot quand …

- what someone or something was like:
  He was tall.
  The day was fine.

  Il **était** grand.
  Il **faisait** beau ce jour-là.

- how someone was feeling:
  I was sick.
  She was tired.

  J'**étais** malade.
  Elle **était** fatiguée.

Do you remember when you learned to make the present tense you had to find the stem of the verb and then you added different endings for each person? *L'imparfait* is just the same. However, it is a little easier than the present tense, because the endings are the same for all -**er**, -**ir**, -**re** verbs and **irregular** verbs.

To find the stem for **l'imparfait** …

1. Go to the **nous** form of the present tense of the verb in question.

2. Take away the **nous** and the -**ons** ending.

3. What you are left with is your stem for *l'imparfait*, to which you add the *imparfait* endings.

❤ 4. You need to learn the *imparfait* ending by heart.

je	*-ais*	nous	*-ions*
tu	*-ais*	vous	*-iez*
il / elle	*-ait*	ils / elles	*-aient*

7.1 **Écoutons maintenant !**

Listen to the verb **parler** (to speak/talk) à *l'imparfait*.

je parl**ais**	nous parl**ions**
tu parl**ais**	vous parl**iez**
il parl**ait**	ils parl**aient**
elle parl**ait**	elles parl**aient**

Exercice 1

Find the stem for **l'imparfait** of these verbs:

chanter _____   passer _____   aller _____   remplir _____

partir _____   vendre _____   vouloir _____   lire _____

Exercice 2

In your copy, write out **l'imparfait** of these verbs.

1. **Habiter** (regular -er verb) j'habitais, tu _____ .
2. **Aller** (irregular -er verb) j'allais, tu _____ .
3. **Choisir** (regular -ir verb) je choisissais, tu _____ .
4. **Sortir** (irregular -ir verb) je sortais, tu _____ .
5. **Vendre** (regular -re verb) je vendais, tu _____ .
6. **Lire** (irregular -re verb) je lisais, tu _____ .

Tip: Don't forget that the rule is the same whether the verb is regular or irregular!

Exercice 3

Les sacs à mots

Choose an item from each bag to write a full sentence in *l'imparfait*.

Tu · Il · Les filles · Vous · Ma grand-mère · Nous · J' · David et Alain

veniez · avais · jouions · allaient · chantaient · lisais · choisissait · habitait

des bandes dessinées · avec des Barbie · à l'école à pied · à Galway · un petit vélo rouge · dans une chorale · au stade ensemble · un gâteau délicieux

Exception

There is only one verb which does not make *l'imparfait* in this way. It is the verb **être**. The **nous** form is **nous sommes**, so there is no **-ons** to cross off. Instead it has a special stem for this tense — **ét** — but it uses the same endings as all the other verbs.

ét-

-ais
-ais
-ait
-ions
-iez
-aient

7.2

Écoutons maintenant !

Listen to this funny poem, by a well-known children's poet, Maurice Carême. He was Belgian and won a lot of prizes for his poetry. In this poem, called '*Fantaisie*', he has written about a lot of people who have fruity connections with where they used to live!

Exercice 1

Using the words in the box, can you fill in the blanks? You may need to listen to the recording more than once. Notice that they are all in *l'imparfait*.

arrivait
avait
débordait
emplissait
étais
habitait
tenais
vaquait

Fantaisie

L'homme _____ un quart de pomme;
La femme, un huitième de poire.
Leur vieille cousine Opportune
_____ dans une demi-prune.
Il y _____ monsieur Léon
Qui _____ d'un gros citron
Et sa sœur, madame Émérence,
Qui _____ toute une orange.
Quant à moi, chétive fillette,
Je _____ dans une noisette
Et, comme je n'_____ pas grosse,
Il _____, les jours de fête,
Que je m'y déplace en carrosse.

Au clair de la lune © foundation Maurice Carême

Exercice 2

Amusons-nous ! Faites des paires ! Where did they live?

L'homme ☐
La femme ☐
La cousine Opportune ☐
Monsieur Léon ☐
Madame Émérence ☐
Moi ☐

(a) (b) (c)

(d) (e) (f)

GRAMMAIRE

Le déroulement des fêtes

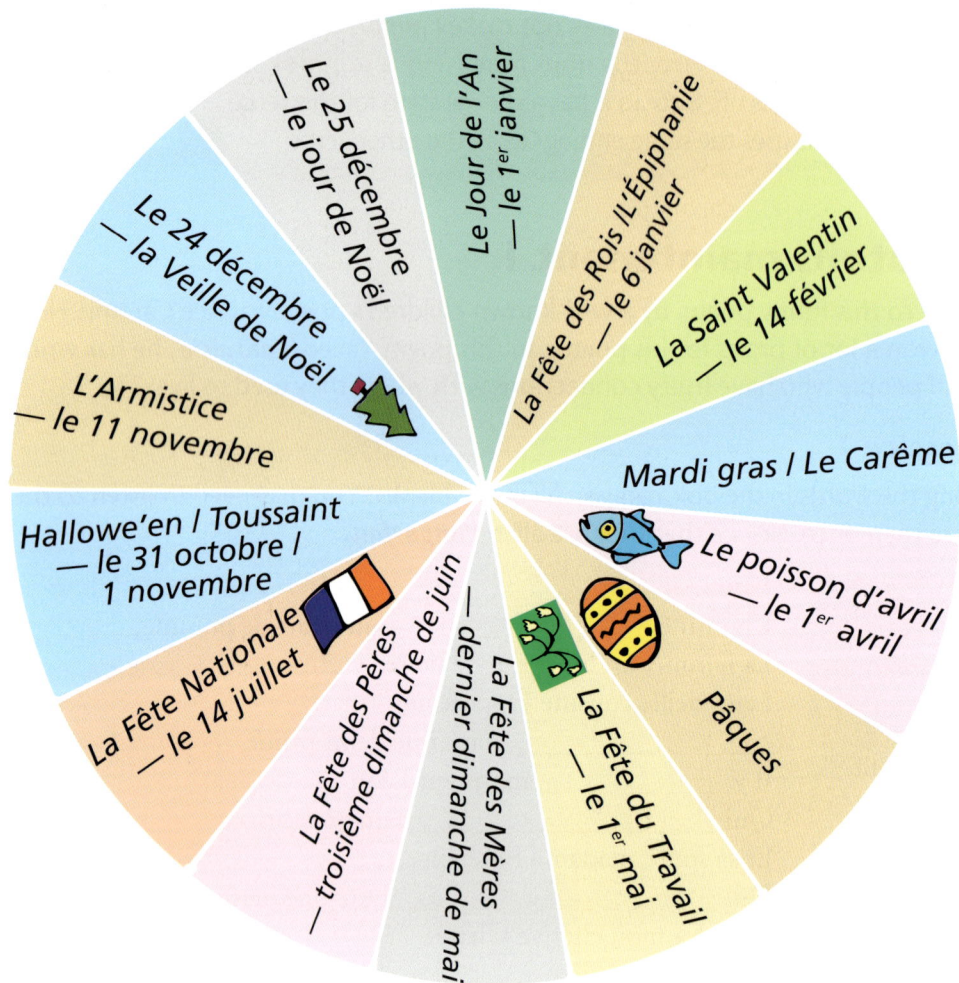

Le Jour de l'An — le 1er janvier

La Fête des Rois /L'Épiphanie — le 6 janvier

La Saint Valentin — le 14 février

Mardi gras / Le Carême

Le poisson d'avril — le 1er avril

Pâques

La Fête du Travail — le 1er mai

La Fête des Mères — dernier dimanche de mai

La Fête des Pères — troisième dimanche de juin

La Fête Nationale — le 14 juillet

Hallowe'en / Toussaint — le 31 octobre / 1 novembre

L'Armistice — le 11 novembre

Le 24 décembre — la Veille de Noël

Le 25 décembre — le jour de Noël

Lisons maintenant !

Read these descriptions of some dates celebrated in France.

1. Le Jour de l'An — le 1er janvier

On commence à fêter *le Nouvel An* le soir du 31 décembre, qui s'appelle *La St Sylvestre*. On boit du champagne et on mange du foie gras pour le repas : « *le réveillon de la St Sylvestre* ». À minuit, on chante la « *Chorale des Adieux* » (Auld Lang Syne). Souvent il y a des *feux d'artifice*. *Le Jour de l'An*, on envoie des cartes de vœux aux amis et à la famille. On prend de bonnes résolutions et on échange des cadeaux. On dit « Bonne Année » à tout le monde et on distribue les *étrennes* – un petit cadeau d'argent qu'on offre à ceux qui rendent service pendant l'année, par exemple, le facteur, l'éboueur, la femme de ménage.

Bonne année !

2. La fête des Rois / L'Épiphanie — Le 6 janvier

Cette fête célèbre la visite des trois Rois Mages à l'enfant Jésus. En France, on mange *la galette des rois* — un gâteau traditionnel, plat et rond. On coupe la galette en tranches. Dans une des tranches de galette, il y a une petite *fève*. Si vous trouvez la fève, vous êtes le roi ou la reine de la cérémonie et vous portez une couronne en papier doré en chantant :

> J'ai la fève, je suis roi.
>
> La couronne est donc à moi.
>
> Le roi boit, le roi boit,
>
> J'ai la fève, je suis roi !

3. La Saint Valentin — le 14 février

Bonne fête de la Saint Valentin !

La fête des amoureux est le 14 février. Comme en Irlande, on envoie des cartes avec des poèmes, des fleurs et des chocolats. On attend avec impatience l'arrivée du facteur !

7.3 Écoutons maintenant !

Écoutez les poèmes et remplissez les blancs. Write the fifth verse in your copy as a *dictée*.

Les _____ sont rouges,
Les violettes _____ ;
Sois mon Valentin
Allume mon feu !

Les roses sont _____,
Les violettes bleues;
_____ mon Valentin
Mon amoureux !

Pour la Saint
Valentin, je te fais
de gros bisous !

Chloé
Avec tes _____ verts
Tes lèvres _____
Tes joues douces comme du coton
Tes _____ blonds comme du blé
Tu es comme une étoile dans le _____
Je _____, tu le sais
Et tu m'aimes, je le sais.

4. Mardi gras

C'est la dernière fête avant le **Carême** (Lent). Autrefois, il était interdit de manger d'ingrédients gras. Donc ils utilisaient des œufs, de la farine, du beurre et ils faisaient des crêpes ! Aujourd'hui on continue cette tradition. On fait sauter des crêpes. Pour Mardi Gras, on porte des masques pour le Carnaval.

5. Le poisson d'avril — le 1er avril

C'est l'occasion pour faire des bêtises. On essaie de mettre un poisson en papier au dos d'un copain / une copine ! À l'école, les élèves mettent des poissons au dos de leurs professeurs !

6. Pâques

Le dimanche de Pâques marque la fin du Carême — c'est la grande fête du printemps. On envoie des cartes et on offre des œufs en chocolat ou des œufs décorés. Les enfants cherchent les œufs cachés par leurs parents dans le jardin.

Exercice 1

Insert the name of the celebration described in the grid below.

	Nom de la fête
1. You used to have to fast after this day.	
2. You can become king or queen for the day.	
3. You give presents to the postman.	
4. You might get a card from a secret admirer.	
5. You play tricks on this day.	

7.4 Écoutons maintenant !

De quelle fête parlent-ils ? Match the person to the celebration they are talking about, and write the letter in the correct box.

 Khalid ☐  Sophie ☐  Luc ☐  Léa ☐  Christophe ☐  Océane ☐

(a) ❤ (b) 🐟 (c) 🥮 (d) 🔔 (e) 🍳 (f) 👑🍰

Encore des fêtes !

1. La Fête du Travail — le 1er mai

Les syndicats organisent des défilés dans les villes pour célébrer la fête du travail. Le 1er mai, on offre du muguet comme porte-bonheur. Les gens achètent des brins de muguet dans les rues, sur les marchés et chez le fleuriste bien sûr !

2. La Fête des Mères / Pères

C'est l'occasion de dire « merci » à ses parents. Les petits enfants font des cartes à l'école pour les donner à leur maman ou à leur papa. **La Fête des Mères** est le dernier dimanche de mai. **La Fête des Pères** est célébrée le troisième dimanche de juin. On peut offrir une carte et un cadeau pour rappeler à ses parents qu'on les aime.

Je casse ma tirelire pour acheter un cadeau à maman !

Lisons maintenant !

Exercice 1

Read the descriptions of presents for Mother's and Father's Day and match up the description to the picture. Write the correct letter into the boxes.

1

Histoire d'or
Un bracelet en perles de Chine pour une maman en or. Un cadeau qu'elle gardera toute sa vie. Histoire d'Or, prix exceptionnel fête des Mères : 80€

a

b

c

d

2

Malette 3 boules de pétanque
Dures, de compétition. En acier chromé. Inclus 1 chamoisine + 1 but. 34€.

6

Podomètre.
Mesure le nombre de pas et la distance parcourue. Réglage du pas et de la sensibilité pour le jogging ou la marche. 13,90€

e

3

La perle des gâteaux
Haagen Dazs propose à toutes les mamans un collier de perles meringuées présenté sur un écrin de crème glacée. Cookies Delight, 25€ dès le 20 mai.

f

4

Casque homme.
Visière amovible. Taille unique (54-61 cm). Existe en noir/rouge ou argent/noir.

7

Coup d'œil
Une montre pour lui dire que tu penses à elle. Montre « à la plus jolie des mamans ». Louis Pion, mouvement quartz, bracelet cuir, €60

g

h

5

« Jolie maman »
Avec la complicité de ton papa, cours chez Interflora offrir à ta maman l'adorable bouquet « Jolie maman ». Ces fleurs aux couleurs tendres sont livrées avec un vase. Interflora, bouquet « Jolie maman », 50€

8

Gants hommes
Tissu éponge au pouce. Serrage velcro au poignet. Du 8 – 11. 19,90€

Exercice 2

1. How is maman described in the first item?
2. Name **one** thing it says about item 2.
3. What are the pearls on the cake made from?
4. When will item 3 be available?
5. What colours, apart from red and black does item 4 come in?
6. What comes with the flowers?
7. What does item 6 measure?
8. Name **one** feature of the watch.

7.5 Écoutons maintenant !

Voici un petit poème pour Maman. Remplissez les blancs.

> Maman farine, dans la _____
>
> Maman _____, quand vient le soir,
>
> Maman bisous, quand tout est doux,
>
> Maman tambour, les mauvais _____,
>
> Maman championne du _____,
>
> Maman régime des cours de gym
>
> Ma maman à moi,
>
> Tu es tout à la _____ et
>
> Je t'aime comme ça.

3. La fête nationale — le 14 juillet

La fête nationale commémore la prise de la Bastille en 1789, pendant la révolution française. La Bastille était une grande prison à Paris. Le 14 juillet est un jour férié. Il y a un grand défilé militaire sur les Champs-Élysées avec le Président. Dans toutes les villes et villages, il y a un grand feu d'artifice et un bal populaire dans les rues.

4. La Toussaint — le 1ᵉʳ novembre

C'est le jour où on se souvient des morts de la famille. On visite les cimetières et on apporte des fleurs – souvent des chrysanthèmes.

5. L'Armistice – le 11 novembre

Ce jour-là, on se rappelle la fin de la Première Guerre Mondiale. À 11 heures, le 11ème jour du 11ème mois, on a signé un traité dans le wagon d'un train à Compiègne, au nord de la France. Aujourd'hui, on place des gerbes de fleurs sur les monuments aux morts dans toutes les villes et les villages de France. À Paris, le Président de la République va à l'Arc de Triomphe où il y a une grande cérémonie de commémoration.

6. La Saint Nicolas - le 6 décembre

Saint Nicolas est le saint patron de la région Alsace-Lorraine. C'est une fête pour les enfants de la région. Ils reçoivent, dans leurs souliers, des cadeaux de leurs parents. À la maternelle, ils reçoivent des bonbons. Il y a aussi des défilés dans les rues. À la tête, c'est Saint Nicolas, qui porte la mitre d'un évêque. Il y a aussi le père Fouettard qui cherche les enfants qui ne sont pas sages ! Il porte un grand bâton à la main !

Exercice 1

Vrai ou Faux ?

		vrai	faux
1.	On achète des chrysanthèmes pour la Fête du Travail.		
2.	La Fête des Pères a lieu en juin.		
3.	Tout le monde danse dans les rues le 14 juillet.		
4.	La Toussaint est une fête solemnelle.		
5.	L'Armistice est commémoré dans les trains.		
6.	Le père Fouettard cherche des enfants méchants.		

Exercice 2

Faites des paires ! Écrivez les phrases complètes dans votre cahier.

1.	Saint Nicolas participe	(a)	du muguet des bois.
2.	Le Président va	(b)	les feux d'artifice le soir.
3.	Maman reçoit	(c)	les cimetières avec des fleurs.
4.	Des travailleurs portent	(d)	à l'Arc de Triomphe.
5.	Tout le monde admire	(e)	un joli cadeau.
6.	Les familles vont dans	(f)	à un défilé.

Coin grammaire

Have you noticed that in many of the descriptions of the festivals the little word « *on* » was used before the verb? This is a useful pronoun if you are talking about what everybody or somebody does. In English we often use « you » in this way, e.g. In Ireland *you* drive on the left hand side of the road. It means « *people in general* » or « *one* ». It often refers to somebody unknown e.g. on frappe à la porte Monsieur – "someone's knocking at the door, Sir". *On* is always followed by the *il/elle* form of the verb, no matter what tense you use:

Exemples :   En France, on adore les feux d'artifice.

En Irlande, on fête la Saint Patrick le 17 mars.

En Alsace, on reçoit de petits cadeaux à la Saint Nicolas.

La Fête de Noël – le 25 décembre

C'est la grande fête des enfants et de la famille. Tous les petits attendent avec impatience l'arrivée du Père Noël. Les familles décorent leurs maisons avec le feuillage de Noël.

Le Sapin

l'étoile

la guirlande électrique

le sapin

les guirlandes

les boules

les nœuds de couleur

le houx

le gui

le lierre

le romarin

La crèche

Dans les églises et dans la plupart des maisons on installe une crèche. Cette coutume est très ancienne, elle date du temps de Saint François d'Assise. D'abord, il y avait des personnes vivantes et des animaux. À travers le temps, les personnages vivants ont été remplacés par des figurines.

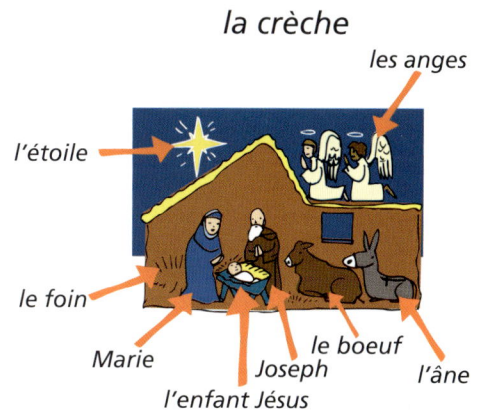

la crèche

les anges

l'étoile

le foin

Marie

l'enfant Jésus

Joseph

le boeuf

l'âne

In Provence the tradition of little statues called *santons* developed. After the French Revolution it was forbidden to have midnight mass or a crib. Instead, the people decided to put up statues in their homes or in the street with the faces of local people. No one could object to a statue of someone who looked like the local baker or the local seamstress! Each year more statues were added to the cribs, using local faces, until almost the whole village was represented. Nowadays there are shops in Provence which sell nothing but these little crib figurines.

Un magasin de santons

La *Veille de Noël* beaucoup de familles vont à l'église pour la messe de minuit. Les petits enfants laissent leurs souliers devant la cheminée ou au-dessous du sapin pour recevoir les cadeaux du Père Noël. Quand on rentre, on mange un grand repas, qui s'appelle *le réveillon*. D'habitude, il y a des huîtres, du foie gras, et pour le dessert une bûche de Noël, mais chaque région de France a ses specialités. Tout le monde échange des cadeaux et chante des chants traditionnels.

Les plats traditionnels de Noël

huîtres		boudin blanc	
foie gras		dinde farcie aux marrons	
saumon		bûche de Noël	

Les Chants de Noël

7.6 Écoutons maintenant !

Douce nuit, sainte nuit !

Douce nuit, sainte nuit !
Tout s'endort, plus de bruit,
Veille seul le couple sacré.
Doux enfant aux fins cheveux,
Clos tes yeux et repose
Sous ces yeux vigilants.

Douce nuit, sainte nuit !
Dans les champs, les bergers,
Par les anges avertis,
Font partout retentir leurs voix :
Le Sauveur vient de naître,
Le Sauveur est là !

Vive le vent !

Vive le vent, vive le vent,
Vive le vent d'hiver,
Qui s'en va sifflant, soufflant,
Dans les grands sapins verts.

Oh ! vive le vent, vive le temps,
Vive le temps d'hiver.
Boules de neige et Jour de l'An
Et bonne année grand-père !

Le grand quiz de Noël

Cherchez le mot **en français** !

This **C** is where you find the infant Jesus.

This **H** is from a tree and used to decorate the house at Christmas.

This **R** is a herb, used to decorate the house also.

This **I** is the fourth letter in the French word for 'Christmas tree'.

This **S** is often eaten at **le réveillon**.

This **T** is the second letter in the French word for 'star'.

This **M** is a religious ceremony attended often at midnight on Christmas night.

This **A** is where the legend of Saint Nicolas is said to originate.

This **S** is a figurine found in the crib.

À vous !

Why not draw a Christmas card and write a greeting in French?

Lisons maintenant !

1. What can you buy according to this ad?
2. What is on the front of the envelope?
3. Where can you post this?
4. To what destination can these be sent?

Les enveloppes "spécial fêtes" pour des voeux originaux

Des illustrations originales

La carte de correspondance

Joyeux Noël !

Joyeux Noël !

Le timbre est déjà dessus

L'enveloppe pré-timbrée

Une enveloppe déjà timbrée et sa carte de correspondance illustrées par des créateurs. À poster dans toutes les boîtes à lettres et à destination du monde entier.

Coin grammaire

Here are two irregular verbs, which are useful when talking about Christmas:

Offrir to offer/give a present	**Recevoir** to receive/get
le présent	**le présent**
j'offre	je reçois
tu offres	tu reçois
il / elle offre	il / elle reçoit
nous offrons	nous recevons
vous offrez	vous recevez
ils / elles offrent	ils / elles reçoivent
le passé composé	**le passé composé**
j'ai offert	j'ai reçu
tu as offert	tu as reçu
il / elle a offert	il / elle a reçu
nous avons offert	nous avons reçu
vous avez offert	vous avez reçu
ils / elles ont offert	ils / elles ont reçu

Les cadeaux de Noël

7.7 Écoutons maintenant !

What gifts did these young people receive?

1. Océane

2. Luc

3. Sophie

4. Khalid

5. Léa

6. Christophe

Exercice 1

Qu'est-ce que c'est ? Devinez ce qu'il y a dans ces paquets.

(a)

(b)

(c)

_____

(d)

(e)

(f)

_____

(g)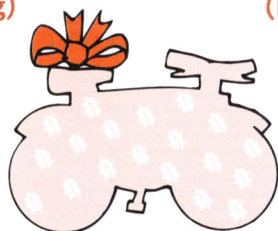

(h)

(i)

_____

7.8

Coin prononciation : The sound of the vowel '*u*' in French can cause problems, as we do not have a corresponding sound in English or Irish. Listen to these words on your CD and practise saying them: d**u**, m**u**sicien, r**u**ban, m**u**guet, reç**u**, pl**u**s, s**u**cre, s**u**r.

Parlons maintenant !

Faites un petit sondage dans la classe — travaillez par deux.

Ask your partner the questions below. Put a tick in the box which corresponds to their answer.

Question 1 Tu aimes Noël ?

☐ Oui, j'adore Noël.　　☐ Noël, ça va.　　☐ Je n'aime pas Noël.

Question 2 Quelles décorations est-ce que tu as chez toi ? (*Plusieurs réponses possibles*)

☐ un sapin de Noël　　☐ une crèche　　☐ des guirlandes

☐ du houx　　☐ du lierre　　☐ une bougie à la fenêtre

Question 3 Quand est-ce que tu ouvres tes cadeaux ?

☐ la veille de Noël　　☐ le matin　　☐ après le dîner

Question 4 Tu restes chez toi ou tu passes la journée ailleurs ?

☐ Nous restons chez nous.　　☐ Nous passons la journée avec mes grands-parents / cousins.　　☐ Nous partons en vacances.

Question 5 Tu manges le repas traditionnel ?

☐ Oui, nous mangeons un repas traditionnel.　　☐ Non, nous mangeons autre choses.

Question 6 Qu'est-ce que tu fais le soir de Noël ? (*Plusieurs réponses possibles*)

☐ Nous regardons la télé.　　☐ Nous jouons aux cartes.　　☐ Nous jouons à un jeu de société.

☐ Nous rendons visite à notre famille.　　☐ Je vais chez un(e) ami(e).

Question 7 Qu'est-ce que tu aimes recevoir comme cadeaux ? (*Plusieurs réponses possibles*)

☐ de l'argent　　☐ des vêtements　　☐ des CD / dvd

☐ des produits de beauté　　☐ du matériel de sport　　☐ des jeux vidéos

Écrivons maintenant !

1. Using some of the ideas from the sondage, write a paragraph to your French correspondant(e), who has asked you to tell them:

- how you usually spend Christmas day

- what way you decorate your home

- what presents you like to receive

2. Write a letter to a French penpal who has already written to you describing how Christmas and New Year are celebrated in France. In your letter:

- Say how long the Christmas break from school is;

- Describe the preparations before Christmas;

- Say what you and your family do on Christmas Eve;

- Describe your meal on Christmas Day;

- Tell about the tradition in Ireland on Stephen's Day.

Des phrases utiles pour vous aidez :

Pendant les vacances de Noël,

nous avons … jours de congé.

nous mettons les cartes sur la cheminée.

une crèche est placée…

nous décorons le sapin / le salon / le vestibule.

on fait le gâteau / le pudding de Noël.

je fais du shopping pour acheter des cadeaux.

La veille de Noël, nous rendons visite à…

nous mettons une bougie à la fenêtre.

nous allons à l'église / nous assistons à la messe de minuit.

nous offrons / ouvrons les cadeaux.

Le jour de Noël, nous mangeons en famille.

tout le monde se réunit chez nous / chez… mes grands-parents / chez ma tante.

on mange de la dinde farcie, du jambon…

Le lendemain de Noël, les Wren Boys chantent et font de la musique.

ils vont de porte en porte réclamer de l'argent.

nous allons rendre visite à...

tout le monde vient chez nous.

Lisons maintenant !

Read the following article about Hallowe'en and answer the questions which follow.

Hallowe'en

1. L'origine de Hallowe'en est celte. À cette époque, le 31 octobre correspondait à la fin de l'année et l'on supposait que les esprits revenaient. Ils célébraient le début de l'hiver par une fête qu'on appelait « Samhain ». La tradition a été continuée après l'arrivée de la foi chrétienne, mais on l'appelait « Veille de la fête de tous les saints » - Hallowed (holy) Evening became Hallow E'en. Quand les Irlandais, fuyant la famine, sont allés aux États-Unis, les pratiques d'Hallowe'en se sont déplacées avec eux.

2. La citrouille. Il était une fois un homme qui s'appelait Jack. La légende raconte qu'il ne pouvait pas entrer au paradis, car il était avare, ni en enfer, car il s'était moqué du diable. Il était condamné pour toujours à marcher dans le noir avec sa lanterne, sculptée dans un navet en forme de tête de mort. Aux États-Unis, le navet a été remplacé par la citrouille.

3. En France, Hallowe'en est maintenant une fête importante. On se déguise avec des masques en forme de vampires, de monstres, de sorciers, de fantômes et les enfants vont de porte en porte en criant « *un sort ou un bonbon* ».

Exercice 1

1. What was celebrated by the Celts on Samhain?

2. How did the traditions of Hallowe'en come to America?

3. Why could Jack not get into heaven?

4. What vegetable was originally used as a lantern?

5. How would you translate the phrase « *un sort ou un bonbon* »?

GRAMMAIRE

Lisons maintenant !

Read the advertisements about the special Hallowe'en items in the Auchan supermarché.

1. **What is the pumpkin made from? (Item 1)**

2. **Can you find the French word for a bat? (Item 2)**

3. **Name two of the items in the packet of plastic decoations. (There are 4 items.) (Item 3)**

4. **What is available in 6 models? (Item 4)**

5. **How is the face of the model described? (Item 4)**

1.

2.

3.

4.

PRESSE MOI

5 € 33
CITROUILLE
VELOURS RIEUSE

9 € 13

9 € 13

1. CHAUVE-SOURIS AUTOMATE SONIC Vibrant, rire, fonctionne avec 2 piles LR6 non fournies. 2. PERSONNAGE AUTOMATE SONIC Vibrant, rire, fonctionne avec 2 piles LR6 non fournies.

SACHET DE DÉCORATIONS PLASTIQUES
Tête de mort, araignée, toile d'araignée, souris
1 € 51

FIGURINE
SORCIÈRE AU LONG NEZ
6 modèles assortis
3 € 03

LA VIE. LA VRAIE.

Auchan

Les mots cachés

Trouvez les mots cachés.

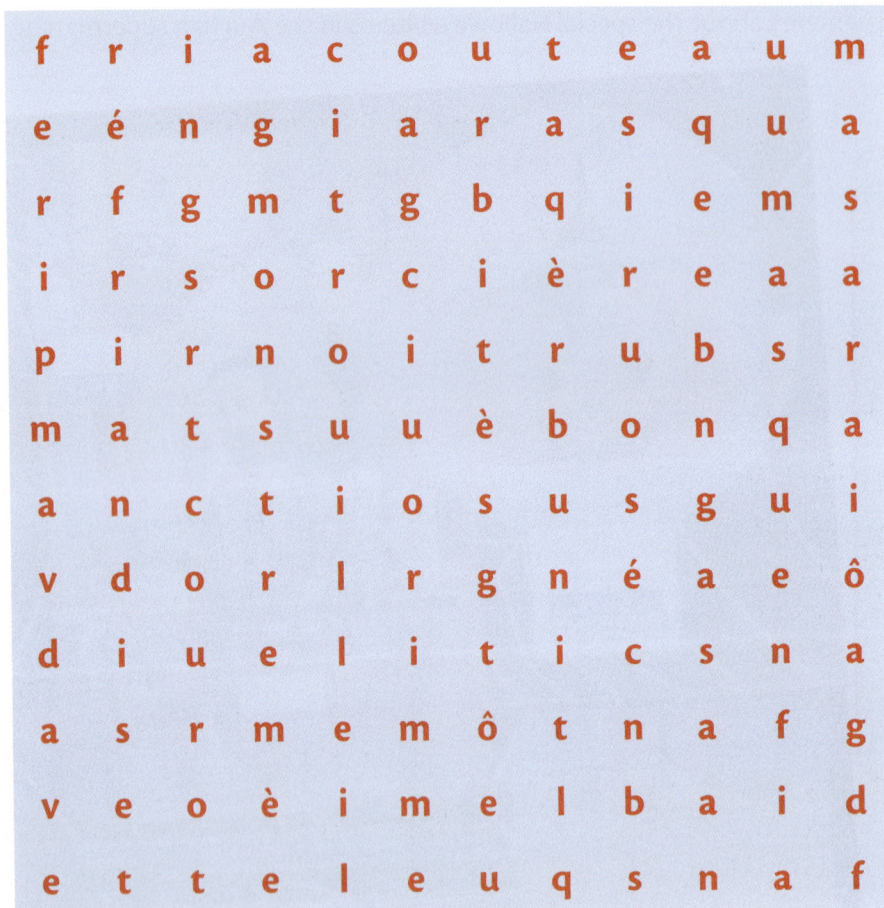

f	r	i	a	c	o	u	t	e	a	u	m
e	é	n	g	i	a	r	a	s	q	u	a
r	f	g	m	t	g	b	q	i	e	m	s
i	r	s	o	r	c	i	è	r	e	a	a
p	i	r	n	o	i	t	r	u	b	s	r
m	a	t	s	u	u	è	b	o	n	q	a
a	n	c	t	i	o	s	u	s	g	u	i
v	d	o	r	l	r	g	n	é	a	e	ô
d	i	u	e	l	i	t	i	c	s	n	a
a	s	r	m	e	m	ô	t	n	a	f	g
v	e	o	è	i	m	e	l	b	a	i	d
e	t	t	e	l	e	u	q	s	n	a	f

araignée   masque
bougie   monstre
citrouille   sang
couteau   sorcière
diable   souris
fantôme   squelette
friandise   vampire

After you have completed the wordsearch, look up the words in your dictionary or lexique and make a list of them in English in your copy.

Quelques festivals intéressants

Apart from celebrating the well-known feasts, there is a wide range of festivals held in different parts of France each year. You may remember descriptions of the *Fête Nationale du Livre* and the *Fête du Cinéma* in Bon Travail 1, Unité 11.

GRAMMAIRE

Here are some of the well-known ones:

7.9

Écoutons maintenant !

Remplissez les blancs dans ces textes.

Le Festival International de la Bande Dessinée
à Angoulême au mois de _____.
Ce festival se déroule dans _____ de la France
depuis 1974 et accueille les plus grands artistes et
_____ de BD du monde. L'importance de la BD
en France se montre car ce festival attire des milliers de
gens qui sont fanas de bandes dessinées.

Le Festival du Film à Cannes — 8 au 20 mai
C'est le plus grand _____ de cinéma en Europe.
Des vedettes du cinéma assistent à la cérémonie où l'on
présente la *Palme d'Or*. C'est l'équivalent des _____ aux
États-Unis. Il y a des séances de films et des interviews avec
des vedettes.

La Fête de la Musique Nationale — le 21 juin
Cette _____ existe depuis 1982. Le Ministre de la _____,
Jack Lang, a inauguré la fête. Des _____ de tous genres de
musique sont organisés gratuitement partout en France.

La Fête de la Saint Jean — le 24 juin
Partout en France, on fête la St Jean avec des
défilés et des _____ d'artifice. Il y a souvent
un _____ dans les rues.

Lisons maintenant !

1. Read the flyer with details of the *Fête de la Musique* in Guichen and answer the questions which follow.

La Saint-Jean musicale
du 21 au 24 juin 2007

GUICHEN

Jeudi 21
• 18h à 21h
Opéra pour enfants,
contes avec
Musicole
Espace Galatée

Vendredi 22
• 18h à 21h
Ensemble classique
Eglise
• 21h30 précises
Spectacle musical, 40
chanteurs au rythme du
feu d'artifice,
bal soirée disco,
derrière l'Espace Galatée

Samedi 23
• 14h
Fête de la musique
• 19h30
2 groupes de chants de
marins
Repas moules frites
(6 euros),
place St Martin
réservation groupes
au 02 99 57 05 62

Dimanche 24
• 8h30
Rallye de voitures an-
ciennes sur le parking
Super U
• 15h
Défilé de voitures
anciennes puis parade
thème musical (cuivres,
percussions,
orchestres...)

Animations gratuites • Animations gratuites

ParuVendu   LOXAM   Denis MATERIAUX   Chérie FM 106.8

---

1. For whom is the opera on Thursday 21st?

2. Give **two** details about the programme for 9.30pm on Friday?

3. On Saturday evening what meal is offered?

4. What can you see in the Super U carpark on Sunday?

5. What is the theme for the Sunday Parade?

2.

ET AUSSI...

■ PARIS QUARTIER D'ÉTÉ Un festival nomade qui allie danse, musiques du monde, théâtre... De La Défense à Belleville, du 14 juillet au 5 août. Infos au 01 44 94 98 00 et sur www.quartierdete.com

■ FESTIVAL DU BOUT DU MONDE Ici, on fait le tour du monde avec Jethro Tull, Babylon Circus, Izabo, Salif Keita... dans la presqu'île du Crozon (Finistère) du 10 au 12 août. Infos sur www.festivaldu boutdumonde.com

■ FESTIVAL INTERNATIONAL DE BOOGIE WOOGIE Le plus grand du monde ! Du 09 au 11 août, à La Roquebrou (Cantal). Infos au 04 71 46 07 97 et www.boogie-laroquebrou.com

■ FESTIVAL DES 7 LUNES Lectures-spectacle avec théâtre et musique, ainsi que randonnées-lectures, du 27 Juillet au 04 août à Yssingeaux (Haute-Loire). Infos au 04 71 59 34 41 et sur www.7lunes.com

■ FESTIVAL DANSES ET MUSIQUES DU MONDE De magnifiques chorégraphies. Du 02 au 06 août, à Murat-le-Lioran (Cantal). Infos au 04 71 20 09 47 et sur www.ville-de-murat.com

■ FESTIVAL INTERNATIONAL DE CUIVRES Les sons des cuivres accueillent plus de 15 concerts et 100 musiciens, dont deux académies de musique ancienne et baroque (sur instruments anciens), et improvisations (jazz, funk, salsa). Du 04 au 11 août, à Monastier-sur-Gazeille (Haute-Loire). Infos au 04 71 03 94 17 et sur www.festivaldumonastier.com

■ NUITS DE LA MAYENNE Un festival qui valorise le patrimoine par le spectacle vivant avec des incontournables. Du 16 juillet au 11 août. Infos au 02 43 53 63 90 et www.nuitsdelamayenne.com

■ PERPIGNAN 20 ans et l'occasion de mélanger les arts d'hier et d'aujourd'hui. Fête Tzigane, ballet de Cuba... Infos au 0 892 70 53 05.

Read the descriptions about different summer festivals around France and give the website for the festival that:

(a)	celebrates the heritage of the area	www.
(b)	has a mixture of dance, music and theatre	www.
(c)	claims to be the biggest festival of its kind in the world	www.
(d)	includes musicians playing old style instruments	www.
(e)	is praised for its wonderful dance choreography	www.

Bon Anniversaire !

Of course, everybody has their own personal celebration when their birthday comes around. And, don't forget that in France, there is the bonus of celebrating your fête or name day.

You have already learned the months of the year in Unité 4 of Bon Travail ! 1.

7.10 Écoutons maintenant !

Écoutez et répétez les noms des mois.

janvier

février

mars

avril

mai

juin

juillet

août

septembre

octobre

novembre

décembre

Rappel ! Just like the days of the week, there is no capital letter for the months of the year in French.

7.11 Écoutons maintenant !

Listen to these people stating their age and their birthday and fill in the grid.

Names	Age	Birthday
Lucie		
Marc		
Corinne		
Sandrine		
Alexis		

Heureux anniversaire ! Faisons la fête !

une bougie   un ballon   une bannière

Bon Anniversaire

Noémie is celebrating her birthday by having a party in her house. She decides to *faire des achats*. Unfortunately, after writing her list her young brother tears it up. Can you help her put it together again?

6 bouteilles de — eau
1 kilo de — chips Variés
10 paquets de — saucisson
2 litres d' — mousse au chocolat
20 parts de — coca
1 douzaine de — fromage
200 grammes de — pizza
20 pots de — petits pains

1. _____
2. _____
3. _____
4. _____
5. _____
6. _____
7. _____
8. _____

Parlons maintenant !

Practise talking to each other about birthdays.

Quand est ton anniversaire ?

Qu'est-ce que tu fais pour ton anniversaire ?

Est-ce que tu fais un barbecue ou une boum ?

Qu'est-ce que tu achètes comme nourriture pour ton anniversaire ?

Tu as reçu quels cadeaux pour ton dernier anniversaire ?

7.12 Écoutons maintenant !

Here are three people describing what they did for their birthday, what food they had and the cost of the food. Listen and fill in the grid.

Names	What he/she did for his/her birthday	Two types of food mentioned	The cost of the food
Louis			
Solène			
Robert			

Communication en classe !

- *Heureux anniversaire !*
- *Bonne fête Arnaud ! C'est le 10 février.*
- *Bonne Année tout le monde !*
- *Joyeux Noël, Monsieur / Madame !*
- *Madame, est-ce que nous avons un jour de congé demain le 1er mai ?*
- *Excusez-moi, Monsieur / Madame, je suis en retard. C'était ma fête hier.*
- *Est-ce que nous pouvons apprendre un chant de Noël ?*
- *Est-ce que nous pouvons décorer la salle de classe ?*
- *Vous habitiez où ?*
- *Qu'est-ce que vous appreniez l'année dernière ?*

GRAMMAIRE

Épreuve

Question 1

Match the greetings with the symbol, and then write the name of the Fête.

1. Bonne Année ! (a)   **2.** Joyeuses Pâques !

(b)   **3.** Bonne fête, papa !   (c)

4. Amuse-toi au feu d'artifice !   (d)   **5.** Je t'offre ce brin de muguet !

(e)   **6.** Meilleurs Vœux à Noël !   (f)

1 =	2 =	3 =	4 =	5 =	6 =

Question 2

Listen to this tape of a woman describing how she used to celebrate Christmas when she was young and fill in the gaps in the text. The verbs you need are given, but not in the correct order.

> *avait, habitais, avions, décorait, criait, allait,*
> *rencontrions, était, travaillait, allait, attendions, avais.*

Quand j' _____ sept ans, j'_____ à la campagne. Noël _____ passionnant. Ma mère _____ du matin au soir pour préparer la fête. Quelques jours avant Noël, elle _____ au marché pour acheter une oie, du foie gras et des légumes pour le repas, le réveillon. Nous, les enfants _____ l'arrivée du Père Noël avec impatience. Mon père _____ le salon avec du gui. Certaines années, nous _____ aussi un sapin de Noël. Et bien sûr, il y _____ toujours la crèche. La veille de Noël, toute la famille _____ à la Messe de minuit. Là, nous _____ tous nos voisins et tout le monde _____ 'Bonne Fête'.

Question 3

Change the verbs in the brackets **à l'imparfait**.

1. Quand j'_____ (être) jeune, j' _____ (adorer) le Père Noël.

2. Autrefois, mon oncle _____ (travailler) chez Air France.

3. Il y _____ (avoir) des serpents en Irlande avant St Patrick.

4. Maman _____ (parler) au téléphone quand je suis entré.

5. Il _____ (faire) très beau pendant les vacances.

6. Le soleil _____ (briller) quand j'étais en Espagne.

7. Avant son mariage, Maman _____ (habiter) à la campagne.

8. Nous _____ (avoir) une Renault Clio. Maintenant, nous avons une Laguna.

Question 4

Read the programme extract for the Lorient Music Festival and answer the questions.

1. What event takes place at 10 a.m. on Sunday?

2. What time is the Breton dancing and how many dancers are there?

3. Where is the Alain Stivell concert taking place?

4. What is the charge for the fiddle master class?

5. What **two** events take place on Monday afternoon?

LE PROGRAMME

DIMANCHE 5 AOUT

10h00	15- Parade des Nations Celtes (3 500 musiciens, chanteurs et danseurs) Centre Ville	Gratuit
14h00	16- Trophée THE MACALLAN pour solistes de grande Cornemuse Palais des Congrès	6,10 €
14h30	17- Championnat National des Bagadoù (4ᵉ catégorie) Espace Bisson	3,81 €
15h00	18- Festival de Danses de Bretagne (1 000 danseurs) Palais des Sports de Kervaric	
15h00	19- Au Cabaret l'après-midi : Danses et Musiques Place Nayel	15,24 € - Tarif réduit : 12,20 €
19h00	20- Triomphe des Pays Celtes Centre Ville	6,10 €
21h00	21- Trophée THE MACALLAN pour solistes de grande Cornemuse (suite) Palais des Congrès	Gratuit
21h30	22- Cabaret : TRIO CHRISTOPHE ROCHER invite JACQUES PELLEN - CERNUNOS Place Nayel	9,15 €
22h00	23- Alan STIVELL "BACK TO BREIZH : LA FINALE" CONCERT UNIQUE DE L'ÉTÉ 2001 Stade du Moustoir	*** voir tarifs sur bon de réservation
22h30	24- PUB INTERCELTIQUE avec INT Place Jules-Ferry	6,10 €

LUNDI 6 AOUT

10h00	25- Master class de Fiddle Palais des Congrès	Gratuit
10h00	26- Concours de Pibroch Plateau des 4 Vents	6,10 €
15h00	27- Au Cabaret l'après-midi : Danses et Musiques Place Nayel	6,10 €
15h00	28- Les Après-midi du Folk Palais des Congrès	6,10 €

Question 5

Read this advertisement for Hallowe'en and answer the questions which follow.

DU 27 AU 31 OCTOBRE
Halloween en Irlande
Sorcières, spectres et fantômes vous attendent à Derry, en Irlande, pour fêter Halloween. La petite ville irlandaise organise son traditionnel « Banks of the Foyle Halloween Carnival », l'une des plus importantes célébrations d'Halloween au monde. Brrr...
▶ Site internet : www.derrycity.gov.uk/halloween

1. When do the celebrations take place?

2. Name **two** things which will await your arrival.

3. How is Derry described?

4. What is said about the Hallowe'en carnival?

Question 6

Read this flyer for the Fête du Village in Tamnies and answer the questions

TAMNIES
Fête au Village
29, 30 juin et 1er juillet

VENDREDI 29 JUIN
20 H 30 - **Concours DE PÉTANQUE**
SUR LA PLACE DU VILLAGE

SAMEDI 30 JUIN
19 h **Apéritif Sangria**
19 h 30 **MÉCHOUI***
MOUTON OU SANGLIER
16 € Adulte / 6 € Enfant

Menu: Melon - Jambon · Méchoui ou Entrecotes · Haricots couennes · Salade - fromage · Tarte / Glaces · Café et vin compris
Menu

Réservations impératives avant le 27 juin
05 53 29 68 95 HB ou 05 53 31 02 81 ou 06 89 37 34 55

22 h **Bal GRATUIT sur plancher** avec **NELLY MUSIC**

DIMANCHE 1er JUILLET
17 h **Attractions foraines**
Concours de tir à la corde inter communes
19 h **Marché Repas de producteurs**
22 h **Soirée DISCO GRATUITE avec DJ GUILLAUME**
23 H **SON ET LUMIÈRE JACQUOU LE CROQUANT** suivi du **FEU D'ARTIFICES**

Imprimé par nos soins - ne pas jeter sur la voie publique

1. When will the fête take place?
2. What sort of competition takes place on Friday evening?
3. What type of meat will be barbecued for the meal on Saturday evening?
4. What type of competition will take place on Sunday at 5 p.m.?
5. How much is the entrance to the disco?
6. What is the very last event of Sunday evening?

*Méchoi – a whole animal is barbecued on a spit.

Question 7

Quelle fête ? Devine la fête dont ils parlent.

1. _____
2. _____
3. _____
4. _____
5. _____
6. _____
7. _____
8. _____

Question 8

Read the recipe for Christmas log and answer the questions which follow.

- Un paquet de biscuits
  - Petits-Beurres
- 200g de beurre ramoli
- 1 tasse de café chaud

- 200g de sucre en poudre
- 200g de chocolat en
  morceaux

- Écrase les Petits-Beurres dans un torchon avec un rouleau à patisserie.

- Mets la poudre de Petits-Beurres dans un grand bol.

- Ajoute le sucre et le beurre. Malaxe avec tes mains.

- Verse le café chaud en mélangeant bien.

- Dépose la pâte sur du papier d'aluminium.

- Donne une forme de bûche à la pâte.

- Fais durcir la pâte au réfrigérateur.

- Recouvre la bûche de chocolat fondu.

1. How much of each of the following ingredients is needed?

   sugar _____

   hot coffee _____

   biscuits _____

2. What is the first thing to put into the mixing bowl?

3. What do you do with the hot coffee?

4. Where do you put the cake to set?

5. What is poured over the cake before you serve it?

GRAMMAIRE

Question 9

Sondage de Noël

Read what these teenagers say about Christmas and answer the questions.

Moi, j'adore Noël ! Les cadeaux, les grands repas. Nous n'avons pas d'école. Mes parents sont de bonne humeur !

Léon, 14 ans, Lille

Moi, j'aime bien Noël. D'habitude mes parents travaillent d'arrache-pied et nous n'avons pas le temps de nous détendre ensemble. Mais, à Noël nous avons du temps pour faire des choses en famille.

Philippe, 16 ans, Nantes

Quand j'étais jeune, j'adorais Noël. Nous passions le jour de Noël chez ma grand-mère et elle me gâtait. Mais elle est morte en septembre, et c'est différent maintenant.

Jean-Luc, 16 ans, Rennes

Noël — je le déteste ! On mange trop, on dépense trop d'argent. Tous les adultes viennent nous rendre visite et je dois leur parler. C'est ennuyeux!

Julie, 15 ans, Grenoble

Je trouve Noël très ennuyeux. Toute ma famille arrive. Ils parlent sans cesse de leur jeunesse. Ce n'est pas génial.

André, 15 ans, Paris

J'adore Noël. La seule chose que je n'aime pas? Il y a toujours les mêmes vieux films à la télé ! Ça, c'est pénible !

Sophie, 13 ans, Toulouse

À Noël, nous faisons du ski. Nous passons une semaine dans les Alpes avec nos cousins. C'est super !

Laure, 17 ans, Chamonix

Pick out the person who has said these things:

1. Who used to spend Christmas with Granny?
2. Who goes skiing in the Alps?
3. Who loves the presents and the big meals?
4. Who thinks too much money is spent at Christmas?
5. Who hates the same old films on TV?
6. Whose parents work hard all year round?

Question 10

Lettre symbole. Rewrite this letter in your copy.

Colmar, le 16 décembre

Chère Cara,

Je te remercie de ta jolie [carte] de Noël. J'aime beaucoup Noël moi aussi. J'adore les cadeaux et le réveillon. Le 6 décembre [Saint Nicolas] arrive avec des [cadeaux] pour ma petite sœur. Les jours avant Noël, nous décorons la maison. Papa achète le [sapin] au marché. Nous installons l'arbre dans le salon. Ma petite sœur— la plus jeune de la famille – met l' [étoile] au sommet.

Cette année, j'ai fait mes achats très tôt ! Pour ma mère, j'ai acheté du [parfum], pour Papa un nouveau [casque], car il aime faire du vélo et pour ma petite sœur un joli sweat à capuche rose.

À l'école, il y a une ambiance super ! Dans le foyer, il y a une [crèche]. Nous chantons des [chansons] de Noël en anglais. J'aime bien 'Silent Night' et 'Jingle Bells' !

La veille de Noël, nous avons le réveillon — un repas très important en famille. Nous mangeons des [huîtres] et du [saumon] irlandais et de la [dinde] farcie aux marrons.

La [bûche] est ma spécialité. Je t'envoie la recette — on la fait avec des biscuits Petits-Beurres — c'est facile !

Je t'envoie mes Meilleurs Vœux pour Noël et une carte pour le Nouvel [An].

Joyeux Noël à tout le monde,

À bientôt,

Louise

Lexique

accueillir	to welcome
acier (m.)	steel
ajouter	to add
ambiance (f.)	atmosphere
amour (m.)	love
amoureux /se	lover
amovible	flexible
ancien/ -nne	old/former
âne (m.)	donkey
araignée (f.)	spider
argent (m.)	silver/money
assister à	to attend
attirer	to attract
auprès de	close to/near to
austère	severe/grim
autrefois	previously/in the past
avare	miserly/mean
bal (m.)	dance/ball
bandes dessinées (BD) (f. pl.)	comic books
baraque (f.)	hut/shed
bâtiment (m.)	building
bâton (m.)	stick
bête	silly/stupid/foolish
bisou (m.)	kiss
blé (m.)	wheat
bois (m.)	wood
bougie (f.)	candle
boule (f.)	bauble/ball
briller	to shine
brin (m.)	sprig
cacher	to hide
cadeau (m.)	present/gift
calciné(e)	burned out/charred
carrosse (m.)	carriage
chants de Noël (m. pl.)	Christmas carols
chauve-souris (f.)	bat
chétif / ve	feeble
chorale (f.)	choir
cicatrice (f.)	scar
cimetière (m.)	cemetry
citron (m.)	lemon
citrouille (f.)	pumpkin
coin (m.)	corner/area
collier (m.)	necklace
colline (f.)	hill
comté (m.)	county
concours (m.)	competition
couper	to cut
couronne (f.)	crown
couteau (m.)	knife
coutume (f.)	custom

crier	to shout
cuivre	brass
d'habitude	usually
déborder	to overflow
défilé (m.)	parade
se déguiser	to disguise/dress up
demi(e)	half
dépenser	to spend money
se déplacer	to move around
se dérouler	to take place
déposer	to place/put
se détendre	to relax
deviner	to guess
diable (m.)	devil
dinde (f.)	turkey
doré(e)	golden
doux / ce	sweet/soft
durcir	to harden
éboueur (m.)	binman/refuse collector
écraser	to crush
s'éloigner	to go further
emplir	to fill up
endroit (m.)	place
enfer (m.)	hell
s'ennuyer	to be bored
ennuyeux / se	boring
ensemble	together
époque (f.)	time
esprit (m.)	spirit/ghost
étoile (f.)	star
étrennes (f. pl.)	New Year gifts
s'évertuer	to do one's best
facteur / trice	postman/postwoman
faire des blagues	to play a trick
forme (f.)	shape
foi (f.)	faith
faire sauter	to toss
fantôme (m.)	ghost
farci(e)	stuffed
farine (f.)	flour
feuillage (m.)	greenery
fève (f.)	bean
fondu	melted
foudre (f.)	thunderbolt
friandises (f. pl.)	sweets/goodies
fuir	to flee
gâter	to spoil
génial(e)	pleasant/nice
gerbe (f.)	wreath/spray
hameau (m.)	hamlet/tiny village
huître (f.)	oyster

incendie (m.)	fire	serrage (m.)	fastening/tightening
installer	to place/set up	serpent (m.)	snake
jeu de société (m.)	boardgame	sorcière (f.)	witch/wizard
jeunesse (f.)	youth	sort (m.)	trick
joue (f.)	cheek	soulier (m.)	shoe
lèvre (f.)	lip	souris (f.)	mouse
livrer	to deliver	sou (m.)	penny
malaxer	to knead	se souvenir de	to remember
Mages (m. pl.)	wise men/magi	spectre (m.)	ghost
mallette (f.)	small case	squelette (m.)	skeleton
mamie (f.)	granny	subir	to suffer/undergo
marron (m.)	chestnut	sucre en poudre (m.)	caster sugar
meilleur	best	syndicat (m.)	trade union
mélanger	to mix	taille (f.)	size
milliers de	thousands of	tambour (m.)	drum
mitre (f.)	mitre/bishop's hat	timbre (m.)	postage stamp
morceau (m.)	piece	tir à corde (m.)	tug of war
mouton (m.)	sheep	tirelire (f.)	money-box
muguet (m.)	lily of the valley	traité de paix (m.)	peace treaty
navet (m.)	turnip	toile d'araignée (f.)	spider's web
noisette (f.)	hazelnut	torrent (m.)	stream
noix (f.)	walnut	tour du monde (m.)	world tour
s'occuper de	to take care of	tranche (de) (f.)	slice (of)
oeuf (m.)	egg	traquer	to hunt down
oie (f.)	goose	trop	too much
ombre (f.)	shadow	truite (f.)	trout
or (m.)	gold	unique	only/lone/one-off
pas (m.)	footstep	utiliser	to use
patrimoine (m.)	heritage	vaquer	to vacate
pénible	difficult/tiresome	vedette (f.)	star (film/pop)
pétanque (f.)	bowls	veille (f.)	eve/day before
piègeur (m.)	trapper	velours (m.)	velvet
pierre (f.)	stone	verser	to pour
poire (f.)	pear	visière (f.)	visor
poisson (m.)	fish	vivant(e)	living/alive
pomme (f.)	apple	vœux (m. pl.)	wishes
porte-bonheur (m.)	lucky charm		
prise (f.)	capture/seizure		
prune (f.)	plum		
ramolli(e)	soft		
rappeler	to remind/recall		
rendre visite à	to visit		
rieur / se	laughing		
roi (m.)	king		
roman (m.)	novel/story		
romarin (m.)	rosemary		
rouleau (m.)	rollingpin		
sage	well behaved		
sang (m.)	blood		
sanglier (m.)	wild boar		
séance (f.).	showing		

Unité 8

Le monde du travail

Civilisation

French people work in a wide range of jobs. Besides all the usual trades we have in Ireland, a number of industries exist in France which are not found here – the nuclear power industry, car manufacturing industry, olive oil production and of course, the wine industry.

France is one of the major wine producers in the world. Vineyards – *les vignobles* – are often small, family-owned businesses. The harvesting of the grapes, *les vendanges*, takes place in the autumn. All the family and the neighbours help to bring in the crop. Larger vineyards employ extra workers – often students or migrant workers.

France is the world's third largest exporter of cars. *PSA* (*Peugeot-Citroën*) and *Renault* are the two main groups in the French motor industry. *Michelin* is the world's leading tyre manufacturer.

Many household gadgets are made by French firms – *Moulinex* and *Tefal*. The pharmaceutical industry is very important and France is the fourth largest producer of pharmaceuticals in the world.

Let's not forget the world of fashion! In the area of clothes, jewellery, perfumes and cosmetics the names *Chanel*, *Jean-Paul Gaultier*, *Dior*, *Cartier*, *Hermès* are all brands which have world-wide recognition.

There are many people to be fed in France! So, a lot of people work in the agricultural sector, producing cereals, dairy products, fruit and vegetables. The local producer is still very highly valued by the French shopper and although there are many supermarkets, many people prefer to buy items such as bread, meat, fish, cheese and vegetables from the local shopkeeper or market. *Les produits biologiques* (organic foods) and *produits artisanaux* (local/handmade products) are available in most markets. France also produces food for export – meat, dairy products, cereals, confectionery, soft and alcoholic drinks. They are the second largest exporter of food in the EU.

Shops and businesses do not generally open on Sundays. A small number of local shops may open for a few hours on Sunday mornings. All French workers are entitled to four weeks paid holidays each year and, of course, to bank holidays as well (see Unité 7). August is the traditional time for taking holidays, *le congé annuel*. Many small shops and restaurants are closed while the families take their annual holidays.

Le dossier des métiers

a	a	a	b	b
agent de police	agriculteur / trice	avocat(e)	boucher / ère	boulanger / ère

c	c	c	c	c
caissier / ière	camionneur	chanteur / euse	chauffeur (d'autobus, de taxi)	chef de cuisine

c	c	d	d	e
coiffeur / euse	comptable	dentiste	directeur / trice	électricien / ienne

e éleveur / euse de porcs

f facteur / factrice

f femme au foyer

f fermier / ière

f fonctionnaire

g garagiste

g garde d'enfant

g gérant(e)

i infirmier / ière

i ingénieur

i instituteur / institutrice

j journaliste

m maçon

m mécanicien / ienne

m médecin

p pêcheur

p pharmacien / ienne

p pilote

p plombier

p pompier

p professeur

r réceptionniste

s secrétaire

s serveur / euse

v vendeur / euse

Tip: When speaking about a career, never use the article « *un* / *une* » as we would do in English.

> Je voudrais devenir pilote.

8.1 Écoutons maintenant !

Listen to these speakers talking about the jobs their parents have and write down the jobs mentioned.

	Mother's job	Father's job
Luc		
Océane		
Christophe		
Khalid		
Sophie		
Léa		

Tip: In the Junior Certificate, if you hear the word « *professeur* » as a profession, always write 'secondary school teacher'; if you hear the word « *instituteur/institutrice* », write 'primary school teacher', so that the examiner knows you have recognised the correct word. If you just write the word 'teacher' you may not get all of the marks.

Qu'est-ce qu'il / elle fait dans son métier ?

Here are some verbs to use when describing what people do in their jobs. Irregular *participes passés* (used to form the *passé composé*) are given in brackets.

Tip: Revise the rules for *le passé composé* in Units 2, 3, 4 and 6.

s'asseoir (assis) - *to sit*
bâtir - *to build*
conduire (conduit) - *to drive*
contrôler - *to control/supervise*
cuire (cuit) - *to cook*
distribuer - *to deliver*

écrire (écrit) - *to write*
enseigner - *to teach*
éteindre (éteint) - *to extinguish/put out*
faire (fait) - *to do/to make*
organiser - *to organise*
prendre (pris) - *to take*

préparer - *to prepare*
réparer - to repair
répondre - *to reply*
soigner - *to care for/mind*
servir - *to serve*
vendre - *to sell*

Exercice 1

Using the verbs from the drum, say what people do in their jobs.

Remplissez les blancs avec le verbe qui convient !

cultive
éteint
soigne enseigne coupe
cuit
distribue conduit
sert écrit

1. Le journaliste _____ des articles.
2. Le chef de cuisine _____ des plats.
3. Le chauffeur _____ un taxi.
4. La serveuse _____ les clients.
5. Le facteur _____ les lettres.
6. Le professeur _____ aux élèves.
7. L'agriculteur _____ la terre.
8. Le pompier _____ les feux.
9. L'infirmier _____ les malades.
10. La coiffeuse _____ les cheveux.

Exercice 2

Qui fait quoi ? Devinez les métiers suivants.

Ce **P** attrape les poissons.

Ce **S** sert dans le restaurant.

Cet **A** cultive la terre.

Ce **P** conduit l'avion.

Cet **I** soigne les malades.

Ce **G** dirige une entreprise.

Ce **M** répare les voitures.

Ce **B** vend de la viande.

Ce **J** écrit dans le journal.

Ce **C** coupe les cheveux.

Ce **C** fait la cuisine tout le temps.

Ce **M** guérit des malades.

Exercice 3

8.2 ## Écoutons maintenant !

Devinez le métier. What jobs do these people have?

1. Il est m_____ .
2. Il est f_____ .
3. Il est a _____ .
4. Elle est v_____ .
5. Il est c _____ .

Fille ou garçon ?

Regardez encore le dossier des métiers et faites deux listes dans vos cahiers :

1. Les métiers tradionnellement pour les femmes.

2. Les métiers traditionnellement pour les hommes.

secrétaire
infirmière

facteur
ingénieur

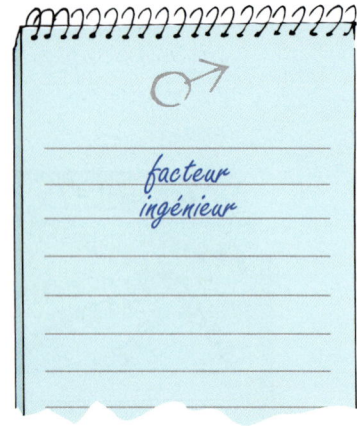

Two examples are done for you!

Lisons maintenant !

1. Read the article about two sisters from Brittany and answer the questions which follow.

La Crêperie Saint Germain, la crêperie des sœurs Robert

Elles ont 27 ans, sont sœurs jumelles, ont effectué toutes les deux des études de marketing agroalimentaire et ensemble, elles ont acheté une crêperie. « Depuis qu'on est petite, on veut travailler toutes les deux, tenir notre commerce ensemble », expliquent-elles. Marie s'occupe de l'élaboration des galettes et des crêpes après avoir suivi une formation de crêpière à Messac, Sophie est en salle. « Nos galettes sont faites à partir de blé noir 100% naturel et la charcuterie utilisée est artisanale. Nos galettes sont fines comme les galettes finistériennes. »

Pratique. La Crêperie Saint Germain, 13 rue de l'Église, ouverte midi et soir du lundi au samedi.
Tél. 02 97 73 12 44.

1. What course have the twin sisters just completed?

2. What have the sisters always wanted to do?

3. What did Marie do in Messac?

4. What do they say about their savoury pancakes (galettes)? Mention **one** point.

5. What are the opening times of the Crêperie?

Coin grammaire

When you want to talk about what you are going to do tomorrow or what will happen later on, you need to use the future tense. You can also use it to say what job you will do in the future. In *Unité 1*, you revised how to use *le futur proche*, using the verb *aller*, but now you are going to learn *le futur simple*.

> To make this tense:
>
> You add the future endings to the infinitive of the verb you wish to use. What is a help in this tense is that all the endings are the same, whether you are dealing with an **-er**, an **-ir**, an **-re** or an irregular verb.
>
> To make the future stem for **-er** and **-ir** verbs, you use the whole of the infinitive. For **-re** verbs you keep the **-r**, but drop the **e**.
>
> The endings are -**ai**, -**as**, -**a**, -**ons**, -**ez**, -**ont**
>
> ♥ Par cœur

-**er**	parler	je	parler ai
-**ir**	choisir	je	choisir ai
-**re**	vendre	je	vendr ai

8.3 Écoutons maintenant !

Listen to how the verb « **travailler** » sounds in *le futur simple*.

je	travailler**ai**	I will work
tu	travailler**as**	you will work
il	travailler**a**	he will work
elle	travailler**a**	she will work
nous	travailler**ons**	we will work
vous	travailler**ez**	you will work
ils	travailler**ont**	they will work
elles	travailler**ont**	they will work

Rappel ! La forme négative : **ne** ...... **pas**

Je **ne** travaillerai **pas** – I will not work.

Exercice 1

Remplissez les grilles avec les verbes *sortir* (to go out) and *vendre* (to sell) *au futur simple*.

je	
tu	sortiras
il	
elle	sortira
nous	
vous	sortirez
ils	sortiront
elles	

je	vendrai
tu	
il	vendra
elle	
nous	
vous	
ils	
elles	vendront

Exercice 2

Put the correct future ending onto the verb.

1. Je manger_____ à six heures ce soir.

2. Tu chanter_____ au concert samedi soir.

3. Il vendr_____ son vélo pour acheter une mobylette.

4. Elle finir_____ son travail à 10h.

5. Nous jouer_____ au golf dimanche.

6. Paul et Jean remplir_____ le lave-vaisselle après le dîner.

7. Vous parler_____ bien français, à la fin de l'année.

8. Ils aimer_____ le cadeau que tu as acheté.

9. Elles attendr_____ l'autobus au coin de la rue.

10. Louise choisir_____ un livre pour l'anniversaire de son Papa.

Quand ?

J'arriverai

   demain.

   le lendemain.

   jeudi prochain.

   le week-end prochain.

   en mars prochain.

   l'été prochain.

   la semaine prochaine.

   l'année prochaine.

8.4 Écoutons maintenant !

What will these people do and when?

Name	What will they do?	When?
Émilie		
Hélène		
Jean		
Sophie		
Erwan		
Pascal		
Maryse		
Nicolas		

8.5 Écoutons maintenant !

Because you always have an -r at the end of the future stem, you will always hear an 'r' sound when *le futur* is used.

Écoutez le CD et cochez la bonne case.

je mange	tu parles	il joue	elle chante	nous vendons	vous perdez	il finit	ils boivent	
je mangerai	tu parleras	il jouera	elle chantera	nous vendrons	vous perdrez	il finira	ils boiront	

Parlons maintenant !

À vous maintenant. Parlez du week-end prochain.

Using the verbs in the bag, say what you will do next weekend. Make **three** sentences for each day. Then write an account of your plans for next weekend in our copy.

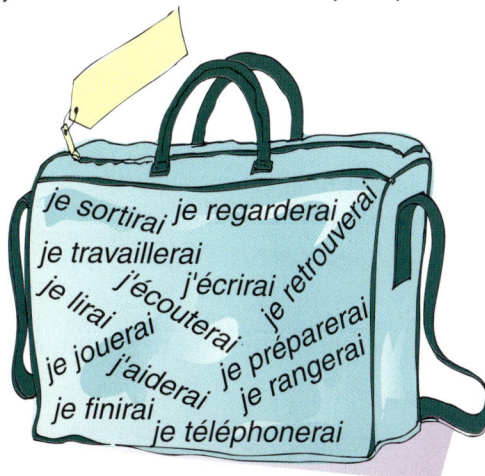

je sortirai · je regarderai · je travaillerai · j'écrirai · je retrouverai · je lirai · j'écouterai · je préparerai · je jouerai · j'aiderai · je rangerai · je finirai · je téléphonerai

Exemple :

Vendredi soir, je sortirai avec mes amis.
Samedi, je rangerai ma chambre.
Dimanche, je jouerai au basket.

Verbs that are irregular in *le futur*

The following verbs are irregular in the future because they have a **new** stem onto which you put the endings.

ont ai
ez as
ons a

Rappel ! the endings you have just learned

Verb	new stem	le futur
aller — *to go*	ir -	j'irai
appeler — *to call*	appell-	j'appellerai
envoyer — *to send*	enverr-	j'enverrai
avoir — *to have*	aur-	j'aurai
courir — *to run*	courr-	je courrai
devoir — *to have to*	devr-	je devrai
être — *to be*	ser-	je serai
faire — *to do/make*	fer-	je ferai
pouvoir — *to be able to*	pourr-	je pourrai
recevoir — *to get*	recevr-	je recevrai
savoir — *to know*	saur-	je saurai
tenir — *to hold*	tiendr-	je tiendrai
venir — *to come*	viendr-	je viendrai
voir — *to see*	verr-	je verrai
vouloir — *to want/wish*	voudr-	je voudrai
pleuvoir — *to rain*	pleuv-	il pleuvra

Exercice 1

(a) Read Jean's plans for next weekend and underline all the verbs you find in **le futur**. There are twelve of them.

J'adore le week-end. Pour moi, le week-end commence au moment où je quitte l'école, à 4h30. Le week-end prochain, je n'aurai pas de cours samedi matin ! Je sortirai vendredi soir avec mes amis. Nous irons au cinéma en ville. Samedi matin, je ferai la grasse matinée. J'adore ça ! Je pourrai regarder une émission de sport à la télévision dans ma chambre. L'après-midi, je travaillerai au supermarché du coin. Je m'occuperai de la caisse. Dimanche, je rendrai visite à mes grands-parents. On fêtera l'anniversaire de ma grand-mère. Il y aura un grand repas. Je me coucherai avant 11 heures car le lendemain, ce sera lundi.

(b) Find the infinitives of the verbs you have underlined and write them out in your copy.

Exemple :

1. aurai → avoir

8.6 ## Écoutons maintenant !

Écoutez le CD et remplissez les blancs.

Bonjour ! Je m'appelle Florence. J'ai une correspondante irlandaise qui s'appelle Cliona.

L'été prochain, j'_____ en Irlande pendant trois semaines. Je _____ l'avion jusqu'à l'aéroport de Shannon. La famille de Cliona _____ me chercher. Elle habite dans le comté de Clare. Pendant mon séjour, je _____ des excursions avec elle. Nous _____ à la plage tous les jours.

J'espère qu'il ne _____ pas. Je _____ visiter le Burren. Ce _____ super ! Nous _____ tous les soirs avec les copains de Cliona. À la fin de mon séjour, Cliona _____ avec moi. Il me tarde d'aller en Irlande !

Quel métier ?

Qu'est-ce que j'espère faire quand je quitterai l'école ? Quels sont mes points forts ?

Quand je quitterai l'école, je voudrais devenir… infirmière / maçon / professeur.

À l'école,

je suis fort / forte	*en langues.*	
	en sciences.	
	en maths.	
	en travaux manuels.	
	en sport.	

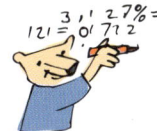

je suis faible	*en langues.*	
	en sciences.	
	en maths.	
	en travaux manuels.	
	en sport.	

je suis nul / nulle	*en langues.*	
	en sciences.	
	en maths.	
	en travaux manuels.	
	en sport.	

8.7 Écoutons maintenant !

Ces élèves parlent de leur avenir. Remplissez la grille.

Name	Hopes to become	Good at	Not good at
Arnaud			
Marine			
Kévin			
Sébastien			
Katia			
Olivier			

8.8 Écoutons maintenant !

Visite chez Madame Claire Voyante.

Qu'est-ce qu'elle voit dans sa boule de cristal ?

First signs in the crystal ball	Future job	Other prediction
1		
2		
3		
4		
5		

Parlons maintenant !

Jeu des petits papiers !

Play the game of consequences. Try predicting the future for your friends by playing this game.

- Each person needs a blank sheet of paper.
- Write your name on top of the sheet and fold down once.
- Pass the paper to the person on your left who writes a prediction from Item 1 (see next page) as to what career you'll have in the future. You can be funny!
- Fold the sheet over and pass to the next person who predicts where you might live, from Item 2.
- On the next fold predict from Item 3.
- Continue in this way until you have completed a sentence from each list of items. Then, return the sheet to the owner.
- Read out what is predicted for you by starting — **Je travaillerai...**

Pour vous aider

Item: 1. Tu travailleras comme médecin / professeur / pilote…
(voir le *Dossier des Métiers*, pages 240/241)

2. Tu habiteras en ville / à Paris / en Australie… dans un château / un studio…

3. Tu auras deux enfants / des jumeaux / une grande famille…

4. Tu seras riche / pauvre / célèbre / content(e)…

5. Tu auras du succès / tu seras heureux/se / en bonne santé…

6. Tu voyageras beaucoup / peu / dans le monde entier…

7. Tu joueras au foot pour ton comté / pour ta province / pour l'Irlande…

Lisons maintenant !

1. Read this article about Adrienne and her career and answer the questions.

Boule de Poils travaille à domicile

A l'âge de huit ans, Adrienne Cartier aime déjà accompagner sa grand-mère, quand celle-ci emmène son chien au toilettage. Ceci explique sans doute la voie qu'elle choisit dix ans plus tard en préparant un bac pro commerce, option toilettage. Ses stages se déroulent alors dans un salon nantais. En réalité, « en classe de 3e, j'avais déjà pratiqué dans des salons de toilettage ». Aujourd'hui, à 22 ans, elle se jette dans le grand bain et créée Boule de Poils. « Je me déplace à domicile, sur Nantes, et dans un rayon de 20 km à 25 km. Le toilettage concerne toutes les techniques et les types de chiens. »

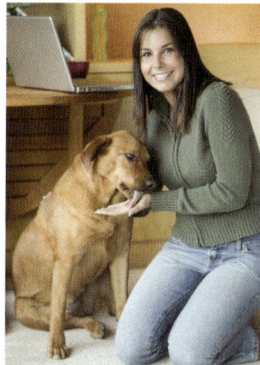

Pratique. Boule de Poils, du lundi au vendredi, de 9 h à 19h30, tél. 05 68 24 53 47

1. Who used to bring the dog for grooming?

2. Ten years later what type of Bac did Adrienne sit for?

3. What was she already doing when she was in 3ème?

4. What has she now decided to do?

5. Where does she do her work?

2. In this article Ahmad, originally from Afghanistan, talks about his new job. Read the article and answer the questions.

Le Yatagan Kebab, au 3 rue de l'Écurie

Ahmad, d'origine afghane, a ouvert le Yatagan Kebab au 3, rue de l'Écurie. Le jeune homme de 26 ans a vécu d'abord de petits boulots dans la mécanique et le bâtiment. Avant de se lancer pour la première fois dans la restauration.

L'occasion, pour lui, de « vivre une nouvelle expérience ».

En plus des menus habituels, le Yatagan Kebab propose des spécialités afghanes, grâce au concours d'un cuisinier afghan. Face à une clientèle réceptive, Ahmad évoque même la possibilité de faire évoluer à terme son commerce en restaurant typiquement afghan.

Pratique. Le Yatagan Kebab, au 3 rue de l'Écurie. Ouvert du lundi au dimanche, de midi à minuit.

1. Before opening Yatagan Kebab, what type of jobs did Ahmad have?

2. Why, according to himself, did he take this opportunity?

3. Apart from the usual dishes, what else can you get there?

4. How have his customers taken to the products?

5. What would he eventually like to do?

3. Read this article about a family of cake and chocolate makers and answer the questions which follow.

... *au chocolat*

1 AU PIED DU CHÂTEAU ROYAL d'Amboise se trouve une patisserie chocolaterie quelque peu spéciale. D'abord elle est tenue par la famille Bigot depuis trois générations avec une quatrième génération qui se prépare. En plus on y trouve un *accueil* exceptionnel. Que l'on s'arrête pour acheter un croissant (« Il n'y a pas de petits clients »), une belle pâtisserie ou pour *déguster* au salon de thé ou sur la terrasse, on est reçu avec une grande attention.

2 Renée, la grand-mère, prend beaucoup de plaisir à vous commenter le *livre d'or* aux nombreux messages de gens de tous pays qui, eux aussi, ont été *ravis* de leur découverte de la chocolaterie Bigot. Pour Renée, c'est aussi un lieu de souvenirs car elle y est née et a vu travailler ses parents au *fournil* pendant de longues heures. Assise devant le feu de cheminée l'hiver ou dégustant une glace l'été elle vous raconte la vie d'autrefois.

3 Christiane, sa fille dynamique, est la patronne aujourd'hui. Elle *partage* la même passion pour ce qu'elle fait et *veille* sans arrêt pour assurer que tout se passe bien pour ses clients. Elle continue la longue tradition de pâtisseries exquises au nom évocateurs : le pavé royal, puit d'amour, prince d'Alsace et des chocolats sublimes. Les gens de la région et les visiteurs sont tous d'accord : « C'est un endroit magique ! » ■

---

1. For how long has the Bigot family run this business? (Part 1)
2. Where can you sample their croissants and cakes? (Part 1)
3. What would you find in the *livre d'or*? (Part 2)
4. What might you find Renée doing in summer? (Part 2)
5. Who runs the business today? (Part 3)
6. What does she try to ensure? (Part 3)
7. What are *pavé royal* and *prince d'Alsace*? (Part 3)
8. What do local people say about this shop? (Part 3)

4. Petites annonces

Lisez les annonces suivantes et trouvez les numéros de téléphones :

VOYAGER EN PROVINCE
Ambiance d'équipe sympa.
Vous avez entre 18 et
27 ans, contactez-nous dès maintenant
au 01.55.90.06.00
Pas motivés s'abstenir.

GARDE D'ENFANT
Jeune fille stable, motivée pour
s'occuper de 2 enfants, Avignon.
Nourrie, logée + salaire à l'an. ou w.e.
et vac. scol. région.
Tél : 04.49.74.62.14

URGENT !
Recherche dessinateur en architecture.
Restaurations, bâtiments agricoles,
sites classés.
Débutant accepté, formation assurée.
Contact R.H. : Sylvain au 01.49.96.00.14

ÉCOLE DE BEAUTÉ
Cherche modèles pour coupe,
couleur et balayage
par des professionnels.
Se présenter le 6/11 à BEAUTEX,
5 rue de l'échelle, Paris 1er.
de 10h à 17h30
Tél : 01.46.73.22.01

VENDEURS (EUSES)
Salaire motivant. Bonne ambiance.
Formation assurée.
Tél : 01.42.01.62.00

CHERCHE BABY-SITTERS
Paris banlieue. Après la classe.
Tél : 01.49.96.00.14

Which advertisement mentions...?

Advertisement	Telephone number
a job with a good salary and training	
work in Paris suburbs	
work for a draftsman	
a job with accommodation and meals	
hairdressing models	

8.9

Coin prononciation : The sound of the vowels « **eu** » in French can be difficult, as we do not have the same sound in English or Irish. Listen to these words on your CD and practise saying them:

bl**eu**, v**eu**x, pl**eu**t, chant**eu**r, coiff**eu**se, prof**eu**r, fact**eu**r, délici**eu**se.

Civilisation

In France young teenagers do not generally work in cafés, restaurants or supermarkets to the same extent as Irish teenagers do. There is more unemployment in France, so the jobs are just not there. If you want to earn some pocket money, « *argent de poche* », you might do baby-sitting, gardening or help around the house.

Lettre Formelle (2)

Applying for a job

A letter applying for a job is a *lettre formelle*. In 2007, one of the options in the Written Expression on the Junior Certificate paper was to apply for a job in a Hôtel in Paris.

Your name is Martin/Martina Doyle. Your address is 4 Summerfield Drive, Patrickswell, Co. Limerick. You wish to spend some time working in a hotel in Paris during the summer holidays.

Write a formal letter to the Manager (M. or Mme Sibut, Hôtel de la Paix, rue du 14 juillet, 75000 Paris, France) in which you:

- give some relevant information about yourself
- state why you wish to spend the summer working in France
- give details of your experience of hotel work
- ask for information about the hotel.

You will remember from **Unité 1**, that when you write to someone you do not know well, the letter is laid out in a special way. You must use « **vous** » to the person throughout. You must use a formal closing sentence.

Exemple :

Martin Doyle,
4 Summerfield Drive,
Patrickswell,
Co. Limerick,
IRLANDE

Madame Sibut,
Hôtel de la Paix,
rue du 14 juillet,
75000 Paris
FRANCE

Patrickswell, le 4 mai

Always write the word for Ireland in French.

Madame Sibut,

Opening phrases:

Je cherche un emploi pour l'été prochain.
Je voudrais travailler en France / à Paris cet été.
Je cherche un emploi dans votre hôtel pour les grandes vacances.

Personal details:

Je m'appelle …
J'ai … ans
Je suis irlandais / irlandaise / j'habite en Irlande.
J'étudie le français depuis … ans.
Je suis honnête / patient(e) / enthousiaste / calme / motivé(e).
Je parle bien français / je comprends bien le français.
Je parle couramment anglais / allemand.
Je viens de passer mon Leaving Cert.…

Tip: Remember you need to be 18 to work in France!

Tip: Only give details about yourself, which are relevant to the job.

Why you want to work in France:

Je voudrais travailler en France car …
J'adore le français / la culture française.
J'espère étudier le français à l'université.
Je voudrais perfectionner mon français.
J'ai passé de nombreuses vacances en France et j'aime les Français.
C'est mon rêve de travailler à Paris.

Experience:

Ma famille a un hôtel ici à …
J'ai déjà travaillé dans un hôtel.
Le week-end, j'aide ma tante qui a un hôtel ici à …
J'ai travaillé l'été dernier dans un hôtel tout près.

Questions about the hotel:

Où se trouve exactement votre hôtel ?
Il y a combien de chambres dans l'hôtel ?
Vous servez des repas dans l'hôtel ?
Je peux loger à l'hôtel ?
Il y a une station de métro près de l'hôtel ?

To finish up:

Je serai disponible du ………   au ………
J'attends une réponse favorable de votre part.
J'espère vous lire bientôt.
En attendant votre réponse, …
Vous trouverez ci-joint mon CV / une lettre de référence / une photo.

Don't forget the closing formula which you must learn by heart:

❤ Par cœur :

Veuillez agréer, Madame / Monsieur, l'expression de mes sentiments distingués.

Now try answering the question from the 2007 Junior Certificate paper on page 254.

Faire le ménage – le travail à la maison

Revise the verb **faire** for the tasks below. (See page 14)

Je fais la vaisselle.

Je fais la lessive.

Je fais la cuisine.

Je fais les courses.

Je fais le jardinage.

Je fais mon lit.

Je fais le repassage.

Autres tâches :

Je **range** ma chambre.

Je **garde** mon frère.

J'**aide** ma mère.

Je **lave** la voiture.

Je **tonds** la pelouse.

Je **sors** la poubelle.

Je **mets** le couvert.

Je **débarrasse** la table.

Je **nettoie** la baignoire.

Je **passe** l'aspirateur.

Je **remplis** le lave-vaisselle.

Je **vide** le lave-vaisselle.

GRAMMAIRE

Exercice 1

Qui fait quoi ?

These young French people help in the house. Can you write out what each one does? The first one is done for you. You need to use the **il** / **elle** form of the verb.

Exemple :

1. Sylvie tond la pelouse.

2. Marc _____.

3. Daniel _____.

4. Chloë _____.

5. David _____.

6. Kévin _____.

7. Jean _____.

8. Henri _____.

9. Paulette _____.

10. Sophie _____.

8.10 Écoutons maintenant !

Listen to these teenagers talking about what they do to help at home.

Then fill in the table.

	Hoover	Wash up	Garden	Tidy room	Shopping	Iron	Cook	Wash car
1								
2								
3								
4								
5								

Parlons maintenant !

Ask your partner what jobs he/she does in the house.

Here are some questions and sample answers for you to use.

Qu'est-ce que tu fais à la maison ?

Exemples :

Tu fais la cuisine ?

Oui, je fais toujours la cuisine.

Oui, je fais souvent la cuisine.

Oui, je fais de temps en temps la cuisine.

Non, je ne fais pas la cuisine.

Je fais rarement la cuisine.

Tu fais la vaisselle ?

Tu fais le repassage ?

Tu fais ton lit ?

Tu fais les courses ?

Tu passes l'aspirateur ?

Tu ranges ta chambre / le salon / la cuisine ?

Tu laves la voiture / les fenêtres ?

Tu gardes ta sœur / ton frère / ta cousine / ton cousin ?

Tu prépares le déjeuner / le dîner ?

8.11 Écoutons maintenant !

Écoutez ces cinq conversations et numérotez-les.

Gagner un peu d'argent de poche !

Voici quelques petits boulots pour gagner de l'argent !

Moi, je /
Mon frère /
Ma sœur travaille dans
{
une station-service.

un supermarché.

un café.

un restaurant.

Dans la station-service,
je / il / elle
{
mets / met de l'essence dans les voitures.

lave le pare-brise.

vérifie la pression des pneus.

vérifie l'huile.

Dans le supermarché,
je / il / elle
{
range les rayons.

travaille à la caisse.

aide les clients à porter leurs sacs.

Je distribue / Il/Elle distribue les journaux.

Je fais / Il/Elle fait du baby-sitting.

Je fais / Il/Elle fait du jardinage.

Méli-mélo !

Can you sort out what these two young people are saying about how they earn pocket-money?
Write out what each person says.

*monpèremedonnedel'argentdepochechaquesemainejedoisaideràlamaisonpourgagner
monargentdepochejerangemachambreetj'aideavecleménage.*

*jereçoisdel'argentdepochepouraiderchezmoijerangelesalonleweek-endetje
faislalessivequelquefoisjefaisdescoursesausupermarchéavecmaman.*

8.12 Écoutons maintenant !

Section 1

Question 1: Why has Céline not been in touch with Bernard recently?

Question 2: Where is Tante Elise's café?

Section 2

Question 3: What does Céline say about Julie? (**two** points)

Question 4: Who is paying for Céline's ticket to Ireland?

Section 3

Question 5: Name **two** things that they will do when they visit Dublin.

Question 6: Where does Bernard advise her to visit?

Section 4

Question 7: Name **two** things that they will do while staying in Connemara.

Question 8: What does Bernard suggest that he could do while Céline is away?

Section 5

Question 9: Céline thinks that Bernard has another motive for his offer. What is it?

Question 10: When will she get in touch with him again?

Coin grammaire

Some verbs in French need a preposition to be used with them. This is the case in other languages also. Sometimes, verbs which need a preposition in French do not need one in English.

Exercice 1 :

Can you put a circle around the prepositions in these examples?

| I spoke to my friend. | Labhair mé le mo chara. | Il est interdit de fumer. |
| Il apprend à nager. | Je téléphonerai à ma tante. | I wait for the bus. |

A pocket-sized dictionary may not have the space to show prepositions with verb entries but the larger dictionaries will show them. Look at the dictionary examples below for *décider* and *apprendre*. Which prepositions follow these verbs?

| **Décider** | *verb* [1] **1** to decide; **décider de faire** to decide to do; **j'ai décidé de vendre mon vélo**. |

| **Apprendre** | *verb* [64] 1 to learn; **apprendre à lire** to learn to read; **j'ai appris à faire quelque chose**. |

Exercice 1

Look up the following verbs and find which prepositions usually follow them.

| to try to – essayer … | to be interested in – s'intéresser … | to visit – rendre visite … |
| to come from – venir … | to forget to – oublier … | to invite to – inviter … |

Exercice 2

Now translate the following sentences into French:

Exemple :

I am beginning to read a French novel. **Je commence à lire un roman français**.

1. I am interested in cooking.
2. He comes from Rennes.
3. I sometimes forget to tidy my room.
4. I visit my grandparents every Sunday.
5. I am inviting Louis to come to the cinema.

Écrivons maintenant !

Lettre symbole. Replace each picture with the correct French word and then write this letter in your copy.

Kinsale, le 8 décembre

Cher Mathieu,

Merci de ta longue [image]. Je suis ravi de savoir que tout le monde va bien et que ton [image] est encore en pleine forme après son [image]. Il est encore au travail ?

Moi, j'ai de bonnes nouvelles. J'ai trouvé un petit boulot dans le [image] du coin. Je travaille le samedi de [image] à deux heures. C'est vraiment génial ! Le travail n'est pas dur. Je range les [image] et j'aide les clients avec leurs [image]. C'est assez bien payé et je fais des économies pour [image].

À part ça, je travaille d'arrache-pied à l'école. Tu sais que je passe le Junior Certificate en **juin** prochain. Je suis fort en [image] et en sciences. Mais j'ai toujours des problèmes en [image]. Je suis faible dans cette matière. En français, je suis assez fort, grâce à toi !

Pour Noël, nous irons chez mes [image] à Limerick. Ce sera chouette ! Nous voyagerons en [image] le vingt-quatre et nous resterons jusqu'au 29.

C'est tout pour l'instant. Je dois [image].

Meilleurs vœux à toute ta famille.

Amitiés,

Gareth

Lisons maintenant !

This is one verse from a poem by Robert Benayoun. A writer and film critic, he was particularly interested in comedy film and comedians such as Buster Keaton, Charlie Chaplin and Woody Allen. He died in 1996. This poem is very surreal — really out of the ordinary.

Perception de la ligne droite

Quand l'auto sera réparée, je serai beau.
Je serai bleu, avec une grande barbe rose
    et des oiseaux dans les cheveux.
J'achèterai le Taj Mahal,
J'y mettrai le chauffage central.
J'aurai la fortune, les femmes, la richesse, les femmes,
L'argent, les femmes, un compte en banque, les femmes,
    de l'oseille, des femmes.
J'aurai des milliers et des milliers de femmes.
J'aurai des femmes millionnaires.
Je serai prodigue, pensez, quand l'auto sera réparée.
Robert Benayoun.

1. What will the poet look like in the future? (**Two** points)
2. What will he do to the Taj Mahal when he buys it?
3. Find **three** words to do with money.
4. Write a poem, '*Quand je serai grand(e)*', about what will happen to you in the future. You can make it as imaginative as you like.

   Quand je serai grand(e), je …

Communication en classe !

- *Que fait ton père / ta mère dans la vie ?*
- *Ma mère est architecte.*
- *Mon père est maçon.*
- *Madame, nous devrons faire l'exercice, page 20 ce soir ?*
- *Monsieur, nous irons à la bibliothèque aujourd'hui ?*
- *Nous ferons les questions un et deux pour demain ?*
- *Vous êtes prêts ? Nous commencerons maintenant.*
- *Vous aurez ces trois questions pour lundi. D'accord ?*
- *Maintenant, commencez à écrire !*
- *Paul et Vincent, essayez de finir vite !*
- *J'essaie de faire de mon mieux.*
- *Désolé(e), j'ai oublié de faire mes devoirs.*

Épreuve

Question 1

Read the passage and answer the questions which follow.

Anglais ou pas anglais ?

Air France a voulu que ses pilotes communiquent en anglais avec les aiguilleurs du ciel* à l'aéroport principal de Paris Roissy-Charles-de-Gaulle. Cependant, les syndicats et les défenseurs de la langue française n'étaient pas d'accord et, après quinze jours, la mesure a dû être suspendue. Air France a justifié sa demande par une volonté d'améliorer la sécurité et une envie de s'aligner sur les autres grands aéroports internationaux. Actuellement, on 'analyse' la situation. Anglais ou pas anglais ? Voilà la question !

*aiguilleur du ciel = air-traffic controller

1. What did Air France want its pilots to do?
2. Name **one** group of people who were against this idea.
3. For how long was the plan tried out?
4. Why did Air France want to introduce this idea (**one** reason)?
5. What is happening at present?

Question 2

Here is a note left for you by Marie, your French penpal. Can you fill in the gaps? Use *le futur*.

Mercredi 10h

Salut Orlagh !

Je vais retrouver mes copines à la piscine. Quand tu (finir) _____ les cartes postales, tu (pouvoir) _____ nous y retrouver. Nous (prendre) _____ le train au centre-ville. Nous (acheter) _____ ____ le cadeau pour tes parents et nous (aller) _____ au Flunch après. Je te (voir) _____ devant la piscine à 12h.

Grosses bises,

Marie

Question 3

Read the passage and answer the questions which follow.

1. Jean-Paul Gaultier's granny had several jobs – name **one** of them. (Part 1)

2. For whom did he first make clothes? (Part 1)

3. Why was it unusual that Pierre Cardin took him on in his fashion firm? (Part 2)

4. What was Pierre Cardin obsessed with when making clothes (Name **one** thing)? (Part 3)

5. What was unusual about the outfit he showed in 1976? (Part 3)

6. What type of people does JPG use as models for his clothes? (Part 4)

7. How did he show his support for immigrants in 1997? (Part 4)

8. In what way did Hippolyte Romain honour Jean-Paul Gaultier? (Part 7)

1 Enfant, Jean-Paul Gaultier aimait observer sa grand-mère, infirmière, esthéticienne et un peu médium, et les vêtements de ses clientes. Nana, son ours en peluche, fut son premier mannequin. Il s'amusait à le maquiller, l'habiller et lui teindre les poils. À l'école, il dessinait des danseuses des Folies-Bergères.

2 À 18 ans, il est repéré par Pierre Cardin qui l'engage comme assistant bien qu'il n'ait ni diplôme ni références.

3 Ce maître de l'avant-garde est obsédé par le travail bien fait: le choix de belles matières, la coupe parfaite, le volume juste et les belles finitions. La base de son style, c'est détourner les objets et les vêtements et les mélanger. En 1976, il a présenté un tutu de danseuse porté avec un blouson en cuir et des tennis. Déjà, quand il était enfant, il avait transformé une boîte de conserve en bracelet.

4 JPG mélange souvent des mannequins traditionnels avec des grands-mères, comme Évelyne Trémois, la vedette du clip pour son parfum. Il fait défiler des danseuses, des athlètes et il crée les costumes de spectacle d'Yvette Horner, une célèbre accordéoniste française. En 1997, pour protester contre une loi française contre l'immigration, il a fait défiler exclusivement des mannequins noirs.

5 Finalement, Jean-Paul Gaultier adore le cinéma et la bande dessinée. Il est d'ailleurs le héros d'un ouvrage de bande dessinée, *Couture épinglée*, réalisé par le dessinateur Hippolyte Romain en 1990. Jean-Paul Gaultier se surnomme le petit frère de *Tintin!*

Véronique Manand

Question 4

Listen and fill in the missing words as you hear them, using the words given at the top of each interview.

1.

je devrai	je ferai	je travaillerai	je finirai
je rentrerai	j'aiderai	je me coucherai	je prendrai
je commencerai		je vérifierai	

Robert

Le week-end prochain, _____ dans une station-service près de chez moi. _____ mon travail à 11h du matin. _____ les clients aux pompes. _____ l'huile et la pression des pneus. _____ mon travail à 4h. Quand _____, _____ une douche. Le dimanche, _____ ranger ma chambre après mon match de foot. _____ mes devoirs et _____ assez tôt.

2.

je mettrai	je finirai	je travaillerai	j'aurai
je passerai	je devrai	je serai	fermera
je rangerai	nous irons	je ferai	

Marianne

Je suis en seconde et j'ai dix-sept ans. J'ai un boulot dans un supermarché.

Samedi prochain, _____ de 2h à 7h du soir. _____ les rayons et je travaillerai à la caisse. Quand le supermarché _____ à 6h, _____ laver le plancher. _____ tout en ordre._____ à 7h. Quand je rentrerai, _____ fatiguée et _____ faim. Je mangerai et je regarderai un DVD avec mes copains ou _____ au cinéma. Dimanche, _____ l'aspirateur dans le salon et je rangerai ma chambre. Le soir, _____ mes devoirs.

Question 5

Write a list of five things you will do next weekend.

1. Je _____.

2. Je _____.

3. Je _____.

4. Je _____.

5. Je _____.

Question 6

Petites annonces

Demandes d'emploi. Here are some ads placed in the newspaper by people who are looking for work.

COMPTABLE CHERCHE EMPLOI dossiers à rattraper… Tél : 01.48.83.55.02.	**DAME A.S DIPLOMÉE** cherche place dans Cabinet Médical ou Clinique. Tél : 16.88.92.54.25.
(94) H. CINQUANTAINE rech. emploi div. Sécurité Tél : 01.49.80.39.92.	**JF 21 ANS AVEC EXPÉRIENCE** secrétariat ch. Poste mi-temps assistante gestion PME/PMI. Tél : 06.16.48.86.50.
MME DIA **CH. À GARDER** enfts à domicile, Tél : 06.14.54.26.55.	**RECH MÉNAGE REPASSAGE** garde d'enfants ou pers. âgées. Tél : 01.43.51.91.86.

Give the telephone number of the following:

Advertisement	Telephone number
Woman who wants to work in a doctor's surgery	
Young woman who wants to work part-time	
Person who wants accountancy work	
Woman who wants to work with old people	
Man looking for security work	

Question 7

Write a letter to your French penpal, Martin/Martine, and include the following:

- Thank him/her for the Easter card.
- Ask how the family is after the holidays.
- Tell him/her that you have got a part-time job at weekends.
- Say two things that you will be doing.
- Say how you will use the money you earn.

Question 8

Listen to these people describing themselves and fill in the table.

1.

Name	Marc Duval
Date of birth	
Colour of hair	
Colour of eyes	
Father's job	
Best subject at school	
Future job	

2.

Name	Fatia Ramez
Nationality of parents	
Number of sisters	
Mother's occupation	
Future career	
One subject she is good at	
Where she works at weekends	

Question 9

Nous cherchons une caissière à temps partiel pour quelques semaines en juillet / août.

Contact : le Gérant, SuperX, rue de la Paix,
06000 Nice, France

Pretend you are Nick/Nicky O'Brien, 12 Seaview Heights, Salthill, Galway and apply for the job advertised above.

- Give some personal details.
- Say why you want to work in France.
- Talk about any experience you have had.
- Say you are enclosing a photo and CV.

Lexique

accueil (m.)	welcome	content(e)	happy
acteur / actrice	actor	coupe (f.)	cut/haircut
actuellement	at present	se couper	to cut oneself
agent de police (m./f.)	police officer	couturier / ière	dress designer/maker
agroalimentaire	food production	cuir (m.)	leather
agriculteur / trice	farmer	d'abord	at first/to begin with
aider	to help	débarrasser	to clear (the table)
s'aligner	to bring into line	débutant(e)	beginner
ambiance (f.)	atmosphere	découverte (f.)	discovery
ambitieux / euse	ambitious	défenseur (m.)	defender
améliorer	to improve	déguster	to taste
amical(e)	friendly	dentiste (m./f.)	dentist
appel (m.)	call	se dérouler	to develop/take place
argent de poche (m.)	pocket money	dès	since/from then on
attraper	to catch	se déplacer	to move about/travel
automatisé(e)	automated	dessin (m.)	drawing/art
avocat(e)	lawyer	dessinateur / trice	designer/draftsman
baignoire (f.)	bath	déterminé(e)	determined
balayer	to sweep	détourner	to change/transform
banlieue (f.)	suburb	devenir	to become
barbe (f.)	beard	diligent(e)	hard-working
bâtiment (m.)	building	direction (f.)	management/direction
blé noir (m.)	buckwheat	directeur / trice	school principal/director
bonheur (m.)	happiness	diriger	to manage/to guide
boucher / ère	butcher	disponible	available
boulanger / ère	baker	domicile (m.)	at home/home address
boulot (m.)	part-time job	dynamique	lively/go-ahead
camionneur	lorry driver	effectuer	to complete/carry out
caissier / ière	cashier	emploi (m.)	job/position
cependant	however	électricien / ne	electrician
chanteur / euse	singer	éleveur / euse	breeder
chauffage central (m.)	central heating	engager	to hire/employ
chauffeur (m.)	driver	endroit (m.)	place
chef (m./f.)	boss	entouré(e) de	surrounded by
chef de cuisine (m./f.)	chef	entreprise (f.)	company/business
chiffre (m.)	figure	espérer	to hope
chocolatier / ière	chocolate-maker	essayer de	to try to
ci-joint	attached	essence (f.)	petrol
client(e)	customer	être tenu(e)	to be run/owned
coiffeur / euse	hairdresser	esthéticienne (f.)	beautician
coin (m.)	corner	évoluer	to be promoted
commerce (m.)	business	fabriquer	to make/manufacture
comptable (m./f.)	accountant	facteur / trice	postman
compte en banque (m.)	bank account	faible en	weak at
concours (m.)	competition	faire du baby-sitting	to babysit
conducteur / -trice	driver	faire les courses	to go shopping

faire des économies	*to save*	mélanger	*to mix*
faire la cuisine	*to do the cooking*	métier (m.)	*job/trade*
faire la grasse matinée	*to have a lie on/sleep late*	mettre le couvert	*to set the table*
faire la lessive	*to do the laundry*	milliardaire (m.)	*billionaire*
faire le lit	*to make your bed*	milliers de	*thousands of*
faire le ménage	*to do the housework*	nettoyer	*to clean*
faire le repassage	*to do the ironing*	nourri(e)	*fed*
faire la vaisselle	*to do the washing-up*	nul / nulle en	*nothing/useless at*
femme au foyer (f.)	*housewife*	observer	*to watch closely*
fermier / ière	*farmer*	occasion (f.)	*opportunity*
fine	*thin/fine*	**s**'occuper de	*to be busy with*
fonctionnaire (m./f.)	*civil servant*	ordre (m.)	*tidiness/order*
formation (f.)	*training*	oseille (f.)	*money (slang)*
formulaire (m.)	*form*	oublier de	*to forget to*
fournil (m.)	*bakehouse*	ours en peluche (m.)	*teddy-bear*
gagner	*to earn*	paresseux / euse	*lazy*
galette (f.)	*buckwheat pancake*	partager	*to share*
garagiste (m./f.)	*garage owner*	passer l'aspirateur	*to hoover*
garde d'enfant (m./f.)	*child-minder*	passer un examen	*to sit for an exam*
garder	*to mind*	patient(e)	*patient*
gérant(e)	*manager*	pâtissier / ière	*cake maker*
grâce à	*thanks to*	patron / -ne	*owner*
guérir	*to cure*	pêcheur (m.)	*fisherman*
honnête	*honest/honourable*	peintre (m./f.)	*painter*
infirmier / ière	*nurse*	peinture (f.)	*painting*
ingénieur (m./f.)	*engineer*	perfectionner	*to improve/perfect*
insolite	*unusual/strange*	pharmacien / ienne	*chemist/pharmacist*
instituteur / trice	*primary school teacher*	pilote (m./f.)	*pilot*
s'intéresser à	*to be interested in*	plombier / ière	*plumber*
inviter à	*to invite to*	pneu (m.)	*tyre (car/bicycle)*
journaliste (m./f.)	*journalist*	poils (m. pl.)	*fur (animal)*
jumelles (f. pl.)	*twins*	poissonnier / ère	*fish-monger*
langue (f.)	*language*	pompier (m./f.)	*fireman*
laver	*to wash*	prochain(e)	*next*
lave-vaisselle (m.)	*dishwasher*	prodigue	*lavish/unsparing*
lendemain	*the day after tomorrow*	professeur (m./f.)	*secondary-school teacher*
lieu (m.)	*place*	quotidien / ienne	*daily*
livre d'or (m.)	*guest book*	quitter	*to leave*
loi (f.)	*law*	ranger	*to tidy/to arrange*
maçon (m.)	*builder*	ravi(e)	*delighted*
maître	*master*	rayon (m.)	*shelf*
mannequin (m.)	*model*	réceptionniste (m./f.)	*receptionist*
se maquiller	*to put on make-up*	remplir	*to fill*
marchand(e)	*seller*	rendre visite à	*to pay a visit to/visit*
matière (f.)	*school subject*	réparer	*to repair*
mécanicien / ienne	*mechanic*	repérer	*to spot/notice*
médecin (m./f.)	*doctor*	restauration (f.)	*restoration/catering industry*

rêve (m.)	*dream*	toilettage (m.)	*grooming*
rigoureux / euse	*demanding/severe*	tondre la pelouse	*to cut the grass*
salon de thé (m.)	*tea-room*	traiter	*to treat*
sans doute	*doubtless/without doubt*	travaux manuels (m. pl.)	*work done with your hands*
secrétaire (m./f.)	*secretary*	univers (m.)	*universe/world*
sens (m.)	*sense/direction*	vedette (f.)	*star/celebrity*
serveur / euse	*waiter/waitress*	veiller	*to watch over/supervise*
sortir la poubelle	*to put out the bin*	vendeur / euse	*salesperson*
savoir-faire (m.)	*knowledge*	venir de	*to come from/to have just*
souvenir (m.)	*memory/remembrance*	vérifier	*to check*
stage (m.)	*course/instruction*	vêtements (m. pl.)	*clothes*
supérieur(e)	*superior/higher*	vétérinaire (m./f.)	*vet*
syndicat (m.)	*trade union*	vider	*to empty*
tâche (f.)	*task/job*	voie (f.)	*way/path/track*
tenir	*to have/to run/to hold*	volonté (f.)	*wish/desire*

Les Loisirs

Civilisation

Les MJC

In France, almost every town has a *Maison des Jeunes et de la Culture*. These are usually run by the local council and provide opportunities for young people to enjoy a wide variety of sporting and cultural activities. They are generally open after school and on Saturdays. Apart from the organised activities, there is often a café, where young people can meet for a chat or to play *le flipper* (pin-ball) or *le baby-foot* (table football). Nowadays, many of them also have Internet facilities. An activity that is very popular in France is *le cirque*. Young people learn the techniques of all the circus activities. If you click onto a search engine on the Internet and type in 'La Maison des Jeunes et de la Culture', you will be able to access hundreds of sites which will give lists of their activities and programmes.

ASSOCIATION CULTURE ET LOISIRS
17 rue du Point du Jour
35890 LAILLE

ACTIVITES ARTISTIQUES

SPORT DETENTE

APPRENTISSAGE DES LANGUES

Activités à partir de 6-8 ans :
- Cirque
- Patins
- Théâtre enfant

Activités à partir de 9 et 10 ans :
- Poterie
- Peinture

Activités à partir de 12-14 ans :
- Modélisme
- Loisirs Artistiques

Activités à partir de 16 ans :
- Théâtre adulte
- Musique
- Marqueterie

L'Association Culture et Loisirs met en place, pour les enfants de Laillé ayant droit aux bons vacances de la CAF, une minoration des tarifs.
Pour tous renseignements : tel 02.99.42.59.30.

Lisons maintenant !

LOISIRS À LAILLÉ

ACTIVITES	JOUR	HORAIRE	LIEU	CONTACT
ROLLER	MERCREDI	16h-18h	TENNIS COUVERT	C. GACHOT 02.99.42.56.34
MODELISME	SAMEDI	10h-12h	MAISON DES ASSOCIATIONS 17 rue du Point du Jour Laillé	P .MARCHAND 02.99.42.50.28.
DANSE	MERCREDI	13H30-16h30	ANNEXE SALLE DE SPORTS	A. SALMON 02.99.42.59.30.
	LUNDI	18h-22h		
THEATRE ENFANTS	SAMEDI	10h30-12h 13h-14h30	SALLE DES FETES 19 rue du Point du Jour Laillé	V. COL 02.99.42.54.64.
CIRQUE	SAMEDI	9h30-11h30 9h30-10h30	ANNEXE SALLE DE SPORTS	M ABELA 02.99.57.80.57.
L'ART ET CREATION	SAMEDI	10h -12h	29 rue du Point du Jour Laillé	AM GLEMEAU 02.99.42.32.77.
PEINTURE	MERCREDI	17H - 18H30	PREFABRIQUE GAUCHE 19 rue du Point du Jour jardin dans la cour à gauche	D. SALMON 02.99.42.54.74.
ANGLAIS	MARDI VENDREDI	17h-19H 16h40-20h	SALLE DE CLASSE 19 rue du Point du Jour Laillé	M.H. DUROS 02.99.42.31.01.
POTERIE	MARDI	18h30 - 20h	29 rue du Point du Jour Laillé	A. JOUAN 02.99.42.59.85.

L'adhésion individuelle à l'ACL est obligatoire:
60 f. / enfant de Laillé/ an - 140 f. /adulte de Laillé
140 f. / enf. & adulte hors commune

1. On which day and at what times does the drama course take place?

2. On which **two** days are the English classes?

3. Where does the painting class take place?

4. What is the time of the dancing class on Wednesdays?

5. What number would you dial to get information about the pottery class?

6. If you were interested in model making, whom would you contact?

GRAMMAIRE

Les passe-temps

9.1 Écoutons maintenant !

Listen to the CD and number the pictures in the order in which you hear them.

Parlons maintenant !

Use some of these phrases to talk about what you like to do in your spare time.

Pendant mon temps libre …	
moi, je suis fana …	de sport / de cinéma.
je suis fou/folle …	de lecture / de jeux vidéo.
je suis un mordu / une mordue	de musique / de télévision.
	de voitures / de BD.
je suis membre …	d'un club de foot gaélique / d'une chorale / d'un groupe de musique.
je me passionne pour …	le sport.
	la peinture.
	le modélisme.
	la danse.
je m'intéresse …	au judo / à la lecture / à l'escrime / aux sports.

Rappel ! Unité 10/11, Bon Travail 1 !

Écrivons maintenant !

Now write five sentences about what you like to do in your spare time.

9.2 Écoutons maintenant !

Listen to these people talking about what they like to do in their free time and fill in the table below.

Name	Hobbies/Pastimes	Where	When
Florent			
Cécile			
Thomas			
Fatima			
Bernard			
Virginie			

La musique

Listening to music is a very popular pastime in France. French teenagers know all the current hits from their own country, as well as pop music from around the world. In fact, many young French people have a good knowledge of English because they listen to so many American and English hit songs! **NRJ** is a popular radio station — **http://www.nrj.fr** — and magazines like **STARCLUB** are widely read. As well as popular music, France has always had a tradition of classical musicians — **Debussy**, **Berlioz**, **Delibes** and **Bizet** are all composers whose works are performed all over the world.

One of the most popular programmes on French television is **Star Academy**, where young singing stars of the future are groomed for stardom.

Faites des paires !

Can you link the name of the instrument with its picture?

1.   (a) le violon   2.   (b) le tambour

    (e) la flûte à bec

4.

(c) la trompette   (d) la batterie   5.

3.   (f) le clavier   6.

(a) =	(b) =	(c) =	(d) =	(e) =	(f) =

Rappel ! Unit 11, Bon Travail ! 1

Exemples :

jouer de	to play a musical instrument	de + le = du Elle joue du piano.
		de + la = de la Il joue de la guitare.
		de + l' = de l' Tu joues de l'accordéon.

Exercice 1

These young people all play a musical instrument. Fill in the speech bubbles below.

9.3 Écoutons maintenant !

Listen to these speakers and write in the boxes the number of the type of music each one likes.

Moi, j'écoute...

(a) du rock	**(b)** de la pop	**(c)** de la musique classique	**(d)** du rap	**(e)** de la techno	**(f)** du hip hop

1. [ ]   2. [ ]   3. [ ]   4. [ ]   5. [ ]   6. [ ]

Lisons maintenant !

Read the profiles of the singers Inès and Kamini and fill in the grid with the correct answers.

Heureusement, le public défend les artistes

Ils chantent, dansent, font de la magie ou des acrobaties. Enfants et adultes participent à Incroyable Talent.

Inès a 13 ans. Elle a participé à l'émission.

Chanter

« Je chante tout le temps pour moi, ma famille ou mes amis. Quand j'ai vu la bande-annonce de cette compétition sur M6, j'ai voulu participer. C'était l'occasion de tester mon talent ! Je voulais avant tout me faire plaisir… »

Jury

« Au début de l'enregistrement, j'étais dans le public. Quand j'ai vu les réactions du jury, j'ai stressé ! Ils ne sont pas toujours tendres avec les candidats. Je les ai trouvé strictes et n'ai pas toujours compris leurs positions. Heureusement, quand ils sont sévères, le public défend souvent les artistes. »

Alicia Keys

« J'ai interprété un morceau d'Alicia Keys. J'aime cette chanteuse américaine. Je l'écoute depuis quelques années déjà, et j'étais contente de montrer ce que je sais faire sur l'un de ses morceaux. »

KAMINI

« J'ai reçu une éducation plutôt stricte »

Rap en solo

« Je fais du rap depuis des années, seul dans ma chambre, avec mon poste et mes carnets de notes. »

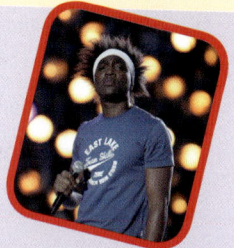

Insulté

« Dans mon village, j'avais tous les problèmes liés à la campagne et à ma couleur de peau. C'était un concentré d'ennui mortel et d'insultes graves. Un raciste en ville et un raciste à la campagne ne peuvent pas se comporter de la même façon. À Paris, un gros facho ne se permettra pas de traiter un black de "sale négro", car il y en a quinze autour de lui ! »

Relativiser

« C'est chaud la campagne, il n'y a rien à faire… Si tu sors avec une fille, tu ne peux la voir qu'au lycée parce qu'elle habite à trente bornes de chez toi.

Match the comment with the singer by ticking the correct box.

	Inès	Kamini
Who wanted to take part in a talent competition?		
Who practiced singing in the bedroom?		
Who suffered from insults?		
Who found a competition jury strict?		
Who says there is nothing to do in the country?		
Who sang a song by an American singer?		

GRAMMAIRE

Coin grammaire

Les adverbes

An adverb, as its name suggests, adds some information about the verb — he walks **quietly**, she reads **slowly**, they play **often**. In English, adverbs quite often end in **-ly**.

In French, they usually end in **-ment**. Just as in English, adverbs are usually made from adjectives. There are four types to remember.

1 Adjectives that end in a consonant

To form the adverb, make the adjective feminine and add **-ment**.

heureux	→	heureuse	→	heureusement
malheureux	→	malheureuse	→	malheureusement
naturel	→	naturelle	→	naturellement
dangereux	→	dangereuse	→	dangereusement
vif	→	vive	→	vivement
seul	→	seule	→	seulement

2. Adjectives that already end in a vowel

To form the adverb, just add **-ment**.

rapide	→	rapidement
facile	→	facilement
poli	→	poliment
rare	→	rarement

3. Adjectives that end in -ent

To form the adverb, change the **-ent** into **-emment**.

patient	→	patiemment
évident	→	évidemment

4. Adjectives that end in -ant

To form the adverb, change the **-ant** into **-amment**.

constant	→	constamment
courant	→	couramment

5. Some irregular adverbs

There are some irregular adverbs.

bon	Il joue **bien** du piano.
gentil	Elle répond 'oui' **gentiment** au professeur.
lent	Parlez plus **lentement**, s'il vous plaît !
mauvais	Elle entend **mal** le CD.
vite	Le train roule **vite**.
petit	Il marche **peu** en hiver.

Exercice 1

Remplissez les blancs avec les adverbes au-dessous :

1. Tu peux jouer de la batterie plus _____ car j'ai mal à la tête.
2. Je loue un DVD _____ le week-end.
3. Je lis _____ les romans de Tolkien, c'est tout.
4. Ma sœur adore chanter, elle chante _____ du matin au soir.
5. Sylvie joue très _____ au hockey, elle est super.
6. Le matin, je suis toujours pressé. Je regarde _____ la télévision.
7. J'adore la peinture mais _____ je ne sais pas dessiner !
8. La mère de mon correspondant est gentille. Elle parle français _____ pour moi.

seulement	lentement	régulièrement	bien
doucement	rarement	constamment	malheureusement

Coin prononciation : Whereas the final **–ent** ending on verbs is never heard, **-ment** is pronounced as « mong » :
-absolu**ment**, constam**ment**, couram**ment**, douce**ment**, finale**ment**, heureuse**ment**, rapide**ment**, rare**ment**.

Civilisation

Le cinéma en France

There has always been a very strong interest in cinema in France and ordinary French people know a great deal about films and film-making. The Lumière brothers from France were the first people to show moving pictures in the early twentieth century. The film industry is very important to France and, of course, it is no surprise that one of the biggest film events of the year takes place in France — the Cannes film festival. There is also an annual *Fête du Cinéma* held throughout France each year. Most towns and cities organise a series of films at special prices to encourage people to attend.

As is common nowadays, there are chains of cinema complexes around France, the most well-known being Gaumont, Cinéville and UGC.

Try finding out more about French cinema on the Internet.
www.ciep.fr/tester/testcine/cinema.htm

GRAMMAIRE

Lisons maintenant !

Here are some of the films which are being shown in Rennes during the *Fête du Cinéma*. Read the synopses of the films and fill in the table below.

OCEAN'S 13

de Steven Soderbergh, avec George Clooney, Brad Pitt, Matt Damon, Al Pacino.

Danny Ocean rameute sa troupe pour un troisième braquage, après que le propriétaire de casino Willy Bank ait trahi un membre de l'équipe. La bande de Danny Ocean's de retour sur les écrans pour un troisième et ultime braquage face à Al Pacino.

PERSÉPOLIS

de Marjane Satrapi, Vincent Paronnaud avec Chiara Mastroianni, Catherine Deneuve.

Téhéran 1978 : Marjane, huit ans, songe à l'avenir et se rêve en prophète sauvant le monde. Choyée par des parents modernes et cultivés, elle suit avec exaltation les évènements qui vont mener à la révolution et provoquer la chute du régime du Chah.

HEROS

de Bruno Merle, avec Michaël Youn, Patrick Chesnais, Elodie Bouchez.

Il est chauffeur de salle pour la télé. Il est drôle mais il aurait préféré être beau. Ou alors comédien. Ou bien chanteur. Question de crédibilité… Pierre Forêt n'en peut plus. Ça fait six nuits qu'il ne dort plus.

LE LABYRINTHE DE PAN

De Guillermo Del Toro avec Ivana Baquero, Sergi Lopez.

Espagne, 1944. Carmen s'installe avec sa fille, Ofélia, chez son nouvel époux, le très autoritaire Vidal, capitaine de l'armée franquiste. Alors que la jeune fille se fait difficilement à sa nouvelle vie, elle découvre un mystérieux labyrinthe. Pan, le gardien des lieux, une étrange créature magique et démoniaque, va lui révéler qu'elle n'est autre que la princesse disparue d'un royaume enchanté.

LA COLLINE A DES YEUX

de Martin Weisz, avec Daniella Alonso, Michael McMillian.

Une unité de jeunes soldats de la garde Nationale fait halte dans un avant-poste du Nouveau-Mexique afin de livrer du matériel à des scientifiques. Le camp est désert. Les soldats partent à la recherche des savants disparus…

LES CHANSONS D'AMOUR

de Christophe Honoré avec Louis Garrel, Ludivine Sagnier.

Toutes les chansons d'amour racontent la même histoire : « il y a trop de gens qui t'aiment » … « Je ne pourrais jamais vivre sans toi » … « Sorry Angel ». Les chansons d'amour raconte aussi cette histoire-là. Le film était en compétition officielle pour le 60ème Festival International du film de Cannes.

	Name of Film
1. A young girl who lives through a revolution.	
2. This film was nominated for the Cannes Festival.	
3. A group of soldiers look for missing scientists.	
4. A casino owner betrays one of the team.	
5. A young girl who finds it hard to adapt to her new life.	

Quel genre de film est-ce que tu aimes ?

les films policiers

les films d'aventure

les films de science-fiction

les films d'amour

les films d'horreur / d'épouvante

les films comiques

les films d'animation / les dessins animés

les films à suspense

9.4 Écoutons maintenant !

Listen to the conversations and fill in the table below.

	Type of film	Time of film
1.		
2.		
3.		
4.		
5.		
6.		

Les vedettes du cinéma

Lisons maintenant !

Many French film stars (***les vedettes***) — are well known internationally, Daniel Auteuil, Audrey Tautou, Samy Naceri, Sophie Marceau, Virginie Ledoyen, Juliette Binoche, and Jean Réno, to name a few.

Read the following extract about Jean-Baptiste, star of the French film hit **Les Choristes** and answer the questions which follow:

1 Jean-Baptiste Maunier est né à Brignoles dans le Var, le 22 décembre 1990. Il vit à Lyon avec sa famille. Il pense que les Parisiens ne sont pas polis. « Quand ils te bousculent, ils ne te demandent pas pardon », dit-il. Alors, il ne veut pas vivre dans la capitale. Ses loisirs sont le tennis, le foot et le skateboard. Il a récemment commencé à jouer de la batterie. Pendant les tournages, il a un précepteur et il pense que son éducation est plus importante que sa vie comme acteur.

2 Pour son premier film, il était heureux que Christophe Barratier l'ait choisi pour jouer le rôle de Pierre Morhange dans *Les Choristes*. Ce film lui a permis de voyager et d'aller à de nombreux festivals de cinéma. Le film a été nominé pour l'Oscar du meilleur film étranger.

3 Dans son dernier film *Hellphone*, il joue le rôle de Sid, un ado qui est en classe de terminale au lycée Henri IV à Paris. La vie de Sid bascule le jour où il s'achète un nouveau téléphone portable. Il semble bien que Jean-Baptiste va poursuivre sa carrière au cinéma.

1. Where does Jean Baptiste live? (Part 1)
2. Why doesn't he want to live in Paris? (Part 1)
3. What instrument has he started to play recently? (Part 1)
4. How does he do his school work when he is filming? (Part 1)
5. What did the film *Les Choristes* allow Jean-Baptiste to do? (Part 2)
6. In what category did the film get an Oscar nomination? (Part 2)
7. Give **one** detail about his role in the film *Hellphone*. (Part 3)
8. What event changes Sid's life? (Part 3)

GRAMMAIRE

9.5 Écoutons maintenant !

Listen to this short biography of Audrey Tautou, star of *The Da Vinci Code* and answer the following questions.

1. When is her birthday?
2. Where does she come in her family?
3. What animals does Audrey Tautou love?
4. What did she do after she left school?
5. Where did she study?
6. What does she say about Los Angeles?

Écrivons maintenant !

Your French friend, François(e), is staying with you in Ireland. He/She has gone out to English classes. You leave a note saying:

- You are going to the cinema this evening with your friends.
- Ask François(e) if he/she would like to come along.
- You are meeting at the café at 7.00 p.m.

Coin grammaire

Quel / Quelle / Quels / Quelles

This adjective means « which? » or « what? ». Because it is an adjective it has four forms in French. As always, you must look at the noun being described in order to pick the correct form.

quel for a masculine singular noun — Quel film ?

quelle for a feminine singular noun — Quelle séance ?

quels for masculine plural nouns — Quels billets ?

quelles for feminine plural nouns — Quelles places ?

Exercice 1

Remplissez les blancs avec quel, quelle, quels ou quelles.

1. Nous sommes _____ date aujourd'hui ?

2. Il y a un match de rugby _____ jour ?

3. Nous avons _____ devoirs pour ce soir ?

4. Tu voudrais voir _____ film ?

5. _____ émissions de télévision aimes-tu regarder ?

6. _____ temps fait-il aujourd'hui ?

7. Le film commence à _____ heure ?

8. Vous préférez _____ sports ?

Quel / Quelle is often used in some expressions when it means « What a …. ». Can you complete the following and translate them into English.

1. _____ surprise !	4. _____ dommage !
2. _____ désastre !	5. _____ perte de temps !
3. _____ idée !	6. _____ horreur !

Coin grammaire

Les pronoms objets directs

Pronouns are used to replace a noun — the name of somebody or something. They will usually replace somebody or something that has been spoken of already. Look at these mini-conversations and notice the pronouns:

Est-ce que Manon lit le roman ?	Oui, Manon **le** lit.
Est-ce que Paul déteste Céline Dion ?	Oui, Paul **la** déteste.
Est-ce que Papa regarde les Simpson ?	Oui, Papa **les** regarde.
Est-ce que Maman cherche les magazines ?	Oui, Maman **les** cherche.

'**le**' replaced 'le roman', '**la**' replaced 'Céline Dion' and '**les**' replaced 'les Simpson' and 'les magazines'. Look at where they are placed in the new sentence : **right in front of the verb**. These types of pronouns are called **Direct Object Pronouns**.

> **le** replaces a masculine singular noun.
>
> **la** replaces a feminine singular noun.
>
> **les** replaces any plural noun, feminine or masculine.

GRAMMAIRE

Exercice 1

Remplissez les blancs avec le pronom objet direct qui convient.

> 1. Est-ce que Jean regarde le film ? Oui, Jean _____ regarde.
>
> 2. Est-ce que Laure trouve les DVD ? Oui, Laure _____ trouve.
>
> 3. Est-ce que Marc cherche le CD-Rom ? Oui, Marc _____ cherche.
>
> 4. Est-ce que Grand-mère déteste la musique rock ? Oui, elle _____ déteste.
>
> 5. Est-ce que Delphine collectionne les posters ? Oui, elle _____ collectionne.

Attention !

Le and **la** become **l'** if the verb starts with a vowel.

Marie, tu écris la lettre aujourd'hui ?	Oui, je **l'**écris
Pierre, tu écoutes la musique ?	Oui, je **l'**écoute.
Céline, tu aimes Astérix ?	Oui, je **l'**aime.
But **les** is never shortened.	
Tu aimes les films comiques ?	Oui, je **les** aime.

Remember that an object pronoun always comes nearest the verb. So, if there is a **ne** in the sentence, it has to move one step back to let the pronoun fit in!

Ciarán **ne**	le regarde pas	Derek **ne**	la mange pas
Emma **ne**	les regarde pas	Chris **ne**	l' achète pas

Some other Direct Object Pronouns

me → il **me** voit.	nous → Le professeur **nous** gronde.
te → je **te** regarde.	vous → Jean **vous** aide.

Parlons maintenant !

Make these sentences negative and read them aloud, putting the **ne** … **pas** in the correct place.

1. Christiane le lit.
2. Jeanne les cherche.
3. Laurent la regarde.
4. Le professeur vous gronde.
5. Charles nous voit.
6. Suzanne t'écoute.

GRAMMAIRE

9.6 Écoutons maintenant !

Remplissez les blancs.

Do this exercise and then listen to the CD to see if you are correct.

1. Le professeur cherche le livre et Jean _____ trouve.
2. Le boulanger fait des baguettes et tout le monde _____ achète.
3. Maman prépare une mousse au chocolat et les enfants _____ mangent.
4. Grand-père achète le journal et il _____ lit.
5. André et Jean admirent les mini-voitures et ils _____ achètent.
6. Je me passionne pour la Coupe du Monde et je ____ regarde.
7. Tu regardes la télévision et puis tu ____ éteins.
8. J'ai reçu une montre pour mon anniversaire et je _____ porte toujours.

Civilisation

La télévision

Just as in Ireland, watching television is a favourite leisure-time activity in France. In fact it is the most popular pastime of all. There are numerous television channels (*chaînes*), both public and private and using the remote control, « *la télécommande* », one can « *zapper* », among the many channels. Many local areas have their own channel and of course, satellite television brings an even wider range to French homes. **NRJ** is a popular music channel. There are many magazines such as « *Télé magazine* », « *Télé 2 semaines* », « *Télé Star* », where you can read about your favourite TV programmes (*émissions*) and the celebrities (*vedettes*).

The principal channels, which can be seen throughout France, are:

TF 1, France 2, France 3, Canal +, France 5, Arte (a French-German channel), M6 and NRJ12.

Surfez : http://www.tv5.org

Faites des paires !

Many programmes that we watch in Ireland can also be seen on French TV. Can you match these French programmes to the English titles?

Qui veut gagner des millions ?	The X Files
Urgences	Celebrity Farm
Des chiffres et des lettres	Lost
Les experts – Miami	Big Brother
Le Maillon Faible	Who wants to be a Millionaire?
Disparus	The Weakest Link
Aux frontières du réel	CSI Miami
La ferme de célébrité	Countdown
Loft Story	ER

Lisons maintenant !

Read the following article about the television channel M6 and answer the questions on page 287.

M6 fête avec 20 bougies

Part 1

La chaîne de télé M6 a fêté, hier, ses 20 ans. Longtemps regardée comme « petite », c'est aujourd'hui l'une des trois plus importantes chaînes françaises.

« La petite chaîne qui monte ». Le slogan de M6 était un rêve prémonitoire. Jamais ses fondateurs n'auraient imaginé la voir monter si haut : en 2006, la chaîne a terminé 3e pour les premières parties de soirée (20h30-21h30) avec une moyenne de 3,5 millions de téléspectateurs juste derrière TF1 et France 3. En une année, elle avait 600 000 nouveaux téléspectateurs.

Part 2

Quels sont les secrets de ce succès ? Des infos courtes avec un maximum d'images, beaucoup de musique et de clips, des séries efficaces et, surtout, de la *télé réalité avec le succès inattendu, de Loft Story. L'ensemble de ces ingrédients a permis de gagner un public de jeunes adultes aussi fanas de différence que la chaîne elle-même. Aujourd'hui, M6 a 20 ans. Elle n'est plus « la chaîne de trop » comme on la surnommait à ses débuts. Elle est en pleine force de l'âge et compte bien surpasser ses aînées.

*Télé réalité : émission de télé dont le principe est de raconter la vie quotidienne de gens ordinaires ou de vedettes.

1. What did the television station M6 celebrate yesterday? (Part 1)

2. What is mentioned about the station in 2006? (Part 1)

3. What does the number 600,000 refer to? (Part 1)

4. What type of news is shown on this channel? (Part 2)

5. What is the channel hoping to do? (Part 2)

6. Can you explain the meaning of the term « *Télé réalité* »? (Footnote)

Qu'est-ce qu'on regarde ? Quelle est ton émission préférée ?

Je regarde …

les informations
(les infos)

un jeu

une émission de sport

un film

la météo

un dessin animé

un feuilleton /
une série

une émission
musicale

un documentaire /
un reportage

Exercice 1

Nounours va regarder la télé, mais quel genre d'émission est-ce qu'il regarde ?

1. Nounours veut savoir s'il fait beau ce soir. Il regarde la _____.

2. Nounours regarde une émission sur les rhinocéros. Il regarde un _____.

3. Nounours adore la Star Academy. C'est une _____.

4. Nounours aime regarder les Simpson. C'est un _____ _____.

5. Nounours regarde la demi-finale de la Coupe du Monde. C'est une émission _____ _____.

6. Nounours va regarder « Qui veut gagner des Millions ? » C'est un _____.

Lisons maintenant !

Read the programmes for France 3 and answer the questions which follow.

1. What type of programme is shown at 6.55?

2. In what country does the series shown at 10.25 take place?

3. At what time is there a cookery programme?

4. Where is the programme at 15.00 being televised from?

5. Which programme is about a remote village on a tropical island?

6. What type of programme is on at 18.05?

7. At 20.10 there is a sports programme. What do you think « en direct » means?

8. When would you get the weather forecast?

Réponses :

1. _____

2. _____

3. _____

4. _____

5. _____

6. _____

7. _____

8. _____

FRANCE 3

8 3

6.00 Euronews Actualités internationales. 6162428

6.55 France Truc Dessins animés.
Looney tunes • Martin Matin • Le Marsupilami • Titi et Grosminet mènent l'enquête • Yakari • Krypto • Où es-tu, Scoubidou ? • Titeuf. 48260645

9.55 Plus belle la vie Déjà diffusé. Série. 5063732

10.25 Dallas
★ Déjà diffusé. Série américaine. «Le testament de Bobby». L'ouverture du testament de Bobby provoque quelques remous à Dallas. J. R. doit exécuter les dernières volontés de son frère. 3109428

11.15 Bon appétit, bien sûr
«Gaspacho d'anchois fumés et roquette». 6824954

11.40 12-13 Présenté par Laurence Bobillier. 8703765

12.55 Drôle de couple Jeu. Par A. Bouzigues. 3440935

13.45 Keno 5898461

13.50 Pour le plaisir Divertissement.
Présenté par Christophe Begert. Invité : Sim. 4626770

14.50 Le magazine du Sénat 2459409

15.00 Questions au gouvernement
En direct de l'Assemblée nationale. 6959409

16.05 Outremers Magazine.
«Moov». En Martinique, les préparatifs du carnaval par le groupe Moov, constitué de trente femmes. 7357157

16.35 France Truc Dessins animés.
Les zinzins de l'espace • La famille pirate. 4019374

17.30 C'est pas sorcier Déjà diffusé. Magazine.
«Un petit coin de France sous les tropiques». A la découverte d'un village isolé de La Réunion. 3770

18.00 Un livre, un jour Magazine. 47935

18.05 Questions pour un champion Jeu. 49515

18.35 19-20 Présenté par Audrey Pulvar. 3843312

20.10 Tout le sport Magazine. En direct. 8342138

20.20 Plus belle la vie Inédit. Série française.
Juliette pense que Gali lui ment. 178645

20.50 29E FESTIVAL...

Les éléphants de Wendell Huber (Suisse)

... INTERNATIONAL DU CIRQUE DE MONTE-CARLO. Spectacle présenté par **Pierre Richard.** Présidé pour la dernière fois par le prince Rainier III de Monaco, ce festival réunissait, début 2005, les plus grands artistes du monde, récompensés par des clowns d'or, d'argent ou de bronze. Parmi ces talents, Martyne Chabri (Belgique), les jockeys Ignatov et leurs chevaux (Bulgarie), les perchistes Khailafov (Russie), Susan Lacey et ses tigres (Etats-Unis), les éléphants de Wendell Huber (Suisse), la troupe de Guang Zhou (Chine), Carlos Savadra et ses chevaux (France), ainsi que les trapézistes de Multi Flying (Corée du Nord). 241799

22.35 Keno 2149312

22.40 Météo, Soir 3 Présenté par Marie Drucker. 2991206

23.15 France Europe express
Magazine. En direct. L'équipe de Christine Ockrent réunit des personnalités publiques autour d'un thème lié à l'actualité politique européenne. 3463935

9.7 Écoutons maintenant !

Remplissez la grille !

What type of programmes do these people watch and on what day of the week?

Name	Léa	Luc	Océane	Christophe	Sophie	Khalid
Type of programme						
Day of the week						

9.8 Écoutons maintenant !

Listen to the CD and answer the questions below. Yann and Sylvie meet after school.

Section 1

1 What homework has Madame Ménard given Sylvie for tonight? (**One** point)

2 How many words does Yann have to learn for his German test?

Section 2

3 Where does the series that Sylvie loves take place?

4 What job does Sylvie say she would like in the future?

Section 3

5 Why does Yann think that Sylvie might have a problem with this job?

6 What country was dealt with in the documentary Yann watched last night?

Section 4

7 Who is Nantes playing?

8 At what time is the football match on TV tonight?

Section 5

9 What present would Sylvie like for her birthday?

10 Why are Sylvie's parents cross with her at the moment?

Parlons maintenant !

Faites un petit sondage dans la classe !

Question 1

Combien d'heures regardes-tu la télévision par jour pendant la semaine ?

❏ Moins d'une heure ❏ 1–2 heures ❏ 2–3 heures ❏ plus de 3 heures

Question 2

Combien d'heures regardes-tu la télévision par jour le week-end ?

❏ Moins d'une heure ❏ 1–2 heures ❏ 2–3 heures ❏ plus de 3 heures

Question 3

Où est-ce que tu regardes la télévision ? Je la regarde…

❏ dans la cuisine ❏ dans le séjour ❏ dans ma chambre

Question 4

Est-ce que tu regardes les infos ? Oui, je les regarde…

❏ tous les jours ❏ de temps en temps ❏ rarement ❏ jamais

Question 5

Parmi les émissions suivantes, lesquelles regardes-tu ? (Vous pouvez cocher plus d'une case.)

❏ les dessins animés ❏ les films ❏ les feuilletons ❏ les émissions sportives ❏ les émissions de musique

Question 6

Est-ce que tes parents surveillent ce que tu regardes à la télévision ?

❏ toujours ❏ de temps en temps ❏ jamais

Question 7

Quelle est ton émission préférée en ce moment ?

(Faite une liste des émissions citées par les élèves de votre classe.)

Écrivons maintenant !

Faites un bilan du sondage que vous venez de faire.

Exemple : Pendant la semaine, je regarde la télévision entre 1 et 2 heures.

Civilisation

Radio in France

There are hundreds of radio stations in France, ranging from local music stations to big national stations. The most popular French radio station is RTL. France Info is a 24-hour radio news station. French people who live abroad can listen to RFI, which has 30 million listeners around the world. A popular music station is NRJ.

Surfez ! http://www.rfi.fr

La lecture en France

La presse française

It is estimated that 30 per cent of French people read a newspaper every day. There are ten daily newspapers and 65 regional papers – dailies (*quotidiens*) and weeklies (*hebdomadaires*). The most popular daily newspapers are *Le Parisien, Aujourd'hui, Le Figaro, Le Monde, France-Soir* and *Libération. L'Équipe* is the daily sports paper. *Ouest-France* is the most widely read regional newspaper. Its main office is in Rennes. A daily newspaper for young readers called *Mon Quotidien* is published each day. « *20 Minutes* » is the most widely read free newspaper, closely followed by *Métro*.

Les magazines / les revues

France ranks first in the world for magazine readership. The main current affairs magazines are *Paris-Match, Le Nouvel Observateur* and *L'Express*.

Young people buy lots of *magazines* or *revues* which deal with music, fashion, celebrity stars and sport. Usually these are sold weekly, so they are called *les hebdomadaires* (*les hebdos*). Some popular magazines are *Phosphore*, *Les Clés de l'Actualité, Star Club, Géo Ado, Wapiti, Muze, Girls, Okapi* and *Gala.*

Each of these magazines has its own website, where you can view more about them. For those interested in football, *Onze* is widely available.

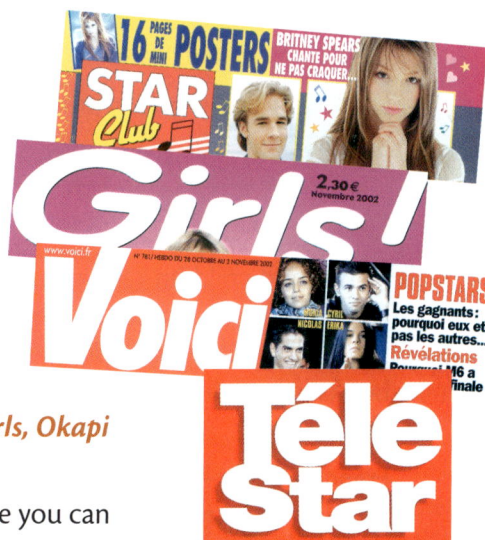

Lisons maintenant !

Vivez à fond le présent, préparez votre avenir !

PHOSPHORE

ENQUÊTE EXCLUSIVE
Soutien scolaire
Le prix de la réussite

ANGLAIS
Testez votre niveau avec le Toeic*

TOMER SISLEY
LE SURDOUÉ
DE LA GÉNÉRATION STAND-UP

FAC, ÉCOLES, IEP, BTS, IUT...
Spécial orientation
RÉUSSIR L'APRÈS-BAC

+ un livret fiches Culture G

2. Chaque mois :
• Des dossiers, des documents, des reportages **pour décoder en profondeur l'actualité.**

• Des conseils pratiques pour **optimiser ses méthodes de travail,** préparer au Bac et réussir ses études ; des solutions pour **bien choisir sa filière et son orientation.**

• Des fiches de culture générale, des clés et des repères **pour comprendre le monde.**

3. • **Les rendez-vous de la génération :** nouvelles tendances, actualité culturelle : des sélections cinéma, musique, livres, BD, multimédia.

• **La parole donnée aux jeunes** à travers des témoignages, des portraits et des dossiers psycho.

1. Expert du monde lycéen et étudiant depuis 25 ans, Phosphore, avec son magazine, ses hors-série et son nouveau site web, accompagne les jeunes dans la réussite de leurs études et les prépare au monde de demain.

1. According to the heading, what does Phosphore prepare you for?
2. For how long has this magazine been published? (Part 1)
3. Name **one** practical piece of advice you can get. (Part 2)
4. Name **one** way young people can have their say. (Part 3)

Les livres

Adults and children read comic books (*les bandes dessinées* or *BD*). You will see shops in France that sell comics and nothing else! *Tintin* and *Astérix* are widely read and are very popular for all age groups. As you read in Unit 7, an international festival devoted to comic books is held annually in Angoulême. Many French novels are published in this comic-strip form.

French writers — *les écrivains* — such as Jules Verne, Guy de Maupassant, Alexandre Dumas, Victor Hugo and Colette have had their works translated into many different languages. French novels have been made into well-known films — *The Three Musketeers, The Man in the Iron Mask, My father, the hero* — *Les trois mousquetaires*, *L'homme au masque de fer*, *Mon père*, *ce héros*.

Surfez !

To read reviews of books and interviews with authors, you can look at the website:

http://www.lire.fr

A cyber-magazine for learning French: http://www.bonjourdefrance.com

Newspapers, magazines, television, radio and news agencies of the world:

www.kidon.com/media-link/index.shtml

Okapi: http://www.bayardweb.com

Phosphore: http://www.phosphore.com

Les genres de romans

Can you match the type of book with the correct book cover?

(a) un roman d'amour

(b) un roman policier

(c) un roman d'aventure

(d) un roman historique

(e) une biographie

(f) une autobiographie

(g) un roman de science-fiction

1	2	3	4	5	6	7
d						

Parlons maintenant !

Talk to your partner about what you read. Here are some questions to help you:

Tu lis souvent ? Tu as un auteur favori ?

Tu aimes lire des romans ? Tu achètes des magazines ? Lesquels ?

Quel genre de roman est-ce que tu préfères ?

9.9 Écoutons maintenant !

Listen to the CD and fill in the table.

Name of reader	Prefers to read
Danielle	
David	
Brigitte	
Mathieu	
Solène	

Le sport

Sport naturally plays a large role in the life of many French teenagers. Nearly every town in France has an « *Animateur* » or « *Animatrice de Sport* », that is someone who is responsible for organising all the sports activities in the area.

You will remember from Bon Travail 1, Unité 10 that there are two verbs used when talking about sport:

jouer à (au / à la / à l' / aux) sports collectifs et jeux de société.

Je joue au badminton.

Mon oncle joue à la pétanque.

Mes amis jouent aux échecs.

faire de (du / de la / de l' / des) for individual sports / sports individuels.

Je fais du skate.

Elle fait de la natation.

Nous faisons de l'escrime.

Exercice 1

Decide which verb is most appropriate, « **jouer à** » or « **faire de** » and complete the following sentences. Don't forget the correct form of *à* or *de* !

1. Ma sœur _____ _____ foot gaélique.
2. Nous _____ _____ équitation.
3. Ils _____ _____ athlétisme.
4. Tout le monde _____ _____ basket dans ma classe.
5. Maman _____ _____ cartes avec ses amis.
6. Luc et son ami _____ _____ escrime.
7. Je_____ _____ tennis en été.
8. Ma famille _____ _____ ski en hiver.

Quiz des sports

Solve the sporting anagrams below with the help of the clues given.

On joue ce sport au Stade Roland Garros	n e t s i n	
Un jeu qui ressemble aux boules	t a q u p é n e	
Laure Manaudou est une vedette de ce sport	o n n a t i a t	
Le sport de la Coupe Heineken	g u b r y	
On gagne des ceintures colorées en ce sport	d o j u	
Un autre nom pour le tennis de table	n i p g – o g n p	
Un sport nautique – on a besoin d'un bateau	l i v o e	
On peut pratiquer ce sport sur glace	n a g e p i t a	

Lisons maintenant !

Read this article about « Le Roller », a popular sport in France, and answer the questions which follow.

FRANCE 3 - MERCREDI 17 H - *C'EST PAS SORCIER*

« Pour commencer le roller, il faut apprendre à tomber »

L'émission est consacrée au roller et au skate. De plus en plus d'enfants pratiquent ces sports dans des clubs.

Part 1

Thierry Cadet travaille à la Fédération française de roller-skating.

Depuis longtemps - « Le roller est apparu en France dans les années 1990. Ce fut un véritable boom. Mais la fédération existe depuis 1910. Différentes disciplines se pratiquent depuis longtemps avec des patins à roulettes. »

Autour du roller - « Il existe aujourd'hui 7 disciplines autour des patins et du roller : la course, la danse-patinage, le rink-hockey, le roller acrobatique, l'in-line hockey, la randonnée et le skateboard. »

Part 2

Clubs - « Dans toute la France, les enfants peuvent s'inscrire dans les clubs de roller dès l'âge de 5 ans. Pour commencer, les débutants apprennent d'abord à bien patiner. Lors des premiers cours,

Le Comité International Olympique (CIO) reconnaît 85 fédérations de roller-skating dans le monde, dont la fédération française.

les moniteurs montrent comment tomber sans se faire mal. Très vite, il est possible de choisir une discipline et de participer à des compétitions. »

Part 3

Protections - « La pratique n'est pas dangereuse. Comme pour tout sport, il faut respecter les règles de sécurité et porter des

protections : casque, protège-poignets, genouillère… »

Terrains - « Les skateparks sont des terrains reproduisant les obstacles de la ville. On peut apprendre à y réaliser des figures avec des tremplins, sauter des rampes… Il n'y a plus qu'à se lancer. »

Entretien réalisé par R. Botte

1. In the headline, according to Thierry Cadet, what is the first thing you need to learn?

2. What happened in France in the 1990s? (Part 1)

3. Name **two** of the different types of skating mentioned. (Part 1)

4. At what age can you join a club? (Part 2)

5. What is always taught during the first lesson? (Part 2)

6. Besides wearing the correct equipment, what else should you do? (Part 3)

7. Name **one** piece of protective clothing. (Part 3)

8. What can you do in a skate park? (Part 3)

Écrivons maintenant !

Lettre symbole. Replace each picture with the correct French word. Re-write this letter in your copy.

Nîmes, le 2 mai

Cher Cian,

Merci pour ta longue lettre et pour Smash Hits ! Quelle surprise ! C'est génial de voir un [image] en anglais avec des vedettes de musique. Tu m'as demandé de parler un peu des loisirs de ma famille.

Quand j'ai du temps libre, j'adore jouer du [image]. Comme tu le sais, je suis fana de [image]. Je ne suis pas vraiment sportif, mais j'aime faire de la [image] et du [image] en été.

Chez moi, tout le monde aime [image]. J'aime surtout les romans policiers. Mon frère Fréderik adore les BD, et il a une grande collection. Ma soeur Noémie est étudiante en musique, elle joue du [image]. Elle aime aussi aller au [image]. Mon petit frère Luc adore le sport, il joue au football et il se passionne pour le [image]. Naturellement, il supporte les Bleus.

Ma mère fait de la [image], mais elle n'est pas très douée ! Mon père aime beaucoup pêcher et heureusement il attrape souvent des poissons ! Il s'intéresse aussi à la [image]. Il a reçu un nouvel appareil numérique pour son [image].

Tout le monde est mordu de [image]. Chacun a son émission favorite. Moi, j'adore la télé-réalité comme Star Academy. Mon père préfère les infos et les émissions politiques. Noémie regarde souvent les films et Luc se passionne pour les émissions de [image]. Maman adore les séries, comme Urgences et Experts Miami.

Et toi, quels sont tes passe-temps ? Qu'est-ce que ta famille aime faire pendant son temps libre ?

Écris-moi vite,

Amitiés,

Antoine

GRAMMAIRE

Lisons maintenant !

This is another extract from « le Journal de Delphine ». As you may remember the one bright spot in her life is Frédéric. In this little extract she tells about her visit to the cinema with him.

Samedi 28 décembre

Frédéric est en troisième, au même collège que moi. Il a seize ans. Il a des yeux très clairs, couleur d'eau, couleur de nuages clairs, couleur du temps. Il a une coupe de cheveux que j'aime. Courts derrière et assez longs sur le dessus. Les cheveux très blonds. Plus grand que moi, juste un petit peu. Il ressemble un peu à Christophe Lambert. C'est dans les yeux !

Il m'a invitée à aller au cinéma. "Atlantis" passe au Royal à Lorient. On y va samedi prochain. Julien va vouloir venir. Pas question. Il peut aider Maman à faire des crêpes. Le samedi soir, c'est toujours les crêpes chez nous.

Si j'invitais Frédéric ? ...

Samedi 4 janvier

Atlantis c'est moyen. Pas de paroles. Ça se passe sous la mer. Ce n'est pas mon rêve. Ça me fait peur ... Frédéric m'a pris la main et j'avais la main toute mouillée de frousse. Après, il a passé sa main dans ses cheveux et hop son bras s'est retrouvé autour de mes épaules... Comme ça, l'air de rien...J'ai rougi mais dans le noir ça ne se voit pas ! Ouf !

© Monique Alcott, *Le Journal de Delphine*

True/False

		vrai	faux
1.	Frédéric is at the same school as Delphine.		
2.	He has lovely eyes and fair hair.		
3.	Delphine's brother Julien goes to the cinema with them.		
4.	Her mother always makes pancakes for tea on Sundays.		
5.	The film Atlantis takes place under the sea.		
6.	When Delphine blushed, everyone saw her.		

Communication en classe !

- *Parlez plus lentement, s'il vous plaît, Madame / Monsieur.*
- *J'ai seulement mon manuel scolaire, Madame. J'ai oublié mon cahier.*
- *Heureusement nous avons de bonnes notes aujourd'hui.*
- *À quelle page sommes-nous ?*
- *Quelle heure est-il ?*
- *Il pleut – pas de sport ! Quel dommage !*
- *Quel est ton passe-temps préféré ?*
- *Tu vas souvent au cinéma ?*
- *Quel est ton auteur favori ?*
- *Tu aimes quel genre de musique ?*

Épreuve

Question 1

(a) Make adverbs from the following adjectives.

1. poli	**2.** courageux	**3.** constant	**4.** fier	**5.** chaleureux	**6.** évident

1. _____ 2. _____ 3. _____

4. _____ 5. _____ 6. _____

Now choose **one** of those adverbs to fill the gaps in the following sentences.

1. L'enfant n'arrête pas de hurler. Il crie _____ .

2. L'homme confronte _____ l'animal sauvage.

3. Les familles accueillent _____ leurs visiteurs.

4. Les supporters applaudissent _____ leur équipe.

5. Les élèves parlent _____ aux professeurs.

6. Elle a raté l'autobus. Elle était _____ en retard.

GRAMMAIRE

Question 2

Fill in the missing words in the crossword, using the pictures as clues. They are all to do with pastimes.

PHOSPHORE

Question 3

Niamh is in France and found this note from her correspondant, Luc, who has gone to his English class. He wants Niamh to record a TV programme. The note got wet and some of the words are not clear. Can you fill in the gaps for her?

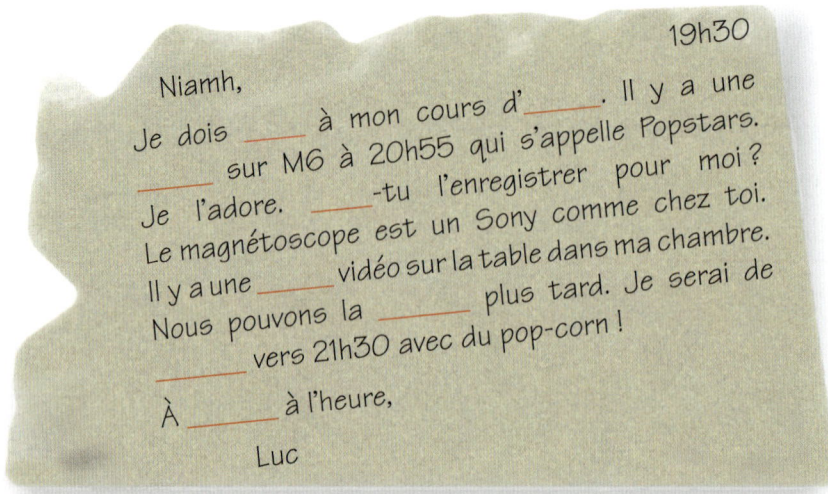

19h30

Niamh,

Je dois _____ à mon cours d'_____. Il y a une _____ sur M6 à 20h55 qui s'appelle Popstars.
Je l'adore. _____-tu l'enregistrer pour moi ?
Le magnétoscope est un Sony comme chez toi.
Il y a une _____ vidéo sur la table dans ma chambre.
Nous pouvons la _____ plus tard. Je serai de _____ vers 21h30 avec du pop-corn !

À _____ à l'heure,

Luc

GRAMMAIRE

Question 4

Read the summaries and fill in the grid below.

20.45 37575530 **MAGAZINE**	**20.50** ★★⑩ 526845917 **FILM**

Jeudi soir boxe
Le magazine du noble art.

Boxe. Présentation : Christian Delcourt et Jean-Claude Bouttier. 1 h 40.
L'émission pourrait revenir sur la réunion de Martigues du 12 juin dernier et présenter celle de Marseille du 29 juin prochain, où s'opposeront de nouveau les Françaises Myriam Lamarre et Anne-Sophie Mathis.

Walk the Line

Drame. EU. 2005. Réal. : James Mangold. 2 h 10. VM. Stéréo. Avec : Joaquin Phoenix, Reese Witherspoon, Robert Patrick, Ginnifer Goodwin.
La vie et le destin de Johnny Cash, ses démêlés avec son père, ses problèmes d'alcool et de drogue et sa passion pour la chanteuse June Carter.

20.45 ★ 2199375 **FILM**

A l'épreuve des balles

Policier. EU. 1996. Réal. : Ernest R. Dickerson. 1 h 25. VM. Avec : Adam Sandler, Damon Wayans, James Caan, Jeep Swenson.
Deux voyous, fatigués d'être des malfrats de petite envergure, tentent un gros coup pour faire fortune. C'est alors que l'un d'eux se dévoile : il est policier.

20.50 ★ 9012443 **FILM**

Je te tiens, tu me tiens par la barbichette

Comédie. Fra. 1978. Réal. : Jean Yanne. 1 h 40. Avec : Jean Yanne, Jacques François, Michel Duchaussoy, Micheline Presle.
L'enquête mouvementée d'un jeune inspecteur confronté à une affaire de kidnapping dont a été victime un présentateur de variétés télévisées.

21.00 ★★ 52106004 **FILM TV**

On ne choisit pas sa famille

Comédie. Fra. 2001. Réal. : François Luciani. 1 h 30. Avec : Dominique Guillo, Vanessa Larré, Jean-Claude Brialy, Sophie Mounicot.
Pierre collectionne les conquêtes. Pourtant, honteux de ses origines modestes, il s'invente des parents fortunés expatriés aux Etats-Unis.

20.15 690527 **SÉRIE**

Mystère

Fantastique. Fra - Blg - Sui. 2007. Réal. : Didier Albert. 55 min. 1/12. Inédit. Avec : Toinette Laquière, Arnaud Binard, Patrick Bauchau, Lio.
Au cours de l'été 1980, un avion disparaît des radars entre Paris et Marseille. Vingt ans plus tard, des formes étranges apparaissent mystérieusement dans un champ.

At what time can this programme be viewed?

	Viewing time
1. A man who pretends to have rich American parents.	
2. The story of a singer and his problems with alcohol and drugs.	
3. 20 years after an airplane disappeared, there are strange happenings.	
4. A policeman working undercover as a gangster.	

Question 5

Choose the correct form of *quel* / *quelle* / *quels* / *quelles* from the word bag.

1. _____ genre de film est-ce qu'elle préfère ?
2. _____ vedette de film a gagné la Palme d'Or ?
3. _____ revues lit ton correspondant ?
4. _____ sports est-ce que tu pratiques à l'école ?
5. Nous regarderons _____ chaîne de télévision ce soir ?
6. De _____ instruments de musique joue ta sœur ?

quels quelle
quelle
quels
quelles quel

Question 6

Listen to the CD. You will hear three conversations. In each case, say what the young person wants.

Conversation 1	Conversation 2	Conversation 3
She wants	He wants	He wants
(a) to write a book	**(a)** to watch a film	**(a)** to book cinema seats
(b) to borrow a book	**(b)** to buy a film	**(b)** to book train seats
(c) to exchange a book	**(c)** to rent a film	**(c)** to book plane tickets
(d) to buy a book	**(d)** to be in a film	**(d)** to book a hotel room

Question 7

Match the answers on the right-hand side to the questions on the left-hand side.

1	Tu regardes la télé ce soir ?	**(a)**	Oui, il le voit.
2	Tu aimes les bandes dessinées ?	**(b)**	Non, je ne la trouve pas.
3	Il voit le film sur France 2 ?	**(c)**	Non, ils ne le regardent pas.
4	Elle cherche le CD-Rom ?	**(d)**	Non, elle la fait vendredi.
5	Tu trouves la revue dans le salon ?	**(e)**	Oui, je les aime.
6	Ils regardent le match cet après-midi ?	**(f)**	Oui, nous les achèterons pour elle.
7	Nous achèterons les disques pour Anne ?	**(g)**	Oui, elle le cherche.
8	Maman fait la cuisine samedi ?	**(h)**	Oui, je la regarde.

1	2	3	4	5	6	7	8

Question 8

Read the descriptions of the readers who are looking for penpals and answer the questions that follow by filling in the reader's name. (You may use the names more than once.)

Correspondre

Passe ton annonce sans oublier de donner tes coordonnées. Tu réponds à quelqu'un ? Indique son prénom sur l'enveloppe ainsi que le numéro de *Géo Ado* dans lequel tu as lu l'annonce. Dans tous les cas, demande l'autorisation à tes parents.

● Salut, j'aimerais correspondre avec des ados (filles ou garçons) de 15 à 16 ans. J'aime la nature, écrire, lire, faire du sport et écouter de la musique.
Faiza, 15 ans (Djibouti)

● Hello tout le monde ! J'aimerais correspondre avec des filles de 10 à 13 ans. J'aime la nature, la musique (chant et piano), l'école, les félins et j'adore les chiens. D'ailleurs, j'en ai un. Je parle un peu l'allemand et l'espagnol. Répondez-moi vite !
Justine, 12 ans (Suisse)

● Bonjour à tous ! J'aimerais correspondre avec des garçons et des filles qui ont entre 11 et 14 ans. J'aime le théâtre, lire, le chant, la musique et le dessin. Mes séries préférées sont *Smallville, Charmed, Un, Dos, Tres* et *Ma famille d'abord*. Répondez-moi vite. Je vous répondrai.
Adil, 12 ans

● Coucou ! J'aimerais correspondre avec des garçons et des filles de tous les pays (en particulier, le Canada), qui ont entre 12 et 16 ans. J'aime les jeux, le cinéma et tout ce qui touche à la nature. J'adore la musique, les livres et le dessin. Mais, surtout, j'aime rire.
Mélodie, 13 ans

Who is the person who…

1.	likes drama?	
2.	loves a good laugh?	
3.	speaks languages other than French?	
4.	likes sport and listening to music?	
5.	likes singing and drawing?	
6.	plays a musical instrument?	

Question 9

Listen to these two people introducing themselves and fill in the information required in the table.

Name	Thierry Leforge
Birthday	
On which floor is his apartment?	
Brother / sister	
Pastimes (2)	
Father's hobby	
Mother's interest	

Name	Odile Leclerc
How many children	
Husband's job	
Two of her pastimes	
Son's pastime	
Instrument played by her daughter	
Husband's interest	

Question 10

Write to your correspondant(e) Laurent/Laurence, including the following in the letter:

- Thank him/her for the book he/she sent for your birthday.
- Tell him/her how school is going at the moment.
- Say that you went to the cinema last weekend to see the latest James Bond film.
- Explain that you love French sport/French fashion and ask could he/she send you some magazines.
- Send regards to his/her family.

Lexique

apprendre	*to learn*	bilan (m.)	*summary*
attraper	*to catch*	bousculer	*to jostle/bump into*
avenir (m.)	*future*	ceinture (f.)	*belt*
auteur (m./f.)	*author*	centre commercial (m.)	*shopping centre*
arts martiaux (m. pl.)	*martial arts*	chorale (f.)	*choir*
basculer	*to turn upside down*	choyé(e) par	*cherished by*
bien	*well*	citer	*to mention*

comédien/-ne	actor/actress	lentement	slowly
se comporter	to behave	lié(e) à	linked to/tied up with
concurrence (f.)	competition	mal	badly
couper	to cut	malheureusement	unfortunately
couramment	fluently	manuel scolaire (m.)	textbook
cours (m.)	class/lesson	maquette (f.)	model (plane/boat)
course (f.)	race	mauvais(e)	bad
défendre	to defend/stand up for	modélisme (m.)	model-making
désastre (m.)	disaster	mordu(e) de	keen on/fond of
dessin animé (m.)	cartoon	mouillé(e)	damp
dommage (m.)	shame/pity	moyenne (f.)	average
doué(e)	talented/gifted	naissance (f.)	birth
émission (f.)	programme	nourriture (f.)	food
en direct	on the spot/live	passe-temps (m.)	pastime
ennui (m.)	boredom	patin à roulette (m.)	roller skate
en tête	at the head of/leading	pâtiner	to skate
escrime (f.)	fencing	pêche (f.)	fishing
étudiant(e)	student	peinture (f.)	painting
éteindre	to switch off	perte du temps (f.)	waste of time
évidemment	obviously	place (f.)	seat
facilement	easily	poliment	politely
se faire plaisir	to enjoy oneself	poterie (f.)	pottery
fana de	fan of/keen on	précepteur/-rice	tutor/governess
faire du théâtre	to do drama	prémonitoire	far-seeing
feuilleton (m.)	serial/soap	pressé(e)	in a hurry
film d'amour (m.)	romantic film	prévenir	to warn
film d'animation (m.)	animated film	protège-poignet (m.)	wrist-guard
film d'horreur/d'épouvante (m.)	horror/scary film	rameuter	to round up
film policier (m.)	detective/police film	rendez-vous (m.)	meeting/date
friand(e) de	fond of	rêve (m.)	dream
frousse (f.)	fright	roman (m.)	novel
genouillère (f.)	knee pad	rougir	to blush
genre (m.)	kind of/type of	sauter	to jump
gentiment	kindly/gently	séance (f.)	show/performance
gratuit(e)	free of charge	série (f.)	series
gronder	to give out	seulement	only
heureusement	fortunately	supplémentaire	extra
horreur (f.)	horror/awful	surprise (f.)	surprise
idée (f.)	idea	surveiller	to supervise
inattendu(e)	unexpected	téléspectateur/rice	TV viewer
inconnu(e)	unknown	tendre	caring/kind
informations (infos) (f. pl.)	news	utilisable	usable
s'inscrire	to join/enrol	vide	empty
insupportable	unbearable	vif /-ve	lively
jeu (m.)	game	vivement	lively
lecture (f.)	reading		

Listening Comprehension
Test 3 – Unités 7-9

Q1 For what celebrations are these people sending greetings?

1.	2.	3.	4.	5.	6.

(6 x 2) **12 points**

Q2 What was each person doing when the phone rang?

1.	2.	3.	4.	5.	6.

(6 x 2) **12 points**

Q3 Name the five presents these people received.

1.	2.	3.	4.	5.	6.

(6 x 2) **12 points**

Q4 Listen to these French teenagers saying what job their father/mother has and write down the jobs mentioned.

1.	2.	3.	4.	5.	6.

(6 x 2) **12 points**

Q5 Name two household tasks mentioned by each speaker.

1.	2.	3.	4.	5.	6.

(6 x 2) **12 points**

Q6 For each of the five speakers, say what their part-time job is.

1.	2.	3.	4.	5.

(5 x 2) **10 points**

Q7 For each of the five announcements, say which class is mentioned and where it will take place.

1.	2.	3.	4.	5.

(5 x 4) **20 points**

Q8 These French teenagers are talking about their pastimes. Fill in two pastimes for each person.

1.	2.	3.	4.	5.

(5 x 2) **10 points**

Total: 100 points

Unité 10

Communiquer, c'est cool !

Civilisation

For many years all French households who had a telephone had **Minitel**. This is a small computer, linked to the phone containing a database of French services, such as banking, shopping, ticket reservations, train and plane timetables. The system was created by France Telecom and distributed free from 1983.

Nowadays, however, the Internet and home computers have taken over from Minitel. More than one in every two French households (55.1%) has a home computer (*un ordinateur*), according to a survey carried out recently and this figure is rising all the time. Fifty-four per cent of those owning a computer are connected (*branchés*) to the Internet, the majority connected to broadband (*haut débit*). France now leads the European table in terms of surfers and emailers! This represents a big increase from 1998 when just 22.5% had a home computer.

L'ordinateur

une disquette

une imprimante

une console

un écran

un scanner

un cédérom
(CD-Rom)

un ordinateur portable

un courriel / un email

un jeu vidéo

les touches (f.)

un clavier

une souris

Lisons maintenant !

Read the advertisements below and answer the questions which follow:

Imprimante couleur laser, préchauffage 49 secondes, capacité de 35 000 pages. Garantie 1 an **249€**

Pack de 30 + 5CDR 80, boîtier extra fin, **19€99**

Clé mémoire PNY 512, existe en 1 Go USB2 : 24 €90, 2 Go USB2 : **44€90**

Sacoche Logitech + Souris optique, noire, fonctionnelle et esthétique, en nylon doublée avec des renforts métalliques, **29€90**

Disque Dur Externe, 3.5, 7 200 tours, USB2, 200 Go, **99€**

Souris optique, sans fil, longévité des piles. Garantie 5 ans, **9€99**

1. Which item has a 5 year guarantee?
2. What is the printing capacity of the printer?
3. What is the French for hard drive?
4. What can you buy for €19.99?
5. What additional item do you get with the carrying bag?

Les accents : taper en français

Vous cherchez les accents sur l'ordinateur ? Les voici : (Alt + numberpad numbers)

Alt + 1 3 5 = ç	Alt + 1 3 3 = à	Alt + 1 3 1 = â
Alt + 1 3 7 = ë	Alt + 1 5 1 = ù	Alt + 1 3 8 = è
Alt + 1 4 7 = ô	Alt + 1 3 6 = ê	Alt + 1 5 0 = û
Alt + 1 3 0 = é	Alt + 1 4 0 = î	Alt + 1 4 8 = ö

10.1 Écoutons maintenant !

Conversation 1

1. Why does Aurélie need to use the computer?
2. Why is her mother not happy?

Conversation 2

1. Why does Élodie need to use the computer?
2. What is Robert doing on the computer?

Conversation 3

1. Why does Cécile need to use the computer?
2. What is her father looking up on the Internet?

Exercice 1

Faites des paires et écrivez-les au-dessous.

Exemple : Lire **les nouveaux messages**.

(a) le Net
(b) un site web
(d) un courriel (email)
(c) un message
(e) de la musique
(f) l'ordinateur
(g) les nouveaux messages

1. lire
2. télécharger
3. visiter
4. allumer
5. surfer sur
6. composer
7. envoyer

1. = g	2. =	3. =	4. =	5. =	6. =	7. =

Exercice 2

Faites les mots croisés suivants.

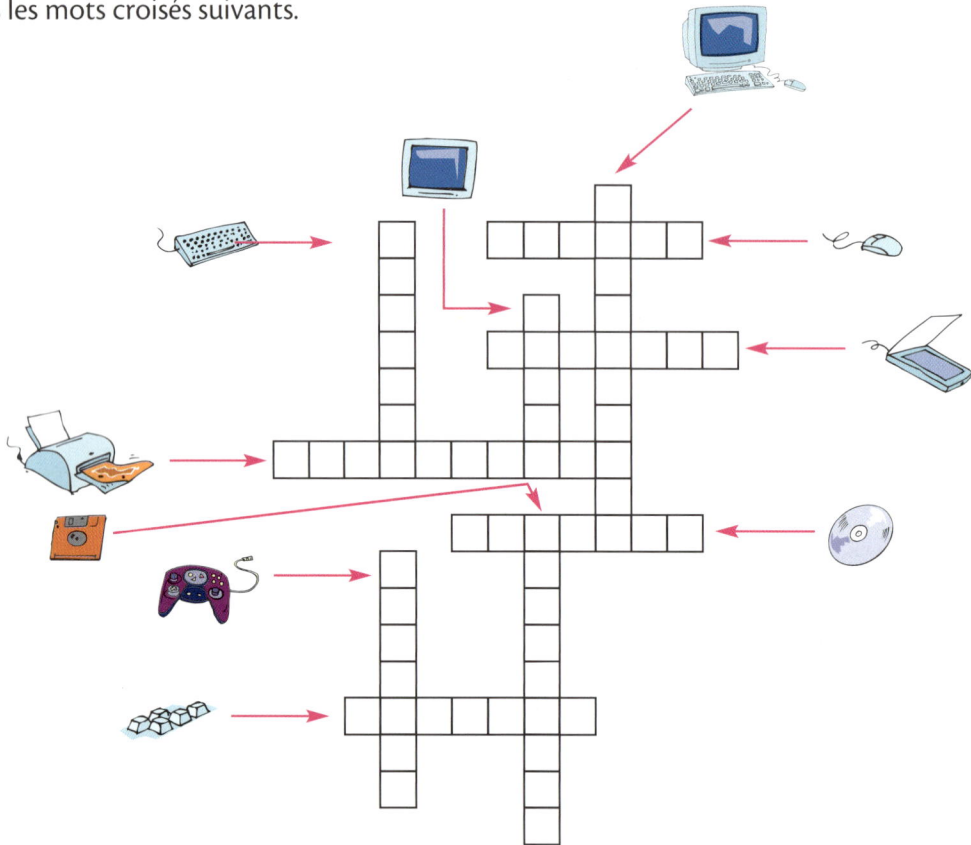

Exercice 3

Méli-mélo !

Triez les e-mails ci-dessous. Write these e-mails in your copy.

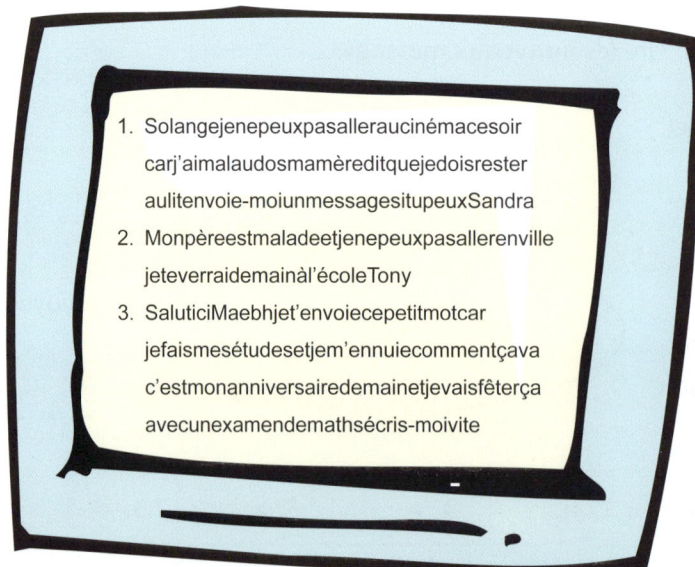

1. Solangejenepeuxpasalleraucinémacesoir
   carj'aimalaudosmamèreditquejedoisrester
   aulitenvoie-moiunmessagesitupeuxSandra
2. Monpèreestmaladeetjenepeuxpasallerenville
   jeteverraidemainàl'écoleTony
3. SaluticiMaebhjet'envoiecepetitmotcar
   jefaismesétudesetjem'ennuiecommentçava
   c'estmonanniversairedemainetjevaisfêterça
   avecunexamendemathsécris-moivite

Envoyer un courriel (un mèl)

Sending an email (*un courriel*) is similar to sending a note (*petit mot*) or fax (*télécopie* / *faxe*).

- Keep your sentences short.
- The usual start is « *Bonjour* » or « *Salut* » if writing to someone you know,

Salut Denise !

Bonjour famille Hubert !

or just their name :

Barbara !

- Always check your tenses and agreements (masculine/feminine, singular/plural)
- For useful phrases, refer back to Unité 2, page 66/67.

Exemple : Here is an e-mail from Phillipe to his correspondent, Ciarán.

email   nouveau courriel   **Envoyer**

À	Ciaran@eircom.net
Cc	
BCC	
De	Philippe@gmail.fr
Objet	Ton arrivée en France

Salut Ciaran !
Il me tarde de te voir. Tu arrives quel jour et à quelle heure ? Il fait soleil ici en ce moment. J'utilise le nouvel ordinateur portable de mon père. C'est très pratique. Enfin, quel est le numéro de ton vol ?

Bon voyage,

Philippe

Écrivons maintenant !

Pretend you are Ciaran and send a reply to Philippe. Include the following:

- You have received his email.
- You will arrive on flight EI320, Tuesday, 20th June, at midday.
- You have bought the book for his father.

Lisons maintenant !

Many people are worried about the amount of information that is available on the Web (*la Toile*). Read this article which gives advice to young people about using the Internet responsibly and answer the questions which follow.

Part 1

Bons conseils pour Internet

En France, la moitié des couples avec des enfants possède une connexion Internet au foyer.

Un dossier à préparer, un devoir à faire ? Facile ! Un petit tour sur le Web et tu trouves tout ce dont tu as besoin. Internet, c'est une vraie mine d'or pour faire le plein d'infos sur tous les sujets.

Part 2

Éviter les mauvaises rencontres

Communiquer avec ses copains, faire des recherches, jouer en ligne ou aller sur les moteurs de recherche : voilà les principales activités des jeunes sur la Toile. Mais reste prudent(e) ! Tu peux faire de mauvaises rencontres sur Internet. Si un inconnu tente de discuter avec toi, te demande des photos ou te pose des questions, avertis immédiatement tes parents. Mais, surtout, ne donne jamais ton nom, ni ton adresse.

Part 3

Tout ce que tu trouves sur la Toile n'est pas toujours vrai. Pour être sûr d'une info, vérifie qu'elle vient d'un organisme sérieux. Tu peux faire confiance aux sites édités par les ministères (dont l'adresse se termine en .gouv.fr), et aux associations reconnues. N'hésite pas à visiter plusieurs pages Web pour vérifier ce que tu as lu.

Part 4

Les moteurs de recherche, comme Google ou Yahoo, référencent des adresses à partir de mots clés. Mais ils ne sont pas sûrs à 100%. Tu peux être dirigé(e) sur une page dont les images ou le texte te choquent. Si cela arrive, n'aie pas honte de prévenir un adulte.

---

1. How many households have an Internet connection? (Part 1)

2. Give **one** reason why you might use the Web. (Part 1)

3. Name **two** of the principal activities for which young people use the Internet. (Part 2)

4. If you are unsure about someone you meet on the Internet, what are you advised to do? (Part 2)

5. Which Internet sites are liable to have correct information on a topic? (Part 3)

6. What does it say about Google or Yahoo? (Part 4)

7. There is some very useful vocabulary in this extract. Can you find the French words for: « on line » (Part 2); « search engines » (Part 2); « key word » (Part 4).

Le blog

What is a blog compared to?

How often do people write a blog?

What details are included?

> Le blog c'est une version multimédia du journal intime. C'est devenu un phénomène de mode. Ils sont des millions à avoir créer leur blog et à raconter, au jour le jour, leur vie et leurs états d'âme.

Lisons maintenant !

Read this article about an unusual event in England in 2006.

1. On what day of the week was the site available?
2. Who do they think the blog will be read by in the future?
3. What were visitors to the site asked to describe?
4. What does the number 100 000 refer to?
5. What will future generations learn about their ancestors? (**Two** points)

Un blog pour les générations du futur !

Mercredi, un site Internet a été ouvert à tous les Britanniques. Ils peuvent y laisser des messages pour leurs arrière-arrière-arrière-petits-enfants !

Une journéé classique de la vie d'un habitant du Royaume-Uni (Europe), en 2006. Voila ce que toute la population du pays était invitée a décrire sur un site Internet, ouvert mercredi pour quelques jours. Aucun blog aussi grand n'avait été créé jusqu'à présent !

Maisons

Les organisateurs de cet événement espèrent recueillir 100 000 messages. Ils sont destinés aux générations futures. En les lisant, elles en sauront plus sur le mode de vie, les habitudes, les maisons des Britanniques du début du XXIe (21e) siècle.

Le téléphone

In France, phone numbers are composed of ten digits. The number is given in five pairs, for example: 05 63 23 03 95. If you see a number beginning with 0800, this tells you that it is a free-phone number, called a *Nº Vert*.

une cabine téléphonique

▶ N° Vert 0 800 676 906

If you see that a number is a *Nº Azur*, you pay the local rate.

▶ N°Azur 0 810 812 632
PRIX APPEL LOCAL

Passer un appel / un coup de fil

Je cherche
le numéro dans
l'annuaire.

Je décroche.

Je compose
le numéro.

Le téléphone
sonne.

Je parle.

Je raccroche.

Personne n'est là !

Le numéro est occupé.

Je laisse un message
sur le répondeur.

Je raccroche.

Pour commencer

Saying hello on the phone is very straightforward : **Allô. C'est Richard à l'appareil...**

Allô is always used at the beginning of the call.

10.2a Écoutons maintenant !

Listen to these phrases which are useful if you are answering the phone.

Répondre à un appel

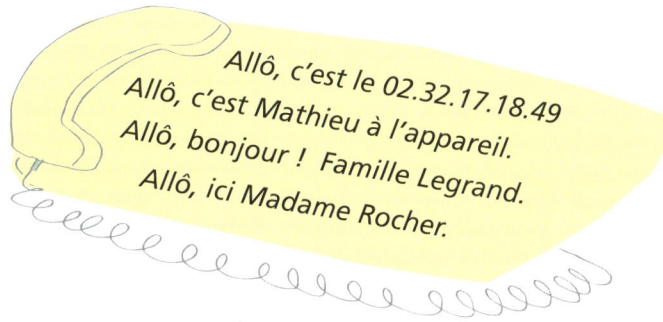

Allô, c'est le 02.32.17.18.49
Allô, c'est Mathieu à l'appareil.
Allô, bonjour ! Famille Legrand.
Allô, ici Madame Rocher.

10.2b

Now listen to these phrases which are useful if you want to speak to someone.

Demander à parler à...

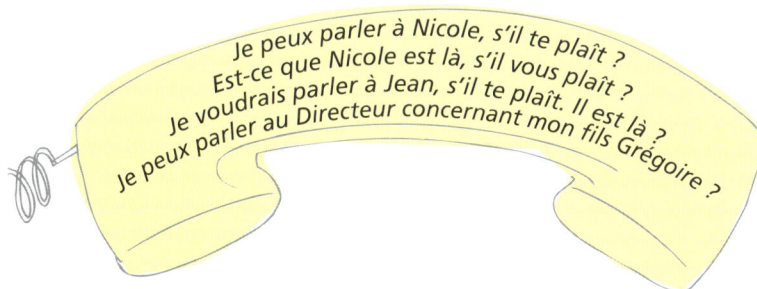

Je peux parler à Nicole, s'il te plaît ?
Est-ce que Nicole est là, s'il vous plaît ?
Je voudrais parler à Jean, s'il te plaît. Il est là ?
Je peux parler au Directeur concernant mon fils Grégoire ?

Je peux parler à Thomas ?

Je vais le chercher, ne quitte pas !

Anne est là ?

Un instant, s'il te plaît !

Ici Jean. Je veux parler à Daniel.

Il n'est pas là. Tu veux rappeler ?

Bon — je rappellerai plus tard.

10.3 Écoutons maintenant !

Match the person making the call with the person he/she wants to speak to.

1. Allô, c'est Jean à l'appareil.

2. Allô, ici Marion.

3. Allô, c'est Nadine !

4. Allô. C'est Françoise à l'appareil.

5. Allô, ici Julien.

6. Allô, c'est Madame Leclerc.

 Léa

 Khalid

 Luc

 Océane

 Christophe

 Sophie

Lisons maintenant !

Here are some services provided by France Télécom. Read the information and answer the following questions.

1. Give **two** reasons for contacting your France Télécom agent.
2. How much does a 1014 call cost?
3. When can you receive help on a 3000 call?
4. How much do you pay for calling 3900?
5. Can you find the French words for *landline* and *service provider*?

1. Série limitée à 300 000 exemplaires soumise à conditions, sous réserve d'éligibilité et de compatibilités techniques et géographiques valable en France métropolitaine. Voir les conditions et les tarifs en agence France Télécom.

Pour vous informer, être conseillé, souscrire, adressez-vous à votre agence France Télécom :

1014* service clients
appel gratuit depuis une ligne fixe France Télécom

3000* serveur vocal 24h/24
appel gratuit depuis une ligne fixe France Télécom

francetelecom.fr
coût d'une connexion internet selon votre fournisseur d'accès internet

Pour une assistance ou un soutien à l'utilisation :

3900* service assistance
0,34 € la minute. Temps d'attente gratuit depuis une ligne fixe France Télécom.

* Si l'appel est passé depuis la ligne d'un autre opérateur, consulter ses tarifs.

Parlons maintenant !

With a partner, practise the following conversations:

1. You are Sylvie. You ring Thomas but his mother says he isn't there. You say you will ring back.

2. You are Monsieur Clavel. You ring the school to say David is sick and won't be in today. The secretary thanks you for your call.

3. You are Kévin. You want to speak to your friend Adrien. His Dad answers and asks you to hold on for a minute, he will get him.

10.4 Écoutons maintenant !

Marie teléléphone à Luc concernant un match.

Remplissez les blancs.

Marie :	Allô, c'est Marie _____. Est-ce que Luc est là ?
M. Geoffroy :	Salut Marie ! Oui, il est à la maison. Un _____ s'il te plaît. Je vais le chercher. Ne _____pas !
Luc :	Allô, Marie ! _____ Luc. Ça va ?
Marie :	Oui, ça va, merci. C'est juste pour confirmer l'heure du _____ demain.
Luc :	Bon, voilà. Le match commence à 15h30, mais il faut se retrouver à _____.
Marie :	D'accord. Je serai là.
Luc :	Alors, _____ et merci de ton _____. À demain !

Rappel !

20	vingt	**60**	soixante
30	trente	**70**	soixante-dix
40	quarante	**80**	quatre-vingts
50	cinquante	**90**	quatre-vingt-dix

10.5 Écoutons maintenant !

Listen to the following phone numbers. Which of the following businesses would you contact if you phoned these numbers? Write the name of the business in the grid below.

Céline - Coiffure

Coiffure à domicile

Tél. : 06.78.13.36.60.

Les Cheminées de Boissac :

Cheminées et barbecues en pierre de Dordogne, avec ou sans insert, petit prix. Devis gratuit.

Tél. : 06.70.64.28.60.

Artisan Peintre

Peinture (int. et ext.), ravalement façades, boiseries.

Volets, lavage haute pression. Devis et déplacements gratuits.

Tél. : 06.35.28.43.23.

L@telier du PC

Vente de Matériel informatique, pièces détachées, imprimantes, scanners, cartouches...

Interventions à domicile à partir de 22,50€

Tél. : 06.35.82.94.43.

Louis Legros

Plomberie, débouchage canalisation, dépannage. Chauffage central, bois, fioul et gaz. Climatisation. Devis gratuit.

Tél. : 06.70.13.36.60.

À Vendre — L'Immobilière Plaisance

Maisons, appartements. Quartier calme.

Tél. : 06.78.35.23.43.

1. _____
2. _____
3. _____
4. _____
5. _____
6. _____

Coin grammaire

In **Unité 9**, you learned how to use the adjectives « Quel/Quelle/Quels/Quelles », when you wanted to ask a question such as « What day? », « Which games? ».

When you want to ask « What one? » or « Which one/s? », without naming the item you use the pronoun « **lequel** ? » There are **four** different forms of this pronoun.

Lequel ?	Asking about something masculine singular
	Tu as le numéro de téléphone de Jean ? **Lequel ?** Son portable ?
Laquelle ?	Asking about something feminine singular
	Tu as l'adresse de Julie ? **Laquelle ?** Son adresse email ?
Lesquels ?	Asking about something masculine plural
	Tu peux me prêter quelques jeux vidéos ? Oui, **lesquels ?**
Lesquelles ?	Asking about something feminine plural
	Je me trompe toujours de touches sur le clavier. **Lesquelles ?**

Exercice 1

Fill in the blanks with **Lequel**, **laquelle**, **lesquels**, **lesquelles**.

1. _____ est-ce que tu préfères ? Envoyer un texto ou un courriel ?

2. _____ est-ce que tu utilises le plus souvent, les sites de musique ou les sites scientifiques ?

3. Tu joues souvent aux jeux vidéos. _____ préfères-tu ?

4. J'ai des photos de vacances et de ma fête. _____ tu voudrais voir ?

5. J'ai deux adresses email pour Léa. _____ veux-tu avoir ?

Le portable

Le portable est devenu très populaire en France : 22 millions de Français utilisent un portable ! Partout on voit des publicités pour des portables.

It is estimated that 80% of French people now have a mobile phone and among young people they are particularly popular.

Lisons maintenant !

Read the four ads below for mobile phones and accessories and answer the questions which follow by putting the correct number in the grid.

1

C'est dans le Miss du mois prochain...

Une housse... pour rhabiller tendance ton portable (ça le protégera en même temps).

3 couleurs au choix : camouflage rose, purple et kaki

2

Bicolore

Très graphique, cette housse en cuir bicolore convient à tous les mobiles, pour les habiller et les protéger des chocs, de la poussière, des rayures, etc. Env. 15 € dans les magasins spécialisés.

3

POUR FANS DE RUGBY

Un téléphone aux couleurs du maillot à fleurs de lys du Stade Français. Avec appareil photo incorporé, liaison bluetooth pour échanger les photos des joueurs. Z530I Sony Ericsson, 149 € et 49 € l'oreillette assortie. The Phone House. Tél. : 0825 07 80 00.

4

Dites "allô"... en vous jetant à l'eau

Pour éviter que notre portable se noie ou qu'il agonise sous un pâté de sable, voici de quoi le protéger.

PANOPLIE Pakpak est fourni avec une pochette et des accessoires pour le porter au bras, autour du cou, à la ceinture ou à la taille. 24,95 €. www.denko-world.com

Which ad?

Ad number	
	Guarantees a waterproof cover for your mobile.
	Has a leather holder for the mobile phone.
	Has a free phone holder in a magazine issue.
	Has a phone which uses a design of a famous sports venue.
	Has a cover that protects the phone from shocks and dust.
	Is available in three colours.

Exercice 1

Just as in English, the French have developed some short cuts when sending a text message (*un texto*). Here are some text words/phrases in text language. Can you work them out? Try linking the text with the correct phrase.

Koi de 9	**existe**
6l	**depuis**
N8	**chaise**
CheZ	**quel**
Xizt	**nuit**
2P8	**ciel**
kel	**quoi de neuf ?**

With the help of your dictionary, find out what each of these words/phrases means in English and write them in your copy.

Parlons maintenant !

Un sondage sur les portables.

Form groups and ask each other the following questions. Then make a summary of the answers and write up a report (*un bilan*).

1. Tu as reçu un portable quand ?
   (a) avant l'âge de 10 ans ☐   (b) entre 10 – 13 ans ☐   (c) à l'âge de 14 – 15 ans ☐

2. Tu as reçu ton portable pour… ?
   (a) ton anniversaire ☐   (b) Noël ☐   (c) une autre fête ☐

3. Qui a acheté ton portable ?
   (a) Toi-même ☐   (b) Tes parents ☐   (c) Une autre personne ☐

4. Tu parles souvent sur ton portable ?
   (a) plusieurs fois par jour ☐   (b) deux / trois fois par jour ☐   (c) rarement ☐

5. À qui est-ce que tu envoies des textos ?
   (a) à tes amis seulement ☐   (b) à ta famille seulement ☐   (c) à tout le monde ☐

6. Tu changes souvent de sonnerie ?
   (a) chaque semaine ☐   (b) assez souvent ☐   (c) rarement ☐

7. À l'écran, tu as la photo
   (a) d'un(e) ami(e) ☐   (b) d'une vedette ☐   (c) d'un animal ☐

8. De quelle couleur est ton portable ?
   (a) noir / gris ☐   (b) rose ☐   (c) multicoloré ☐

Écrivons maintenant !

Now write a report in your copy of the results of the survey. Use the following text to help you.

Dans ma classe, _____ personnes ont un portable. La plupart des personnes l'ont reçu pour _____. C'est _____ qui l'a acheté. _____ personnes utilisent leur portable _____. Ils envoient des textos _____. Ils changent de sonnerie _____. _____ personnes ont un logo _____. La couleur la plus populaire est le _____.

Lisons maintenant !

Les avantages et les inconvénients des portables.

Read the following statements about mobile phones and tick the correct box.

POUR 👍 ou CONTRE 👎 ?

		Pour 👍	Contre 👎
(a)	Mauvais pour la santé à cause de la radiation		
(b)	On ne bloque pas le téléphone à la maison		
(c)	Une distraction à l'école		
(d)	Petit, facile à porter		
(e)	Une distraction à la maison / en famille		
(f)	Risque de vols		
(g)	Des messages insolites / menaçants		
(h)	Facile à contacter / Rester en contact		
(i)	Pratique		
(j)	Le coût des appels		
(k)	Commode		
(l)	Plus de sécurité		

10.6 Écoutons maintenant !

Listen to the reporter interviewing people about mobile phones and say in each case if the person is for or against the mobile phone, and why.

	For 👍	Against 👎	Why ?
1.			
2.			
3.			
4.			
5.			
6.			

Coin grammaire

Les pronoms objets indirects — Indirect object pronouns

Lucille **me** téléphone le soir.

Je **te** téléphonerai plus tard.

Il **nous** téléphone à Noël.

Can you work out the meanings of the sentences above?

Here is a list of the indirect object pronouns. **They always go before the verb.**

me	*(to) me*	**nous**	*(to) us*
te	*(to) you*	**vous**	*(to) you*
lui	*(to) him/to her*	**leur**	*(to) them (masculine or feminine)*

These pronouns are also used with certain verbs which are followed by **à**:

donner à   parler à   demander à   téléphoner à   offrir à

Me and **te** can be shortened to **m'** and **t'**, when the verb that follows starts with a vowel.

10.7

Coin Prononciation : The letters **–ail** and **–eil** in French are pronounced in a special way. Listen and repeat these words: bout**eil**le, cons**eil**ler, feu**il**le, feu**il**leton, or**eil**le, par**eil**, rév**eil**, sol**eil**.

Écoutons maintenant !

10.8

Remplissez les blancs et traduisez les phrases suivantes en anglais.

1. Je _____ téléphone.
2. Elle _____ téléphone.
3. Ma grand-mère _____ donne souvent des bonbons.
4. Paul _____ parle en classe.
5. Marie-Laure _____ donne des livres pour Orianne.
6. Vous _____ donnez des CD demain ?
7. Tu vois Mehdi ? Je vais _____ parler !
8. Je sais que mon amie Claire va _____ écrire.
9. Je _____ écrirai la semaine prochaine.
10. Je _____ envoie une photo de mes vacances.

À la Poste

When you need to buy stamps in France, you go to *la Poste*. You can also buy stamps in *le tabac*. If you are buying your postcards in *la papeterie* or *la librairie*, you may buy stamps there. There are also vending machines which will sell stamps, or, to save time, you can also buy *un carnet* (booklet) of stamps, which contains 10.

Remember that letter boxes in France are yellow. Don't forget to put your letter for Ireland in the slot marked '*Autres destinations*'!

Lisons maintenant !

Orlagh va à la poste.

Orlagh est en vacances en France. Elle veut envoyer quelques cartes postales à ses amis en Irlande.

Orlagh : Bonjour, Madame. C'est combien pour envoyer une carte postale en Irlande, s'il vous plaît ?

Caissière : Une carte postale pour l' Irlande … ça coûte 60 centimes.

Orlagh : 60 centimes. D'accord, je voudrais six timbres à 60 centimes, s'il vous plaît.

Caissière : 3€60 Mademoiselle.

Orlagh : Voilà 5€.

Caissière : Et voilà 1€40. Merci.

Orlagh : Merci, Madame. Au revoir.

Here are some sentences you will need **à la poste**.

C'est combien pour	une carte postale	pour l'Irlande ?
	une lettre	pour l'Italie ?
	ce colis	pour le Portugal ?
		pour la Suisse ?
		pour le Luxembourg ?
		pour les États-Unis ?

Je voudrais	un timbre	
	deux timbres	à soixante centimes.
	six timbres	à un euro.
Il y a une boîte aux lettres	ici ?	
	près d'ici ?	
Il y a une levée à quelle heure ?		

Les pays du monde, Unité 1, page 6.

Complétez ces conversations à la poste. Fill in the blanks in these conversations at the post office.

1. C'est combien pour une _____ pour _____ ?

2. C'est combien pour une _____ pour _____ ?

3. C'est combien pour ce _____ pour _____ ?

4. C'est combien pour deux _____ pour _____ ?

5. C'est combien pour trois _____ pour _____ ?

6. C'est combien pour _____ et _____ pour _____ ?

10.9 Écoutons maintenant !

Listen to the tape of these people buying stamps and fill in the blanks.

	No. of letters	No. of postcards	Cost
1.			
2.			
3.			
4.			
5.			
6.			

Exercice 1

Où vont ces cartes postales ?

Where are these postcards going?

How many European countries can you find? There are eight.

A	L	L	E	M	A	G	N	E	K
C	I	R	L	A	N	D	E	S	R
A	T	U	X	Z	P	V	L	P	A
N	A	S	U	I	S	S	E	A	M
O	L	S	W	A	B	I	L	G	E
M	I	I	O	D	L	N	E	N	N
I	E	E	C	O	S	S	E	E	A
L	E	H	C	I	R	T	U	A	D

Exercice 2

Cherchez l'intrus !

1. **(a)** une carte postale **(b)** une carte routière **(c)** une lettre **(d)** un colis ☐

2. **(a)** un timbre **(b)** une enveloppe **(c)** une adresse **(d)** une route ☐

3. **(a)** la poste **(b)** le tabac **(c)** la bibliothèque **(d)** la papeterie ☐

4. **(a)** une boîte aux lettres **(b)** une boîte de chocolats **(c)** une boîte de conserves **(d)** une boîte à pain ☐

5. **(a)** le facteur **(b)** l'employé(e) de la poste **(c)** la factrice **(d)** l'institutrice ☐

GRAMMAIRE

✎ Écrivons maintenant !

1. Un petit mot

Your name is John/Joanne and you are staying in France. Leave a note for your French friend saying the following:

- You have written a letter to your parents.
- You are going to the post office to buy stamps.
- You will be back in time for lunch.

2. Lettre Symbole

Jérôme's family has just got a new compûter. He writes to his correspondant, Dara. Write his letter in your copy, replacing each symbol with a French word.

Cher Dara,

Blois, le 14 novembre

Je t'écris sur notre nouvel ! C'est chouette, n'est-ce pas ? J'adore cliquer sur la et regarder l' . Ce sont mes parents qui ont acheté l'ordinateur la semaine dernière et maintenant je suis fana !

J'adore surfer sur Internet et mon `nounou@piquenique.com` électronique est jeromevartre@wanadoo.fr. Es-tu branché ? Nous avons Internet à l'école.

Nous faisons de l'informatique dans la le mercredi.

Chez nous, mes sont très stricts et je ne peux pas surfer sur Internet tous les soirs. Je dois faire mes . Mais, le week-end, j'adore jouer aux sur ma Playstation.

Quel désastre ! Je viens de perdre mon . J'étais à la cet après-midi pour envoyer un à ma grand-mère. Je crois que j'ai laissé mon portable au guichet. Je dois retourner à la poste demain matin. Il me tarde de l'avoir. Je ne peux pas envoyer des à Juliette !

Je dois te quitter maintenant car le sonne et je suis seul à la maison.

C'est tout pour l'instant !

Amitiés,

Jérôme

Écrivons maintenant !

Write a letter to your French correspondant(e) — Martin/Martine — in which you:

- Thank them for the video game and birthday card they sent you.
- Tell them you got a new mobile phone for your birthday (give some details).
- Say you have started computer classes in school and you like it.
- You are doing research for a project on French music - ask him/her to send you some websites.

Civilisation

Communicating in other ways

For people who have a hearing, visual or speaking handicap, special means of communication are needed. It is interesting that two French men – **Louis Braille** and **L'Abbé de l'Épée** – both helped to develop alternate systems of communication.

Louis Braille (1809–1852) developed the Braille language, a tactile system of raised dots representing the different letters of the alphabet, for those with visual impairment. Louis himself had become blind as a young child, following an accident with a sharp tool in his father's workship. He was sent to a special school in Paris where he was an outstanding student, but found it frustrating that he had to learn all the time by listening. A retired soldier happened to visit Louis' school. This man had developed a system of reading based on twelve dots to enable soldiers to read highly important secret messages at night without speaking. Louis quickly realised that this was the breakthrough he needed. He reduced the number of dots to six and produced the language which is still used today throughout the world by many people who are visually impaired.

L'Abbé de l'Épée (1712–1789) Charles-Michel de l'Épée was the first person to interest himself in ways of communication with people who could not hear or speak. He was a lawyer, who became interested in improving life for the poor and homeless of Paris. This led him to become a teacher. He came into contact with twin girls, who were deaf, but who had a system of communicating by gesture with each other. This interested him greatly and he brought together other deaf children and observed how they communicated with each other by means of signs. He himself did not invent the sign language, but by observing his pupils, he was able to develop a system of signs, which corresponded to words in the written or spoken language. These signs became the basis for LSF (**la Langue des Signes Française**), which was recognised in France as an official language in its own right, in 2005.

Lisons maintenant !

A television programme about l'Abbé de l'Épée was made recently. Read this article about how it was made and answer the questions which follow.

Part 1

FRANCE 2 - 20 H 50 - L'ENFANT DU SECRET

« On se disait tous bonjour en langue des signes »

L'Enfant du secret raconte l'histoire vraie de Guillaume, jeune sourd rejeté par sa mère. L'abbé de l'Épée le sauve…

Les enfants comédiens de ce film sont sourds et muets. Nathalie Roche parle la langue des signes. Elle a « coaché » les jeunes acteurs sur le tournage.

Part 2

Sentiments - « D'abord, je traduisais aux jeunes comédiens en langue des signes ce que disait le réalisateur. Je les aidais ensuite à exprimer les sentiments de leur personnage. Je suis moi-même comédienne et la langue des signes est ma langue maternelle, car mes parents sont sourds-muets. »

Part 3

Signe - « Ces enfants lisent le français mais ce n'est pas leur langue. Car ils utilisent la langue des signes. C'est comme si on parle à une personne en anglais alors que sa langue maternelle est le français. Il était donc nécessaire de leur traduire l'histoire et l'ambiance en signes. »

Joshua Julvez a 14 ans. Ce jeune comédien sourd-muet interprète Guillaume de Solar, héros de cette histoire.

Gestes - « Cette langue est directe. Il y a moins de subtilité. Chaque mot a son signe. Certains sont assez évidents. Le sucre se dit avec l'index qui fait un trou dans la joue. Cela montre la carie ! Les gestes, la posture du corps font aussi partie de la langue. Pour dire que l'on est triste, il faut le montrer. De la même manière, on ne peut pas dire que l'on est en colère en étant calme ! »

Part 4

Bonjour - « Sur le tournage, c'était formidable. Très vite, les entendants se sont mis à apprendre des signes pour parler avec les enfants. Chaque matin, tout le monde se disait bonjour en langue des signes ! »

Entretien réalisé par R. Botte

1. What do we learn about Guillaume in the headline? (Part 1)
2. What was special about the children who played the parts in this programme? (Part 1)
3. Name **one** of the ways Nathalie Roche helped the young actors. (Part 2)
4. Why was she so skilled in sign language? (Part 2)
5. How does Nathalie explain the difficulties a young deaf person has? (Part 3)
6. What is the sign for sugar? (Part 3)
7. What happened on the set during the filming of the programme? (Part 4)
8. How did everyone start the day? (Part 4)

Lisons maintenant !

Read this extract and then answer the questions which follow.

Staying in touch with people by e-mail and phone is great, but how about being able to transport yourself, so that you could be somewhere else in a matter of seconds? In this extract from *La Boîte*, Antoine's father, Frédéric, has invented a machine which can do this.

(Part 1) Antoine adorait aller voir son père dans son nouveau laboratoire. Un laboratoire superbe, moderne, immense.

Une véritable usine, avec beaucoup d'espace, sponsorisée par une compagnie japonaise, Hiro-Hito. Son père était le grand chef, à la tête d'une énorme équipe de chercheurs et de techniciens. « La Boîte » était presque prête à passer en production.

(Part 2) Elle était maintenant parfaitement sans danger. Après les souris, il avait essayé avec des chats, des chiens, puis des chimpanzés. Aucun animal n'avait souffert, et ils avaient voyagé des milliers de kilomètres, des milliers de fois.

Récemment, on avait envoyé le premier homme dans une boîte prototype. Dernièrement, un acteur célèbre de cinéma avait été payé 100 000 francs pour voyager d'un bout de la pièce à l'autre.

(Part 3) La compagnie Hiro-Hito voulait de la publicité. Elle a transformé l'occasion en un événement. La presse et la télévision ont rempli les laboratoires de Frédéric. « Mesdames et Messieurs », a dit une voix au haut-parleur. « Vous allez voir l'histoire en direct. Un événement extraordinaire: Monsieur Gérard le Gall va entrer dans la boîte A, et il va être instantanément transporté dans la boîte B. Vous allez assister à la plus grande révolution scientifique du Monde ! »

(Part 4) Nous sommes six mois plus tard. Les Boîtes ont été testées et re-testées des milliers de fois. Jamais un seul accident…. C'était l'anniversaire d'Antoine. Il allait avoir un cadeau très original : un tour dans la Boîte. Le matin, une nouvelle Boîte avait été installée dans leur appartement. La Boîte ressemblait à une douche. Mais elle avait des côtés en métal. Antoine a voulu l'essayer immédiatement.

« La Boîte » par Francine Rigioni et toute l'équipe
Des roses blanches pour Danielle et autres histoires passionnantes

1. Who or what is Hiro-Hito? (Part 1)

2. How do we know that Antoine's father has an important job? (Part 1)

3. What animals had been used in the trials? (Name **two**) (Part 2)

4. Why had the company paid 100,000 francs recently? (Part 3)

5. What was going to happen to Gérard le Gall? (Part 3)

6. What unusual birthday present did Antoine receive? (Part 4)

7. What did the Boîte resemble? (Part 4)

Communication en classe !

- *Nous faisons de l'informatique aujourd'hui, Madame ?*
- *Maintenant nous allons en salle informatique.*
- *Monsieur / Madame – mon ordinateur ne marche pas !*
- *Quelle est l'adresse email de l'école, Madame ?*
- *Allumez vos ordinateurs maintenant !*
- *J'ai reçu un courriel de ma correspondante.*
- *Tu as une adresse email, Manon ?*
- *Quel est ton numéro de téléphone, David ?*
- *Éteignez vos portables immédiatement !*
- *Donne-moi ton portable Sophie – il est interdit de l'avoir en classe !*
- *Maintenant mes enfants, regardez l'écran !*

Épreuve

Question 1

Read the article about a new invention and answer the questions which follow.

Un téléphone qui s'éteint s'il est loin de toi

Un opérateur de téléphonie mobile a annoncé qu'un appareil étonnant allait bientôt sortir au Japon (Asie). Il se bloque tout seul s'il n'est pas à proximité de son propriétaire. Car celui-ci porte, sur lui, une carte électronique qui envoie un signal indispensable au fonctionnement du téléphone. Un autre appareil est, lui, équipé d'un système de reconnaissance vocale et digitale. Pratique en cas de vol ou de perte.

Pour lire *l'actu* après *Mon Quotidien*, renseigne-toi au 0825 093 393 (0,15 € TTC/min)

© AFP/T. Yamanaka

1. Where will the new phone be launched first?
2. When will it turn itself off?
3. When would the second phone be particularly useful?

Question 2

1. You are in France on holidays. The post office is closed. Where could you go to buy stamps for your holiday postcards?

(a) la mairie ☐   (b) la bibliothèque ☐   (c) le tabac ☐   (d) la papeterie ☐

2. Which counter in a French post office would you go to in order to buy stamps?

(a) caisse ☐   (b) timbres ☐   (c) mandats postaux ☐   (d) renseignements ☐

Question 3

Mots cachés

Can you find these words to do with computers.

t	a	o	s	o	r	c	h	o	m	s	d
m	o	c	o	r	e	v	i	e	i	c	i
e	m	o	u	e	n	c	s	v	m	a	s
t	o	n	r	d	n	s	a	é	e	t	q
n	r	e	i	v	a	l	c	c	s	o	é
a	é	e	s	g	c	é	i	s	s	u	c
m	d	c	e	e	s	c	c	o	t	d	r
i	é	t	e	m	h	t	é	r	o	i	a
r	c	r	d	i	n	c	e	d	a	s	n
p	t	o	m	s	o	l	u	c	e	n	o
m	c	o	n	s	o	l	e	o	u	q	u
i	l	d	i	s	q	u	e	t	t	e	t

souris
clavier
touches
scanner
message
imprimante
console
écran
cédérom
disquette

Question 4

Listen to Christophe speaking about his job and answer the following questions.

1. For how long has Christophe been a postman?

2. At what time does he get up each day?

3. How many houses does he deliver post to?

4. Name **one** of the difficulties of his job.

5. What is the advantage of his job?

Question 5

Kévin, who is staying in Ireland, wants to send an e-mail to his family in Belgium, in which he will say the following:

- He arrived safely in Longford.

- He is having a good time and the weather is fine.

- He will ring home tomorrow.

Write the e-mail for him.

GRAMMAIRE

Question 6

Benjamin and Noémie meet after school. Listen to their conversation and answer the following questions:

Section 1

1. When did Benjamin send Noémie the e-mail?

2. Why was Noémie's mother cross?

Section 2

3. What country does Noémie have to research for her Geography project?

4. Name two types of information that she will find on Benjamin's website.

Section 3

5. Why can't Noémie go to Benjamin's house this evening?

6. What was in the e-mail he sent?

Question 7

Read the small ads below and answer the questions which follow.

ACHETETTES COLLECTIONS
de timbres, quelque soit la nature,
le volume et le pays.
Tél. : 01.44.93.06.13

COURS D'INFORMATIQUE
généralités Word, Excel, Power Point,
Publisher, Internet
13€50/H
Tél. : 06.07.40.45.63

ACHÈTE CARTES POSTALES
anciennes
Tél. : 06.87.84.62.07 ou 01.64.68.57.81

ORDINATEUR PORTABLE PENTIUM
IBM à partir de 375€
Tél. : 06.22.05.05.20

**JEUX VIDÉOS DE 30%
À 80% MOINS CHERS**
que des jeux neufs c'est l'adresse
de l'année !
Plus de 150 000 jeux,
neufs et occasions.
Occasion : garantie 1 an.
Pour les consoles PLAYSTATION,
DREAMCAST/NINTENDO CD-ROM
PC et DVD.
Rachat et échange de tous vos jeux et
DVD un accueil, un choix et des prix à
tomber par terre !!!
Score Games St Lazare
6, rue d'Amsterdam Paris 9e
Tél. : 01.53.32.03.20

TV/VIDÉO RÉPARE TÉLÉ
à domicile. Devis gratuit. DPL 375€
Tél. : 06.62.25.22.40

What number would you dial for:

1. New and second-hand video games _____

2. Computer-study classes _____

3. A laptop _____

4. TV repairs _____

Lexique

à l'appareil	*on the line/speaking*	éteint(e)	*switched off/extinguished*
à proximité de	*near*	expédier	*to send/to post*
agence immobilière (f.)	*estate agent*	événement (m.)	*event*
allumer	*to switch on*	faire confiance à	*to have confidence in*
âme (m.)	*soul/mind*	fourni(e) avec	*equipped with*
annuaire (m.)	*phone book*	fournisseur (m.)	*supplier/provider*
appareil photo (m.)	*camera*	foyer (m.)	*household*
appel (m.)	*phone call*	habitude (f.)	*habit/custom*
apprendre	*to learn*	haut débit (m.)	*highspeed connection*
arrière-petit-enfant (m./f.)	*great grand-child*	haut-parleur (m.)	*loudspeaker*
autour de	*around*	housse (f.)	*cover*
avertir	*to warn*	image (f.)	*picture*
boîte aux lettres (f.)	*letter-box*	index (m.)	*forefinger/index finger*
boulot (m.)	*part-time job*	indispensable	*necessary/vital*
se brancher	*to connect to the internet*	informatique (f.)	*computing/computer science*
carie (f.)	*tooth decay*	insolite	*unusual*
cartouche (f.)	*cartridge*	interdit(e)	*forbidden*
cédérom (m.)	*CD rom*	jeu vidéo (m.)	*video game*
centre de tri (m.)	*sorting centre*	levée (f.)	*postal collection*
chef (m.)	*boss/head*	ligne fixe (f.)	*land line*
chercheur / euse	*researcher*	livrer	*to deliver*
chouchou (m./f.)	*pet/darling*	loin	*far/distant*
clé mémoire (f.)	*memory stick/usb*	maillot (m.)	*sports top/strip*
cliquer	*to click on*	mandat (m.)	*postal order*
colis (m.)	*parcel*	marcher	*to work/ walk*
commode	*handy*	meilleur(e)	*better*
composer	*to dial a number*	menaçant(e)	*threatening*
coup de fil (m.)	*phonecall*	se mettre à	*to begin to*
courriel (m.)	*e-mail*	mine d'or (f.)	*gold mine*
découvrir	*to discover*	mode de vie (m.)	*way of life/lifestyle*
décrocher	*to pick up the phone*	moitié (f.)	*a half*
depuis	*since*	milliers de	*thousands of*
devis gratuit (m.)	*free quotation*	mot clé (m.)	*key word/password*
disque dur (m.)	*hard drive*	moteur de recherche (m.)	*search engine*
domicile (m.)	*dwelling/home*	muet / te	*mute/non-speaking*
dossier (m.)	*project/document/file*	d'occasion	*second hand*
emprunter	*to borrow*	occupé	*phone line busy/engaged*
en direct	*live/on the spot*	oreillette (f.)	*earpiece*
enfoncer	*to press*	passer un appel	*to make a phonecall*
envoyer	*to send*	peintre (m./f.)	*painter*
entendant(e)	*hearing person*	personnel (m.)	*staff*
éteindre	*to turn off/extinguish*	posséder	*to own*

poussière (f.)	*dust*	seul(e)	*alone*
pratique	*handy*	site web (m.)	*website*
préchauffage	*warming up*	sonnerie (f.)	*ring tone*
prévenir	*to anticipate/prevent/warn*	sourd(e)	*deaf*
prêt(e)	*ready*	souffrir	*to suffer*
propriétaire (m./f.)	*owner*	souscrire	*to subscribe*
protéger	*to protect*	suivre	*to follow*
prudent(e)	*careful*	sûr(e)	*secure/safe*
publicité (f.)	*advertising*	taille (f.)	*waist/size/pruning*
quoi de neuf ?	*what's new?/what's up?*	taper	*to type*
raccrocher	*to hang up*	télécharger	*to download*
rappeler	*to ring back*	timbre (m.)	*stamp*
rayure (f.)	*streak/scratch*	Toile (f.)	*internet web*
réalisateur / trice	*director*	tournage (m.)	*filming*
reconnaissance (f.)	*recognition*	tout de suite	*straightaway*
recueillir	*to collect/gather*	traduire	*to translate*
rejeter	*to reject*	trier	*to sort*
renseignements (m. pl.)	*information*	**se** tromper	*to make a mistake*
réparer	*to repair*	usine (f.)	*factory*
répondeur (m.)	*answerphone*	utiliser	*to use*
saccoche (f.)	*carrying-bag*	vol (m.)	*theft*
sans fil	*wireless*		

Tout le monde parle français

Civilisation

Do you know what these countries have in common?

Belgium   Cameroon   Haiti   Luxembourg   Senegal   Monaco

They are all countries where French is one of the national languages. French is spoken daily by about 200 million *francophones* (French-speaking people) in countries in all five continents of the world, so learning French can open up enormous possibilities for you.

You might wonder why French is spoken in so many far-away places. There are various reasons, but the main one is that France was a very powerful colonial nation. There was always great rivalry between European nations to gain more territory. So, France gained territory by war, by peace agreements and by colonisation.

French explorers such as **Cartier** and **de Champlain** went to Canada. As a result, French is the official language in the province of Québec. Look at a map of Canada and you will find places called Trois Rivières, Montréal and Sept-Îles.

Louis XIV sent settlers to claim a share of the North American continent. They settled in the area now called **Louisiana**. The state capital is called Baton Rouge and there are place names such as New Orleans, Abbeville and Lafayette.

In the same way, French settlers went to Africa, Asia and to the islands off Australia. Even though France nowadays has no political control over many of these areas, there is a great French influence there, because of previous ties with France.

This marks the spot in the cathedral of St Malo, where Cartier knelt to receive a blessing before he left to explore Canada.

Où se trouvent les francophones ?

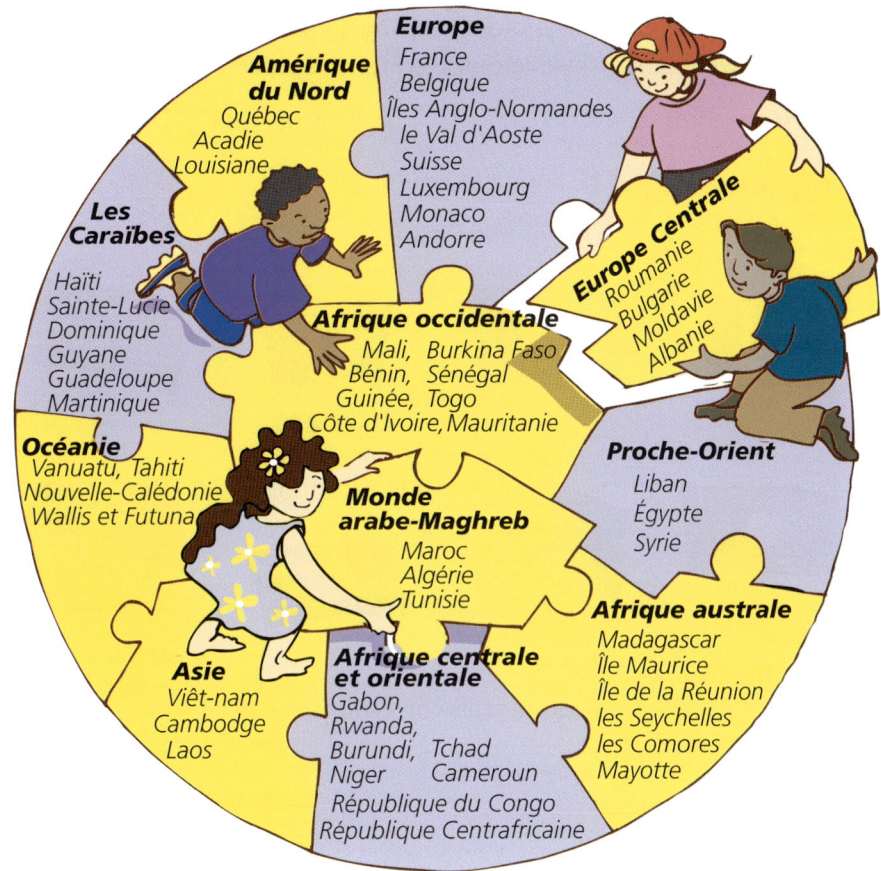

Europe
France
Belgique
Îles Anglo-Normandes
le Val d'Aoste
Suisse
Luxembourg
Monaco
Andorre

Amérique du Nord
Québec
Acadie
Louisiane

Les Caraïbes
Haïti
Sainte-Lucie
Dominique
Guyane
Guadeloupe
Martinique

Europe Centrale
Roumanie
Bulgarie
Moldavie
Albanie

Afrique occidentale
Mali, Burkina Faso
Bénin, Sénégal
Guinée, Togo
Côte d'Ivoire, Mauritanie

Océanie
Vanuatu, Tahiti
Nouvelle-Calédonie
Wallis et Futuna

Monde arabe-Maghreb
Maroc
Algérie
Tunisie

Proche-Orient
Liban
Égypte
Syrie

Asie
Viêt-nam
Cambodge
Laos

Afrique centrale et orientale
Gabon,
Rwanda,
Burundi, Tchad
Niger Cameroun
République du Congo
République Centrafricaine

Afrique australe
Madagascar
Île Maurice
Île de la Réunion
les Seychelles
les Comores
Mayotte

Today, France has several departments and territories abroad. They are called the **DOM-TOM**.

DOM stands for *départements d'outre-mer* and **TOM** for *territoires d'outre-mer*.

Départements d'outre-mer : Guadeloupe, Martinique, Guyane, Réunion.

Territoires d'outre-mer : Polynésie-Française, Nouvelle-Calédonie, Wallis-et-Futuna, Terres australes.

There are also two *collectivités territoriales* : Saint-Pierre-et-Miquelon, and Mayotte.

Les **DOM** Guadeloupe, Guyane, Martinique et Réunion sont dans la zone euro €.

Dans les territoires d'outre-mer, on continue à utiliser le franc pacifique (franc CFP) car ils ne font pas partie de l'Union européenne.

T 04622 - 213 - F: 2,70 €

FRANCE MÉTRO 2,70 €
– DOM : 3,20 €
BELG – ITAL – GR – ESP – LUX
– PORT CONT : 3,10 €
CH : 5,30 FS – CAN : 5 $CAN
– MAY : 4,3 € - D– NL : 4,10 €
– MAROC 20DH
– TUNISIE 3,5 DTU

Prices on French magazines include those for many French-speaking countries.

TV5 is the international French-language channel.

With over 147 million households receiving TV5 on all five continents and 59 satellite links, TV5 offers a wide range of viewpoints to French speakers around the world.

Surfez !   www.tv5.org   www.francophonie.org   www.domtomfr.com

Fêtons ensemble !

Can you find which countries these flags come from?

1. 2. 3. 4. 5.

20 mars
Journée de
la Francophonie

6. 7. 8. 9. R 10.

Exercice 1

Faites des paires — quel mot français correspond à son nom anglais ?

Maroc	Brittany
Bruxelles	Beirut
Genève	Morocco
Beyrouth	Normandy
Bretagne	Geneva
Maurice	Brussels
Normandie	Mauritius

Exercice 2

Mots cachés

*Trouvez
ces pays
francophones :*

Belgique
Monaco
Luxembourg
Guyane
Guadeloupe
Martinique
Tunisie
Rwanda
Mali
Algérie

E	N	A	Y	U	G	U	A	D	E	T	U
B	E	L	Q	G	U	L	U	X	I	O	A
R	M	A	R	T	A	A	E	N	S	L	L
W	G	U	Y	A	D	G	U	I	I	E	G
A	A	E	B	L	E	T	Q	S	N	D	É
A	L	G	B	E	L	G	I	Q	U	E	R
D	D	E	R	B	O	A	N	E	T	A	I
N	E	N	T	C	U	L	I	X	A	U	E
M	B	L	A	N	P	E	T	U	G	I	G
O	N	N	I	W	E	G	R	L	L	U	O
N	O	G	I	Q	R	E	A	A	É	G	R
M	R	G	R	U	O	B	M	E	X	U	L

Coin grammaire

Unité 1, page 8

En / à?

(a) Je suis né **en** Belgique

(b) Je suis allé **au** Canada

(c) Je suis allé **en** France

(d) Je suis née **au** Sénégal

(e) Je suis née **en** Irlande

(f) Je suis né **au** Maroc

All the countries in the left-hand column are feminine, so **en** is used for 'in' or 'to'. Countries that end in an **e** are generally feminine.

All the countries in the right-hand column are masculine, so **au** is used for 'in' or 'to'. Countries that end in letters **other than e** are generally masculine.

Attention !

Je suis né **aux** États-Unis

Je suis née **aux** Pays-Bas

These two countries are masculine plural, so **aux** is used for 'in' or 'to'.

Exercice 1

Remplissez les blancs dans les phrases suivantes.

1. Je vais _____ Canada pour les vacances.
2. La Floride est située _____ États-Unis.
3. Mélanie habite _____ Suisse.
4. Mehmet habite _____ Liban.
5. Pedro a une maison _____ Espagne.
6. Chantal a une sœur qui travaille ___ Algérie.

Lisons maintenant !

PETIT LEXIQUE DES MOTS FRANCOPHONES

La langue parlée hors de France réserve quelquesfois des surprises… Si on partait en voyage dans les pays francophones, on serait surpris(e) d'entendre parler ensemble un Québécois, un Suisse, un Malien, un Vietnamien…

Au Québec, où beaucoup de monde parle anglais, on ne fait pas de shopping : on part « magasiner ». Un autre exemple, on ne reçoit pas de spams sur sa messagerie, mais des « pourriels ».

Au Mali, on ne roule pas sur des vélomoteurs, mais sur des vélos "poum-poum".

En Belgique et en Suisse, on n'utilise pas 70 (soixante-dix) ou 90 (quatre-vingt dix), mais septante et nonante.

Au Bénin, on ne dit jamais : « Tu es bavard », mais « Tu as la bouche sucrée ».

Des faits intéressants

7,4% des Français sont des immigrés, soit 4,2 millions de la population française !

1. According to the acticle, persons from which nationalities could chat easily together?

2. How would you translate the Québec word « magasiner »?

3. What is unusual about the numbers 70 and 90 in Belgium and Switzerland?

4. What expression do the Bénin people used for a chatty person?

11.1 Écoutons maintenant !

Voici des jeunes francophones qui cherchent des correspondants.

Listen to each person and fill in the table.

Name	Lives in	Two languages mentioned	Pastimes mentioned
Patrick			
Charlène			
Thomas			
Sélina			
Frédérik			
Sophie			

Lisons maintenant !

UNIQUE EN WALLONIE

AQUARIUM
Université de Liège
& Musée de Zoologie

Du nouveau à l'Aquarium de Liège
Une nouvelle salle "Requins et Récifs coralliens"
et ses nouveaux aquariums.

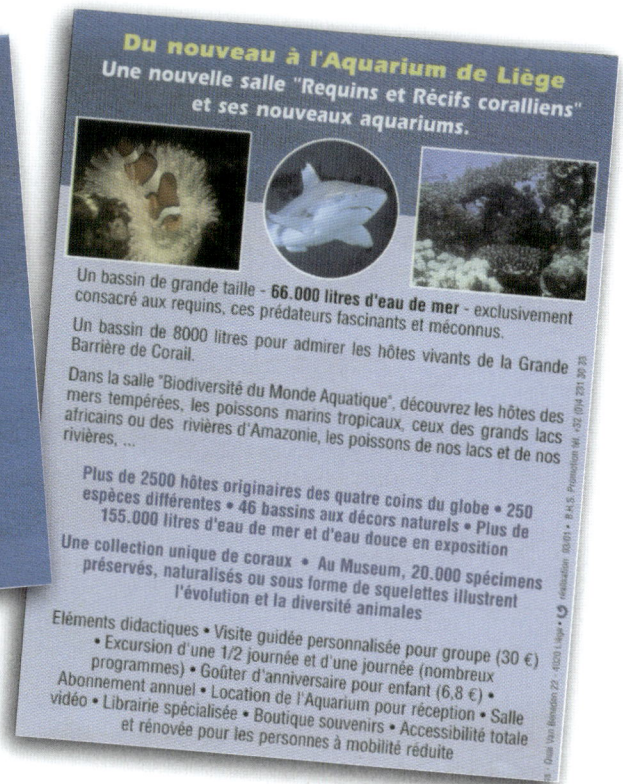

Un bassin de grande taille - **66.000 litres d'eau de mer** - exclusivement consacré aux requins, ces prédateurs fascinants et méconnus.

Un bassin de 8000 litres pour admirer les hôtes vivants de la Grande Barrière de Corail.

Dans la salle "Biodiversité du Monde Aquatique", découvrez les hôtes des mers tempérées, les poissons marins tropicaux, ceux des grands lacs africains ou des rivières d'Amazonie, les poissons de nos lacs et de nos rivières, ...

Plus de 2500 hôtes originaires des quatre coins du globe • 250 espèces différentes • 46 bassins aux décors naturels • Plus de 155.000 litres d'eau de mer et d'eau douce en exposition

Une collection unique de coraux • Au Museum, 20.000 spécimens préservés, naturalisés ou sous forme de squelettes illustrent l'évolution et la diversité animales

Eléments didactiques • Visite guidée personnalisée pour groupe (30 €) • Excursion d'une 1/2 journée et d'une journée (nombreux programmes) • Goûter d'anniversaire pour enfant (6,8 €) • Abonnement annuel • Location de l'Aquarium pour réception • Salle vidéo • Librairie spécialisée • Boutique souvenirs • Accessibilité totale et rénovée pour les personnes à mobilité réduite

Here is a brochure for an aquarium, situated in the Belgian city of Liège. Tick ✓ which of the following statements are **Vrai** and mark with an ✗ those which are **Faux**.

	Vrai	Faux
1. You can see whales in the large pool.		
2. In the 8,000 litre pool you can see fish from the Great Barrier Reef.		
3. In the Biodiversity pool, you will find fish from the Amazon river.		
4. The pools contain spring water.		
5. In the museum, you can see the skeletons of many evolutionary species.		
6. You need thirty people to form a group.		
7. You can hold a birthday celebration in the Aquarium.		
8. There are special facilities for handicapped visitors.		

11.2

Écoutons maintenant !

Voici des personnes célèbres dont le français est la langue maternelle car ils sont nés dans des pays francophones. Écoutez le CD et remplissez la grille.

Name	Country of Birth	Profession
Avril Lavigne		
Yannick Nyanga		
Sofia Boutella		
Didier Drogba		
Malia Metella		
K-Maro		

Le Luxembourg

Lisons et écoutons maintenant !

Félix Havé, who lives in Luxembourg, is talking about his country. Listen to his description and answer the questions which follow:

11.3

Je m'appelle Félix Havé. J'ai quinze ans. J'habite au Luxembourg, dans une ville qui s'appelle Echternach. J'ai un frère aîné, Philippe, et une sœur, Sophie, qui est la cadette de la famille. Je vais maintenant vous parler de mon pays, le Luxembourg.

Le Luxembourg est un pays indépendant qui se trouve tout au cœur de l'Europe. Il y a un Grand-Duc, Henri, et sa femme, la Grande-Duchesse Maria-Teresa. Elle est née à Cuba. Ils ont quatre fils et une fille. Le Grand-Duc gouverne le pays avec le premier ministre et un cabinet de ministres.

La population du Luxembourg est d'environ 600 000 habitants. 32% des habitants ne sont pas luxembourgeois ! Beaucoup d'étrangers viennent ici travailler pour l'Union européenne. Dans la ville de Luxembourg, se trouvent beaucoup de bureaux : la Cour de Justice, le Secrétariat du Parlement européen, la Cour des Commissaires aux Comptes, le Bureau des Statistiques (Eurostat). Le Conseil des Ministres se réunit ici trois fois par an, en avril, en juin et en octobre. La ville de Luxembourg est très belle avec de vieux bâtiments et aussi des bâtiments très modernes. Il y a des musées et des galeries.

La ville de Luxembourg

La plupart des habitants parlent trois langues : français, allemand et lëtzebuergesch. Jusqu'à l'âge de quinze ans, on apprend toutes les matières en allemand. Après ça, c'est en français. À la maison, nous parlons lëtzebuergesch mais nous parlons aussi français, allemand et anglais, que nous apprenons à l'école.

Malgré le fait que le Luxembourg soit un petit pays, il y a beaucoup à faire et à voir. Il y a des forêts où l'on peut explorer et faire des randonnées en toutes saisons. Il y a aussi de vieux châteaux et de vieilles églises historiques. Sur les rivières, la Moselle et la Sauer, on peut faire du canoë et on peut nager dans les lacs. Faire des randonnées à cheval est aussi populaire.

Il y a d'importantes industries, comme l'industrie de l'acier et de la fabrication des pneus. On produit aussi du vin. Le Luxembourg est un grand centre financier. Enfin, tout le monde connaît Radio Luxembourg, la première station privée de radio-diffusion en Europe. La chaîne diffuse des émissions en plusieurs langues européennes. Il y a aussi les satellites ASTRA qui diffusent des émissions partout en Europe et dans le monde.

Dans ma ville, Echternach, on peut visiter le tombeau de Saint Willibrord. Dans les rues, à la Pentecôte, il y a une grande procession où tout le monde danse dans la rue. Il y a aussi un grand festival de musique au mois de mai. Enfin, il y avait autrefois un monastère avec des moines. Ils ont écrit et décoré de magnifiques manuscrits religieux, comme le livre de Kells en Irlande.

Voilà, c'est mon pays, le Luxembourg. Venez nous voir !

La procession de la danse

	Vrai	Faux
1. Luxembourg is situated in the east of Europe.		
2. There are five children in the Luxembourg ducal family.		
3. The population is mostly made up of foreigners.		
4. Primary-school children learn their lessons through German.		
5. You can go hiking all year round.		
6. The Astra-Satellite broadcasts worldwide.		
7. In Echternach, there is a music festival each Pentecost.		
8. The Book of Kells was written in Echternach.		

Écrivons maintenant !

You are on holidays in Luxembourg with your family. Using the information from Félix's article, send a postcard to your French correspondant(e) and say:

- How long you are staying for and where
- What the weather is like and what you have done since you arrived
- Something you will do during the coming week.

Coin grammaire

Le conditionnel

This tense is used when you want to say what **would** happen, what you **would** like or when you want to ask politely for something. It is also used to say what you **could** or **would** be able to do.

• **Saying what you would like**

Je voudr**ais** un chocolat belge.

J'aimer**ais** du gruyère.

J'adorer**ais** un séjour aux Antilles.

• **Saying what you would like to do**

Je voudr**ais** faire du ski en Suisse.

J'aimer**ais** voir le rallye Paris-Dakar.

J'adorer**ais** jouer au hockey sur glace à Montréal.

• **Asking someone what they would like**

Qu'est-ce que tu voudr**ais** ?

Vous aimer**iez** du café / un coca / des chips ?

• **Saying what you could do**

Nous pourr**ions** aller à Galway voir ma grand-mère.

Vous pourr**iez** jouer au tennis au centre sportif.

Tu pourr**ais** voir le livre de Kells à Dublin.

- **Le conditionnel is also used when you say what you would do if … si**

  *Si j'avais l'argent, je partir**ais** au Maroc.*

  *Si j'avais le temps, j'ir**ais** au cinéma.*

  *Si j'avais de l'argent, j'achèter**ais** plein de bonbons.*

  *Si je gagnais au Loto, je partir**ais** en vacances.*

The three groups of verbs form **le conditionnel** in this way:

parler- finir- vendr-

Group 1: **-er** verbs keep **l'infinitif** and add the endings.

Group 2: **-ir** verbs keep **l'infinitif** and add the endings.

Group 3: **-re** verbs drop the final **e** of **l'infinitif** and then add the endings.

Have you noticed? The stem for **le conditionnel** is the same as the stem for **le futur** – see Unité 8.

1 parler-   **2** finir-   **3** vendr-

aient ais ais ait ions iez

Have you noticed? The endings for **le conditionnel** are the same as those for **l'imparfait** – see Unité 7.

Rappel ! The verb looks longer than usual in this tense.

Écoutons maintenant !

Listen to how the verb « **parler** » (to speak/talk) sounds in **le conditionnel**.

je	parler**ais**	I would speak/talk
tu	parler**ais**	You would speak/talk
il	parler**ait**	He would speak/talk
elle	parler**ait**	She would speak/talk
nous	parler**ions**	We would speak/talk
vous	parler**iez**	You would speak/talk
ils	parler**aient**	They would speak/talk
elles	parler**aient**	They would speak/talk

je parler ais

Rappel ! le **négatif** ne ... pas

Je **ne** parlerais **pas** à Jean ! I wouldn't speak to Jean!

Remplissez la grille avec le verbe *partir* (to leave).

je	partirais
tu	
il	
elle	partirait
nous	
vous	partiriez
ils	
elles	partiraient

je

partir ais

Remplissez la grille avec le verbe *prendre* (to take).

je	
tu	prendrais
il	prendrait
elle	
nous	prendrions
vous	
ils	
elles	

je

prendr ais

As in **le futur**, there are some verbs with irregular stems in **le conditionnel**. Here are some that you might find useful when writing notes and letters.

je pou**rrais**	I could/I would be able to
j'**irais**	I would go
j'**aurais**	I would have
je **ferais**	I would do/make
je **serais**	I would be
je **voudrais**	I would like

11.5 Écoutons maintenant !

Cochez la bonne case !

You will hear 8 verbs — tick which sound you hear.

Remember you will always hear an -r sound in **le conditionnel** ending !

Je pouvais ☐	Tu aurais ☐	Vous parleriez ☐	Nous voulons ☐
Je pourrais ☐	Tu as ☐	Vous parliez ☐	Nous voudrions ☐

Je voudrais ☐	J'aimais ☐	Je préfère ☐	Il aimerait ☐
Je voulais ☐	J'aimerais ☐	Je préférerais ☐	Il aimait ☐

Exercice 1

Make sentences by using words from the travel bags and write them in your copy. There are 8 possibilities.

elles vous tu ils
je nous elle il

pourraient prendrait serait
nagerais aimerions
choisiriez voudraient
mangerais

aller à Montréal.
dans l'Océan Pacifique.
des fruits exotiques en Guadeloupe.
du couscous en Algérie.
aller dans les Alpes.
l'avion pour aller en Tunisie.
faire de la natation à la Réunion.
à Montréal la semaine prochaine.

Exercice 2

Faites des paires et écrivez les phrases dans votre cahier.

Je pourrais	un gâteau pour maman.
J'irais	chez mes grands-parents pour Noël.
J'aurais	aller au Liban en mai.
Je ferais	te retrouver au cinéma à 8h00.
Je serais	de la fièvre si j'avais la grippe.
Je voudrais	au concert si j'avais un billet.

Exercice 3

Underline the verbs in **le conditionnel** in the following notes and give **l'infinitif** form of each one.

Salut Odile,

Je laisse ce petit mot pour te dire que je vais chez Louise. Nous aimerions aller en ville demain. Tu voudrais venir avec nous? Nous pourrions y aller ensemble. Je serai de retour vers six heures.

Manon

Salut Thierry,

Tu voudrais jouer un match de foot au centre sportif ce soir? Je vais chez Fabien lui demander. Je serais très content si tu étais d'accord. Dis à Maman que je serai de retour pour faire mes devoirs vers 5h30.

Thomas

Salut Ben,

Maman a téléphoné du bureau, elle serait ravie si tu pouvais vider le lave-vaisselle. Tu pourrais demander à Nathalie de commencer ses devoirs. Je sors pour acheter du pain frais.

Pierre

Écrivons maintenant !

Use the expressions from the notes on page 348 to write the following note.

You are going out before your correspondant(e) returns home from an outing with his/her school group. Write a note in which you say:

- You would like to go to Niamh's house this evening
- You ask your correspondant(e) if he/she would like to come
- Both of you could buy a present in town before the party.

11.6 Écoutons maintenant !

Listen to the six teenagers talking about what they would like to do and fill in the table.

		What he/she would like to do in the future.
Khalid		
Sophie		
Christophe		
Océane		
Luc		
Léa		

Coin grammaire

Demonstrative adjectives - *les adjectifs démonstratifs*

When the young people were speaking in 11.6, you may have noticed them using the word « **ce** » or « **cette** », meaning **this** or **that**. In English, these adjectives are called **demonstrative adjectives**. In French, because they are adjectives, they vary in gender (masculine or feminine) and number (singular, plural) with the noun that they describe. There are four forms **ce**, **cet**, **cette**, **ces**. In English they translate as **this** or **that**, **these** or **those**.

Ce	is used before a masculine noun	*par exemple*	Ce matin
Cet	is used before a masculine noun beginning with a vowel	*par exemple*	Cet après-midi / cet homme
Cette	is used before a feminine noun	*par exemple*	Cette journée
Ces	is used before a noun in the plural	*par exemple*	Ces vacances

11.7 Écoutons maintenant !

Listen and complete the sentence using **ce**, **cet**, **cette** or **ces**.

1. Christophe a choisi _____ chaussures pendant ses vacances à Monaco.

2. J'aime porter _____ manteau, que j'ai acheté en Suisse.

3. Mes tantes détestent _____ voiture canadienne.

4. _____ auberge de jeunesse est formidable.

5. _____ devoirs sont difficiles.

6. _____ homme belge habite maintenant en France.

Exercice 2

Complétez ces phrases avec **ce**, **cet**, **cette** ou **ces**.

1. Regardez _____ valise pratique.

2. Goûtez _____ gâteau délicieux.

3. _____ appareil photo n'est pas cher.

4. Achetez _____ lunettes de soleil pour vos vacances au Luxembourg !

5. Envoyez _____ carte amusante à vos amis en Belgique.

6. Regardez _____ montagnes magnifiques en Suisse !

Parlons maintenant !

Use a demonstrative adjective in your reply.

Exemple : Question : *Est-ce que tu préférerais cet appareil bleu ou cet appareil vert ?*

Réponse : *Je préférerais cet appareil vert.*

1. Est-ce que tu enverrais cette carte du lac Léman ou cette carte de la ville de Lausanne ?
   J'enverrais …

2. Est-ce que tu aimerais ce livre sur Haïti ou ce livre sur Montréal ?
   J'aimerais …

3. Est-ce que tu préférerais ces chaussettes vertes ou ces chaussettes rouges ?
   Je préférerais …

4. Est-ce que tu choisirais cette recette de louisiane où cette recette suisse ?
   Je choisirais …

5. Est-ce que tu voudrais écrire ce dossier sur la Suisse ou ce dossier sur la Louisiane ?
   Je voudrais …

Des faits intéressants
Le film « Indiana Jones » a été tourné en Tunisie - un pays francophone.

GRAMMAIRE

11.8 Écoutons maintenant !

Listen to these people speaking about their holiday experiences and fill in the grid below.

Name	Where?	Liked	Disliked
Nadine			
Matthieu			
Magali			
Stéphane			
Julien			

Le français aux États–Unis

Lisons maintenant !

White descendants of the French settlers in southern states of the US are known as Créoles. Cajun descendants of French-speaking Nova Scotia immigrants in Louisiana are known as Acadians.

Francophonie BONJOUR

La Louisiane

La Louisiane est un état officiellement bilingue. Il y a près de 800 000 francophones. Ce sont des Acadiens et des Créoles. 25% de ces francophones ont moins de 19 ans. Ils apprennent le français à l'école.

La Louisiane est une région très belle et touristique. Les villes principales sont Baton Rouge (la capitale), la Nouvelle-Orléans (la capitale du jazz et le plus grand port des États-Unis) et Lafayette. Chaque année, à la Nouvelle-Orléans, il y a le Mardi gras (en janvier et février) et le Festival de Jazz (en avril et mai).
Il y a aussi beaucoup de festivals cadjins et le Festival du Quartier Français, en avril.

En Louisiane, on peut aussi admirer l'architecture coloniale, faire des promenades en bateau à vapeur sur le Mississippi, visiter les plantations et goûter la cuisine cadjine.

Le sport le plus populaire, ce sont les courses de chevaux. Mais on peut aussi pratiquer d'autres sports, comme le football, le basket-ball, le base-ball, le golf, le tennis et la natation.

1. What is the state capital?

2. When does Mardi Gras take place?

3. How can you travel on the Mississippi?

4. What is the most popular sport?

5. Which of these sports is **not** mentioned: basketball, golf, canoeing, swimming?

Quelques expressions utiles pour lire les recettes de cuisine :

Voir Bon Travail 1, Unité 7.

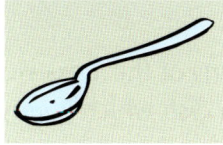

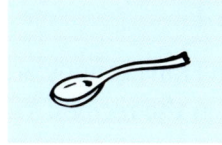

a. une cuillerée à soupe de   **b.** une cuillerée à café de   **c.** Une tranche de

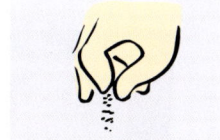

d. un morceau de   **e.** une pincée de

Quelques verbes utiles pour faire la cuisine : Faites des paires !

Check these verbs in your dictionary/lexique and then link the verb to the picture.

1. couper	**a.** 	**f.**	**6.** fondre
2. verser	**b.**	**g.**	**7.** saler
3. mélanger	**c.**	**h.**	**8.** ajouter
4. faire cuire	**d.**	**i.** 	**9.** hâcher
5. servir	**e.**	**j.**	**10.** rouler

1 =	2 =	3 =	4 =	5 =
6 =	7 =	8 =	9 =	10 =

![GRAMMAIRE]

Lisons maintenant !

La cuisine exotique !

Here are three recipes from Francophone areas. As many of the areas are well known for their spices, these usually figure in the recipes. **Taboulé** is a dish which is very popular in Lebanon and North Africa.

(a) Taboulé à la Menthe

Taboulé à la Menthe

Ingrédients

- 300 gr. de boulgour*
- 2 verres d'eau bouillante salée
- 4 tomates
- 1 oignon haché
- Un demi citron
- Bouquet de persil, de la menthe
- 10 cl. d'huile
- Sel et poivre

Recette

1 Arrosez le boulgour d'eau bouillante salée.

2 Laissez gonfler 30 minutes.

3 Coupez les tomates en dés.

4 Mélangez avec l'oignon, le persil, la menthe, le jus de citron, l'huile, le sel et le poivre.

5 Servez frais.

*bulgar wheat

(i) Tick which of the following ingredients are included in this recipe:

flour	☐	stock cube	☐
onion	☐	pears	☐
oil	☐	tomatoes	☐
parsley	☐	water	☐

(ii) According to the recipe how should the tabloué be served?

(b) Porc à la Mode Louisiane

Louisiana is one of the southern states of the United States which still retains much of its French influence.

Porc à la Mode Louisiane

Pour quatre personnes :

Ingrédients :

- 500 g de filet de porc
- 4 épis de maïs
- un morceau de beurre fondu
- du sel et du poivre

Pour la marinade :

Ingrédients :

1 cuillerée à soupe de miel
1 cuillerée à soupe de ketchup
1 cuillerée à café de moutarde à l'ancienne
un trait de Tabasco

Méthode :

Découpez le porc en morceaux épais.

Laissez-les mariner 1 heure.

Faites griller 25 minutes en badigeonnant régulièrement de marinade.

Précuisez les épis de maïs à l'eau bouillante pendant 5 minutes.

Grillez-les au barbecue avec le porc.

Servez bien chaud avec un morceau de beurre fondu, une pincée de sel et un peu de poivre.

---

1. This is a dish for how many people?

2. What is said about the butter used?

3. Which of the following ingredients is **not** included in the marinade?

   (a) honey **(b)** lemon juice **(c)** mustard **(d)** tomato ketchup ☐

4. What is done to the corn before putting it on the grill?

5. How much salt and pepper should you use?

Coin prononciation : Many cities and countries in the world are well known to us, but have a different pronunciation in French. Watch out for these : Montréal, Québec, Orléans, Paris, Luxembourg, Sénégal, Australie, Floride. There are many more. Make a note of any new ones as you come across them.

(c) The island of La Réunion in the Indian Ocean is a world-famous beauty spot. It has a volcano – *La Fournaise* – that comes to life occasionally and unexpectedly. Here is a typical recipe for a delicious dessert.

11.9 **Écoutons maintenant !**

(i) Listen to the ingredients for this recipe and put in the quantities which are missing.

(ii) Then answer the question which follows.

(i)

Bananes à la Cannelle et au Rhum

Pour quatre personnes :

_____ bananes mûres

_____ de beurre

_____ de cannelle moulue

_____ de rhum

_____ de miel

- Coupez les bananes en grosses rondelles.
- Faites-les revenir dans le beurre.
- Retirez-les de la poêle et gardez-les chaudes.
- Versez le rhum dans la poêle, ajoutez la cannelle et le miel, mélangez et laissez frémir jusqu'à ce que la sauce soit épaisse.
- Versez la sauce sur les bananes chaudes et servez avec de la crème fraîche ou de la glace à la noix.

(ii) Look at the three lists below. Which item of each list is mentioned in the recipe above. Write the correct letter in the box.

List 1	List 2	List 3
(a) walnuts	(a) cinnamon	(a) coffee
(b) soup powder	(b) nutmeg	(b) soup powder
(c) butter	(c) lemon	(c) sugar
(d) flour	(d) ginger	(d) honey

Lisons maintenant !

This is a short poem, written in French by an African poet called Issaka Soumaïla Karanta, who comes from Niger. In the poem the author remembers a pet kid goat he had when he was young.

Mon Cabri

Quand j'étais petit,

j'avais un ami;

un joli cabri

tout beau, tout gris,

Au retour de l'école

je lui donnais du son

dans le creux de ma main.

Il mangeait tout, puis léchait mes doigts.

Et les soirs, j'amenais

mon petit cabri,

au bord des marigots

où pousse l'herbe tendre.

Pendant que je ramassais

'les pagnes de captives',*

mon ami, lui, cabriolait

autour de moi.

Je l'aimais bien, mon petit cabri.

(from *Poèmes d'Afrique pour les enfants*)

* a type of savannah grass

1. In the first verse of the poem, how is the pet goat described? (**Two** points) (Verse 1)
2. When did the poet feed his pet? (Verse 2)
3. What did the goat do, when he had eaten the bran? (Verse 2)
4. Where did the poet and his pet go to in the evenings? (Verse 3)
5. What did the goat do, while the poet gathered the wild grasses? (Verse 4)

Des faits intéressants
En Suisse, on parle quatre langues : l'allemand, l'italien, le français et le suisse ! 20% des suisses parlent français.

Lettre formelle (3)

In Unité 1, you learned how to write a formal letter, when you wanted to make a reservation. In Unité 7, you will have practised how to write a formal letter of application for a job. Another task which you might be asked to do for the Junior Certificate is to write a letter looking for information for a project you are doing in school. Here is how to go about the task:

Writing to a tourist office for information for a project.

You are doing a project with a friend on the city of Montréal. Write to the Tourist Office requiring information. The address is:

Le Syndicat d'initiative, 1001 rue du Square-Dorchester, Montréal, (PQ), H3B 1G2.

Exemple :

(1)
Sophie O'Brien,
4 Seagrove,
Kilkenny,
IRLANDE

(2)
Le Syndicat d'initiative,
1001 rue du Square-Dorchester,
Montréal, (PQ),
H3B 1G2,
CANADA

(3)
Kilkenny, le 4 septembre

(4) Madame / Monsieur

(5) Body of the letter

(6) Veuillez agréer Madame / Monsieur, l'expression de mes sentiments distingués. (This is the French equivalent of 'Yours faithfully'.)

(7) Sophie O'Brien (Always sign your full name.)

Rappel !

You must write in the correct format – that is, set it out in the correct way.

You always use the **vous** form when addressing someone you don't know and the **-ez** form of the verb.

You must use a formal closing sentence.

Here are some phrases to help you:

Je fais / je prépare / j'écris un dossier sur…	I am doing a project on…
Je veux / je voudrais des renseignements sur…	I want/I would like information on…
la population	the population
les coutumes	the customs
l'histoire	the history
les sites historiques	the historical sites
les fêtes et festivals	festivals
les distractions	entertainment
les passetemps	pastimes
la nourriture	food

Est-ce que vous pouvez m'envoyer…	Can you send me… ?
Je serais ravi(e) de recevoir…	I'd be delighted to get….
Veuillez m'envoyer…	Would you be so kind as to send me…
un plan de la ville	a map of the town
une carte de la région	a map of the area
des dépliants	leaflets
des brochures	brochures
des photos	photographs

To end:

J'espère vous lire bientôt.	I hope to hear from you soon.
En attendant votre réponse, …	Awaiting your reply, …
Ci-joint une enveloppe timbrée.	I enclose a stamped* envelope.

* You can obtain this at your Post Office. Putting an Irish stamp on the envelope is no good, you need an international reply stamp.

Exemple :

Write a formal letter to the tourist office in Brussels, Belgium and in it say:

- You are in fourth year.
- You have to do a project on Brussels.
- You are looking for a map of Brussels.
- You would like some information on the tourist areas, the food and the history of the city.
- You would also like some pictures of the area.

Exemple :

Pat Mullins,
21 Riverdale,
Enniscorthy,
Co. Wexford,
IRLANDE

Le Syndicat d'initiative,
10 Grande Place,
Bruxelles,
BELGIQUE

Enniscorthy, le 4 septembre

Madame / Monsieur,

Je suis en quatrième année. Cette année je dois préparer un dossier sur un pays / une ville francophone. J'ai décidé de préparer mon dossier sur Bruxelles.

Est-ce que vous pourriez m'envoyer des renseignements pour ce dossier. Je voudrais un plan de la ville, des renseignements sur les sites touristiques, la nourriture et des détails sur l'histoire de la ville.

J'aimerais aussi des photos de la ville.

En attendant votre réponse.

Veuillez agréer, Madame / Monsieur, l'expression de mes sentiments distingués.

Pat Mullins

La ville de Bruxelles

La Grande Place Bruxelles

Écrivons maintenant !

You are writing a letter requesting information from the tourist office in Caen, France. Fill in the gaps in the letter below.

Marc Collins,
St Anthony's Secondary College,
Newtown,
Co. Clare

_____

Monsieur le Directeur,
Syndicat d' _____,
Place St Pierre,
14000 Caen
FRANCE

_____, le 3 mars 2009

Madame / Monsieur,

Nous sommes la classe de _____ année. Dans notre cours de français, nous préparons un _____ sur la ville de Caen.

Nous _____ des renseignements sur la _____ les _____ et les sites historiques. Veuillez nous _____ quelques brochures, un _____ de la ville et des _____, s'il vous plaît.

Dans l'attente de votre réponse, nous vous prions d'accepter, Madame / Monsieur, l'expression de nos _____ distingués.

Marc Collins

Coin grammaire

Poser des questions

In Bon Travail 1, you learned two ways of asking questions.

1 *Tu voyages en Suisse ?* Simply by the tone of your voice.

2 *Est-ce que tu voyages en Suisse ?* By using the words « est-ce que… »

A third way is by what is called **inversion**, that is, putting the subject before the verb (turning the two words around). In English we often do this when asking a question.

You are travelling to Switzerland. (statement)

Are you travelling to Switzerland? (question)

When you do this in French you join the two words together with a hyphen.

You can use this method for any tense of the verb.

Exemples :

Statement		Question
Tu voyages en Suisse.	→	Voyages-tu en Suisse ?
Vous aimeriez habiter au Canada.	→	Aimeriez-vous habiter au Canada ?
Tu habitais au Liban.	→	Habitais-tu au Liban ?

Sometimes you need to put in an extra **t** to make the pronunciation simpler. This is done in the 3rd person singular (il/elle/on) if the verb ends with a vowel.

Rappel ! Don't forget the question mark!

Exemples :

A-**t**-il un billet pour voyager ?

Partira-**t**-elle en vacances bientôt ?

Parle-**t**-on français aux Antilles ?

In the **passé composé**, you change the word order of the **helping verb** (**verbe auxiliaire**) and the **subject**.

Exemples :

Statement	Question
Tu as envoyé une carte postale à Léa.	As-tu envoyé une carte postale à Léa ?
Ils sont partis en Algérie.	Sont-ils partis en Algérie ?
Elle a écrit un dossier sur le Sénégal.	A-t-elle écrit un dossier sur le Sénégal ?

Exercice 1

Using inversion, make these statements into questions and write them in your copy.

N'oubliez pas **?**

1. Tu habites un appartement à Dakar.
2. Nous partirons en vacances jeudi.
3. Vous aimeriez rester en Guadeloupe.
4. Elle écrira un dossier avec son amie.
5. Ils adorent cette recette pour la fondue.
6. Elles habitaient à la Martinique.
7. Tu as vu l'émission sur la Réunion.
8. Vous avez goûté ce plat délicieux.

Quiz - La Francophonie

Here is a multiple choice quiz. Tick the correct box for each question.

Q1 On parle trois langues
- en Espagne ☐
- en Norvège ☐
- au Maroc ☐
- au Luxembourg ☐

Q2 Le gruyère est un fromage qui vient de
- la Suisse ☐
- l'Allemagne ☐
- la Belgique ☐
- la France ☐

Q3 Quelle est la capitale de la Suisse ?
- Genève ☐
- Berne ☐
- Bruxelles ☐
- Luxembourg ☐

Q4 Le Sénégal est dans l'Océan
- Pacifique ☐
- Indien ☐
- Atlantique ☐
- Antartique ☐

Q5 Quelle est la ville principale du Québec ?
- Ottawa ☐
- Melbourne ☐
- Lyon ☐
- Montréal ☐

Q6 Le couscous est
- un plat marocain ☐
- un animal marocain ☐
- un oiseau marocain ☐
- une boisson marocaine ☐

Q7 Avril Lavigne est une
- chanteuse belge ☐
- chanteuse française ☐
- chanteuse canadienne ☐
- chanteuse belge ☐

Q8 La Fournaise est
- un volcan ☐
- une rivière ☐
- un lac ☐
- un plat ☐

Communication en classe !

- *Est-ce que je pourrais...?*

- *Vous aimeriez regarder un film sur la francophonie ?*

- *Tu voudrais chercher ça sur Internet ?*

- *Je voudrais m'excuser pour mon mauvais comportement, Monsieur / Madame.*

- *Je voudrais écrire un dossier sur ...*

- *Où est-ce que je pourrais trouver des renseignements sur ... Monsieur / Madame ?*

- *J'écrirais si j'avais l'adresse.*

Épreuve

Question 1

Using **en**, **au** or **aux**, complete the following sentences.

1 Colin habite _____ Angleterre.	**2** Rome est _____ Italie.
3 Je suis _____ Portugal.	**4** Nous allons _____ Grèce cet été.
5 Didier voyage _____ Sénégal.	**6** Le trajet pour aller_____ Antilles est long.

Question 2

Listen to these news items from a French radio station and fill out the following chart.

Item	French-speaking country named	Item about	One other detail
1.			
2.			
3.			
4.			
5.			

Question 3

Complete these sentences with a suitable verb **au conditionnel**.

1. Si j'avais de l'argent, _____ au Canada.

2. S'il faisait beau, je _____ de la planche à voile.

3. Si ma mère était d'accord, _____ sortir ce soir.

4. Si j'allais à la plage, je _____ dans la mer.

5. Si mes copains avaient la permission, nous _____ aller au concert.

GRAMMAIRE

Question 4

Read this extract and answer the questions.

Zizou!

Zinedine Zidane est né à Marseille. Il est le fils d'immigrés algériens. À l'âge de quatorze ans, il a commencé à jouer au football pour le club de Cannes dans le sud de la France. C'était le début d'une grande carrière dans le monde du football.

Le club espagnol Real Madrid a payé 75 millions d'euros pour obtenir Zidane. En 1998, il a joué pour l'équipe française dans la Coupe du Monde et il a marqué deux buts dans la finale, contre le Brésil. La France a gagné la finale et les Français ont célébré la victoire sur les Champs Elysées à Paris. Zidane est devenu le symbole de la France métissé*.

Zidane a gagné 13 millions d'euros par an mais il est resté normal. Il n'oublie pas les valeurs de la famille. « Mes parents m'ont appris à être honnête ». Il est marié depuis 15 ans et il a quatre fils. Son fils aîné est doué pour le foot comme son père.

Zidane est en retraite et il veut emmener son père en Algérie. Il veut aussi passer plus de temps avec ses quatre fils.

*métissée – mixed race.

1. What nationality are Zidane's parents?
2. At what age did Zidane begin playing for Cannes?
3. What made Zidane become a symbol for immigrant people in France?
4. What did Zidane never forget when he became a football star?
5. What comment is made about his eldest son?
6. Now that Zidane is retired what does he want to do with his father?

Question 5

Ce, cet, cette or ces ?

1. Maman adore _____ recette de Louisiane.
2. J'aimerais acheter _____ sac en cuir.
3. _____ exercices sont assez difficiles.
4. _____ hôtel n'est pas si cher.
5. Je choisirais _____ voyage à la Réunion, si j'avais de l'argent.
6. J'adore _____ musique cadjine.
7. Je trouve _____ nouvelles incroyables.
8. Comment s'appelle _____ hôpital ?

Question 6

Listen to Anissa speaking about life in Morocco and fill in the blanks.

Bonjour. Je m'appelle Anissa et _____ à Tanger, c'est assez près de _____
_____. Le Maroc est en Afrique du _____. Tanger est une grande ville avec beaucoup de _____ en été. Mon père travaille dans un grand _____ et ma mère travaille sur les _____. Elle vend des sacs en cuir. À l'école, nous apprenons l'arabe, _____, l'anglais et l'espagnol. Le Maroc est un très _____ pays avec des montagnes et des _____ de sable. Mes passe-temps préférés sont la plongée et la _____, bien sûr !

Question 7

Annonces

1. Name the **two** DOM-TOM referred to in the ads.
2. What are the views like from the mezzanine studio?
3. Does the ad say how many people the studio takes?
4. Give **two** pieces of information about the bungalow.

DOM-TOM

MARTINIQUE TROIS-ILETS stud. mezz., 4/5 p., balc., situation except., superbe vue s/mer, px attractifs.
00.41.22.349.94.71.   Tél.

GUADELOUPE SUPERBE BUN-GALOW 2/5 pers., tt conf., vue mer, pisc., 200m plage, tables d'hotes sur Resa.   Tél/Fax. 05.90.85.22.57 ou email. revese-niles@wanadoo.fr.

VILLEGIATURE MONTAGNE

Question 8

Listen to this recipe for *Gâteau à la noix de coco* and fill in the gaps.

Ingrédients :

1 paquet (200 g) de pâte brisée congelée.

Pour la garniture :

4 _____ de sirop de canne

2 cuillerées à soupe de sucre de canne
_____ de sucre

125 g de noix de coco

3 cuillerées à soupe de crème fraîche

2 _____

Préparation :

1. Laissez décongeler la pâte.

2. _____ les œufs, le sirop de canne et le sucre.

3. _____ la noix de coco et la crème fraîche.

4. _____ la pâte et étalez-la dans un plat à tarte.

5. _____ le mélange sur la pâte.

6. Faites _____ la tarte à four chaud, pendant 35 minutes.

Question 9

You and a group of friends want to find out more about the French speaking area of Canada, in particular Montréal. Write a letter to the Tourist Office in Montréal (use the address given on page 358) asking for the following information:

- Number of inhabitants
- Details of history and historical sites
- Ask for some brochures, leaflets on entertainment for young people.

Question 10

Make these statements into questions. Use a mixture of « **est-ce que**… » and **inversion**.

1. Tu aimes la cuisine exotique.

2. Nous partirons demain pour le Canada.

3. Vous aimeriez partir en vacances en Irlande.

4. Ils voudraient préparer un dossier sur la musique créole.

5. Il a écrit à son correspondant au Luxembourg.

6. Vous avez fêté Mardi Gras à la Nouvelle Orléans.

Question 11

Read the following advertisement in a holiday brochure and answer the questions below.

A Bora Bora :

SOFITEL BORA BORA
BEACH RESORT ★ ★ ★ ★

Hôtel à fort caractère polynésien sur la plus belle plage de Matira.

SITUATION ET PORTRAIT *Au sud de l'île, à 12km de l'aéroport. Dans la manifique baie de Matira.*

SÉJOUR 4 NUITS *en Bungalow Deluxe côté Jardin équipé de salle de bains et douche de pluie, toilettes séparées, minibar, TV écran plat, et l'incomparable "Sofitel Mybed".*

PLAISIRS ET SERVICES *2 restaurants, 1 bar, boutique. Location de voitures, et vélo, bureau d'excursions. Spa.*

LOISIRS ET SPORTS *Piscine à débordement. Kayak de mer, plongée libre. Avec participation : pêche en haute mer, excursions en bateau (observation des raies), parachute ascensionnel, tour de l'île, centre de plongée.*

1. Give **one** detail about where the hotel is located.

2. In the Bungalow Deluxe what will you find? (Name **two** items)

3. What can you hire?

4. What can you watch on a boat excursion?

5. Apart from sea sports, what else could you do?

Question 12

Read this interview with the singer K'Maro and answer the questions which follow.

K-Maro, rappeur au grand cœur

Guess et Julien ont croisé le chanteur dans les coulisses du concert de l'Open du cœur, en juin dernier. Entre les deux ados invités par l'association et K-Maro, le courant est passé !

PART 1

Guess : L'Open du cœur soutient des associations qui viennent en aide à des jeunes comme nous, en difficulté. Pourquoi t'impliques-tu dans ce type d'action ?

K-Maro : Parce que j'ai eu une enfance un peu tumultueuse [il est né au Liban en 1980 et y a connu la guerre]. Il y a six ou sept ans, j'ai donc décidé d'aider l'Open du cœur, les Pièces jaunes et d'autres associations.

Julien : Que t'apportent ces contacts avec des jeunes ?

K-Maro : Plein de choses. Ça me fait redescendre sur terre. Avoir une relation humaine avec les jeunes me rend plus sain. Cela me permet de garder l'équilibre et de revenir aux vraies valeurs. Ici, dans ce type de spectacle, le public voit qui on est vraiment. On ne vient pas ici pour faire notre publicité. On est là pour vous.

PART 2

Guess : Quand tu avais notre âge, à quoi rêvais-tu et quelles étaient tes occupations ?

K-Maro : À 13 ans, j'ai monté mon premier groupe de hip-hop : *Les Messagers du son*. Et puis, j'étais comme tous les autres jeunes. Je m'amusais avec les filles, je sortais, je dansais, je prenais du bon temps. J'étais bercé par la culture américaine. Je pratiquais aussi le hockey, le volley et le basket.

Julien : D'où te vient cette voix si particulière ?

K-Maro : Depuis des années, j'ai ce roulement dans la voix chaque fois que je me mets à chanter, ça vient de façon naturelle.

PART 3

Guess : Ton véritable nom est Cyril Kamar, et ton nom d'artiste est K-Maro. D'où le tiens-tu ?

K-Maro : Ce surnom m'a été donné par des potes. Quand on était plus jeunes, il y a avait trois Cyril à l'école. D'un coup, tout le monde s'est mis à m'appeler par mon nom de famille, Kamar, et c'est de là qu'est parti le pseudo K-Maro.

PART 4

Julien : Y a-t-il des artistes qui t'impressionnent ?

K-Maro : Oui, Jay-Z, P. Diddy et, plus généralement, des chanteurs qui ont beaucoup de charisme. Quand j'étais plus jeune, j'étais plutôt influencé par des artistes comme Michael Jackson, McSolaar ou encore NTM.

Guess : Qu'est-ce qui a changé dans ta vie depuis que tu es une star ?

K-Maro : Pas mal de choses. Je n'ai plus le temps de voir ma famille, de passer des vacances avec elle. C'est aussi très difficile d'avoir une vie privée car je suis entouré du matin au soir. Par exemple, je ne peux plus passer incognito dans un lieu public. Parfois, je trouve ça un peu pesant.

Guess : Dans ton single, *Les frères existent encore*, tu mélanges deux genres musicaux, le gospel et le R'n'B'. D'où t'est venue cette idée ?

K-Maro : Je ne suis pas attaché à un genre particulier. Pour moi, il n'y a pas de barrières. J'apprécie la musique sous tous ses angles. En ce moment, j'aime la dance-floor, mais aussi le gospel et le R'n'B'.

PART 5

Julien : Dans *Les frères existent encore*, tu dis que la base de l'amitié, c'est la fidélité. À qui as-tu dédié cette chanson ?

K-Maro : À toute mon équipe. Nous travaillons ensemble depuis dix ans. Je subis beaucoup de pression, et c'est grâce à elle que je tiens le coup.

Guess : Après le succès des albums La Good Life et Million Dollar Boy, as-tu d'autres projets ?

K-Maro : Avec mon équipe, nous sommes des bosseurs et nous travaillons sans cesse sur une nouvelle maquette.

Julien : Tu travailles donc sur un nouvel album ?

K-Maro : Oui. Il sera très différent des précédents : un mélange d'autres genres musicaux.

1. What is the aim of the association L'Open Cœur? (Part 1)

2. Why has K-Maro decided to support associations such as this? (Part 1)

3. Name **one** benefit he gets from supporting these associations. (Part 1)

4. What happened when K-Maro was 13? (Part 2)

5. Name **one** activity he was involved in apart from music. (Part 2)

6. How did he get his name K-Maro? (Part 3)

7. What changes have fame brought to his life? (Name **one**) (Part 4)

8. What does he say about the type of music he sings? (Part 4)

9. Who has he dedicated his new album to? (Part 5)

10. What does he say about his current project? (Part 5)

Lexique

acier (m.)	steel	Caraïbes (f. pl.)	Caribbean (islands)
aîné(e)	eldest	carte (f.)	map
ajouter	add	char à voile (m.)	beach-carting
amener	to bring/lead	citron (m.)	lemon
arroser	to sprinkle/to water	congelé(e)	frozen
au cœur de	in the heart of	consacré(e)	devoted
au frais	cool	corail (pl. coraux) (m.)	coral
autrefois	formerly/in the past	Côte d'Ivoire (f.)	Ivory Coast
badigeonner	to baste/brush surface	(d'un) coup	all of a sudden
bassin (m.)	pond/water tank	coulisses (f.pl.)	backstage
bateau à vapeur (m.)	steamboat	couper	to cut
bâtiment (m.)	building	courses de chevaux (f. pl.)	horse races
Belgique (f.)	Belgium	couscous (m.)	popular N. African dish
berbère (m.)	Berber (N. African language)	creux (m.)	hollow
bosseur (m.)	swot/hardworker	cuillerée à café (f.)	teaspoonful
bouche (f.)	mouth	cuillerée à soupe (f.)	tablespoonful
bouillant(e)	boiling	décongeler	to defrost
bouquet de (m.)	bunch of	dédier	to dedicate
cabri (m.)	kid/baby goat	dés (m.)	dice
cabrioler	to caper/leap about	de la part de	on behalf of
cadet / -te	youngest	déménager	to move house
cadjin(e)	Cajun	diffuser	to broadcast
Cambodge (m.)	Cambodia	dossier (m.)	project
Cameroun (m.)	Cameroon	doué(e)	gifted/talented
cannelle (f.)	cinnamon	eau douce (f.)	fresh water

emmener	to bring/to take	maïs (m.)	corn
enfance (f.)	childhood	malgré	despite
enregistrer	to record	manuscrit (m.)	manuscript
entendre	to hear	maquette (f.)	model
enveloppe timbrée (f.)	stamped envelope	marigot (m.)	ox-bow lake/backwater
épais /-se	thick	marquer	to score (a goal)
épi de mais (m.)	corncob	Maroc (m.)	Morocco
équilibre (m.)	balance	méconnu(e)	unrecognised/misunderstood
espèce (f.)	species/type	mélange (m.)	mixture
étaler	to spread out/layout	mélanger	to mix
état (m.)	state	menthe (f.)	mint
États-Unis (m. pl.)	USA	**se** mettre à	to begin
étranger /-ère	foreigner/stranger	miel (m.)	honey
fabrication (f.)	manufacture / making	mode (f.)	fashion
faire des randonnées	to go hiking/walking	moine (m.)	monk
faire du canoë	to go canoeing	monastère (m.)	monastery
faire cuire	to cook	mouche (f.)	fly
farine (f.)	flour	moulin à poivre (m.)	peppermill
fidélité (f.)	faithfullness/trust	moulu(e)	ground
forêt (f.)	forest	moustique (m.)	mosquito
fondre	to melt	moutarde (f.)	mustard
four (m.)	oven	mûr(e)	ripe/mature
frémir	to vibrate/quiver	n'importe où	anywhere
genre (m.)	kind/type	noix de coco (f.)	coconut
glace à la noix (f.)	walnut ice-cream	nonante	ninety (Belgium/Switzerland)
gonfler	to swell	nourriture (f.)	food
goûter	to taste	Nouvelle-Calédonie (f.)	New Caledonia
hâcher	to chop up/mince	oriental(e)	eastern
herbe (f.)	grass	outre-mer	overseas
huile (f.)	oil	oublier	to forget
île (f.)	island	parfois	sometimes
îles anglo-normandes (f. pl.)	Channel Islands	passer	to spend time
île Maurice (f.)	Mauritius	pâte brisée (f.)	shortcrust pastry
s'impliquer	to involve	pays (m.)	country
lac (m.)	lake	Pays-Bas (m. pl.)	Netherlands (Holland)
lécher	to lick	persil (m.)	parsley
langue (f.)	language	pesant(e)	heavy/weighty
Liban (m.)	Lebanon	peser	to weigh
lieu (m.)	place	pétanque (f.)	bowling
location (f.)	rental	plat(e)	flat

plongée (f.)	*diving*	sain(e)	*healthy*
plupart (f.)	*most/majority*	salé(e)	*salted*
pneu (m.)	*tyre*	septante	*seventy (Belgium/Switzerland)*
poêle (f.)	*frying pan*	sirop de sucre (m.)	*golden syrup*
pôte (m./f.)	*pal/mate*	son (m.)	*bran*
pourriel (m.)	*spam (Canadian French)*	soutenir	*to sustain*
pousser	*to grow*	squellette (f.)	*skeleton*
précédent(e)	*preceding/previous*	sucré	*sugary/sweet*
précuire	*to pre-cook*	sucre de canne (m.)	*cane sugar*
presque	*almost*	taille (f.)	*size/cutting*
propreté (f.)	*cleanliness*	tandis que	*as long as*
pseudonyme (m.)	*assumed name*	tir à l'arc (m.)	*archery*
raie (f.)	*ray/skatefish*	tombeau (m.)	*tomb*
ramasser	*to gather*	tourner un film	*to make a film*
randonnée (f.)	*hike/long walk*	trait de	*dash of*
recette (f.)	*recipe*	tumultueux /-se	*riotous*
récif (m.)	*reef*	Tunisie (f.)	*Tunisia*
remuer	*to stir/move around*	venir de	*to have just*
renseignements (m. pl.)	*information*	véritable	*true/real*
réponse (f.)	*reply*	verser	*to pour*
requin (m.)	*shark*	vider	*to empty*
retirer	*to draw back/pull back*	vivant(e)	*living*
rhum (m.)	*rum*	voix (f.)	*voice*
rondelle (f.)	*disk/round slice*	volcan (m.)	*volcano*
rouler	*to roll*		

Listening Comprehension   Test 4 – Unités 10-11

Q1   Say which computer item is being spoken of

1.	2.	3.	4.	5.

(5 x 2) 10 points ☐

Q2   Write down the following telephone numbers (each number contains 5 groups of digits)

1.	2.	3.

(5 x 3) 15 points ☐

Q3   Why did these people ring?

1.	2.	3.	4.	5.

(5 x 2) 10 points ☐

Q4   Where are these items being sent and how much does it cost?

	1.	2.	3.	4.	5.
Destination					
Cost					

(5 x 2) 10 points ☐

Q5   What nationality is mentioned in each of these conversations?

1.	2.	3.	4.	5.

(5 x 2) 10 points ☐

Q6   What fruit or vegetable is mentioned in the title of these recipes?

1.	2.	3.	4.	5.

(5 x 1) 5 points ☐

Q7   What quantity of each item is mentioned?

1. ......flour	2.......... salt	3.......... peas	4......... coffee	5.......... milk

(5 x 1) 5 points ☐

Q8   What ingredient is being mentioned

1.	2.	3.	4.	5.

(5 x 1) 5 points ☐

Q9   What would these people do if they won the Lottery?

1.	
2.	
3.	
4.	
5	

(5 x 3) 15 points ☐

Q10   Which country is each person researching and what do they ask for?

	1.	2.	3.	4.	5.
Name of country					
What asked for					

(5 x 3) 15 points ☐

Total: 100 points ☐

Exam Practice - Listening Comprehension

What can I expect?

- The Listening Comprehension is the first part of your Junior Certificate French examination.
- You will have to listen for about 30-35 minutes and then answer questions **in English**.
- There are **five sections** in this part of the exam.
- This part of the exam is worth **140 marks** or approximately 44% of the total.
- Both Ordinary and Higher Level students hear the same dialogues/conversations. However Ordinary Level students have more multiple-choice questions and Higher Level students have to answer more detailed questions.

The Listening Comprehension section has **five** parts: **A**, **B**, **C**, **D** and **E**. **You will hear Sections A, C and E twice. You will hear Sections B and D three times.**

You need to be able to understand how to:

- Identify what a conversation is about or where it takes place.
- Fill in a grid giving personal details about a person.
- Spell people's names.
- Write down telephone numbers/prices/times.
- Listen to people giving street directions.
- Listen to people ordering meals/buying food.
- Complete information on bookings - restaurants/hotels/campsites.
- Give details about longer conversations - discussing holidays/school/job.
- Give information about public announcements in train stations, bus stations, airports.
- Write down details about short news items/weather forecasts/radio advertisements.

The conversation topics include:

- Making or cancelling an appointment
- Borrowing or lending something
- Invitations – accepting or refusing
- Ordering food/drinks
- Buying a ticket for transport, cinema or a concert
- Reporting a theft or loss of property
- Asking for or giving directions
- Making a complaint
- Expressing anger/disappointment/disgust
- Making a booking
- Making an apology

Exam Technique!

- Read the question carefully and know exactly what you have to answer.

- Answer in English (or in Irish). **Do not answer in French.**

- Make an attempt at each question — even guessing is better than leaving a blank space.

- Use your common sense when answering! For example, if the question asks the price of a copybook, it is unlikely to be €80!

- Use a pencil to write key words on a piece of paper if you are unsure, or take notes as you listen before deciding on your final answer. This works well for numbers.

- Use block letters if your writing is unclear.

- Wait for the pauses between items to write the answers down. There is adequate time allowed. You should not try to write while you are listening.

- Write only one letter in the box provided for multiple-choice-type questions — make sure that it will be easily read by the examiner.

- You need to keep concentrating for the full 30–35 minutes. Avoid looking around you — remember that the listening section is worth **140 out of 320** marks for HL and for OL.

Vocabulary to revise:

- Numbers — you need them for prices, times, dates, sports results, phone numbers and amounts.

- French alphabet — you may be asked to spell someone's family name or a place name.

- Vocabulary for food, family members, transport, parts of the body, the house and furniture, school, weather, pastimes, occupations, clothes, colours, and directions.

Section A – Ordinary and Higher Level

This section involves listening to **three** conversations. Students have to decide what each conversation is about or where it is taking place. If it involves phone calls, you must work out what the purpose of the call is. Listen for the tone of voice and for key words. The three conversations are played **twice**.

Ordinary Level students have three multiple-choice questions. Each question refers to the conversation just heard.

For **Higher level**, there will be five options from which the student selects three answers.

Section A · Ordinary Level · Sample Question 1   **A**

You will hear each of **three** conversations twice. You may answer the question on each recording at the end of either hearing, by writing *a*, *b*, *c* or *d* in the appropriate box.

1. Sylvie is on her way to
   (a) school
   (b) home
   (c) a bookshop
   (d) the library

2. The man is in
   (a) a post office
   (b) a tourist office
   (c) a stadium
   (d) a vineyard

3. This conversation takes place
   (a) in a hotel
   (b) in a furniture shop
   (c) at an airport reservations desk
   (d) in a restaurant

Section A · Ordinary Level · Sample Question 2   **A**

You will hear each of **three** conversations twice. You may answer the question on each conversation at the end of either hearing by writing *a*, *b*, *c*, or *d* in the appropriate box.

1. David asks Julie out on
   (a) Friday evening
   (b) Saturday morning
   (c) Saturday afternoon
   (d) Saturday night

2. Thomas tells Céline
   (a) he has had an accident
   (b) he has a new bike
   (c) he's playing in the final
   (d) he's going on holidays

3. This man is buying a magazine about
   (a) children
   (b) fashion
   (c) cinema
   (d) animals

A

Section A · Higher Level · Sample Question 1

You will hear **three** conversations. In each case, say whether the conversation takes place

(a) in a tourist office

(b) outside a library

(c) at a hotel reception desk

(d) outside a bookshop

or

(e) at a restaurant

You will hear each conversation **twice**. You may answer the question after either hearing. Give the answer by writing *a*, *b*, *c*, *d*, or e, in the appropriate box below.

(i) First conversation ☐

(ii) Second conversation ☐

(iii) Third conversation ☐

A

Section A · Higher Level · Sample Question 2

You will hear **three** conversations. In each case, say whether the conversation is about:

(a) someone who has had an accident

(b) someone making a complaint

(c) someone arranging to have a piano lesson

(d) someone buying a present

or

(e) someone going to a match

You will hear each conversation twice. You may answer the question after either hearing. Give the answer by writing *a*, *b*, *c*, *d*, or *e*, in the appropriate box below.

(i) First conversation ☐

(ii) Second conversation ☐

(iii) Third conversation ☐

Section B – Ordinary and Higher level

This section involves listening to two interviews — one male, one female. The two people give information about themselves. Details given can be any of the following — nationality / birthday / age / hair or eye colour / family / where they live / likes and dislikes / pastimes / hobbies / sports played / school subjects / mother's occupation / father's occupation / countries visited / future plans.

The two extracts will be played **three times** with a gap between each playing. Students answer by filling in a grid.

● **Ordinary Level students fill in five details** in the grid.

● **Higher Level students fill in eight details** in the grid.

Section B · Ordinary Level · Sample Question 1

B

In this section, **two** people introduce themselves. Each of their stories will be played **three** times. Listen to them and fill in the information required in the grids at 1 and 2 below.

1.

NAME	*SOPHIE*
AGE	
NUMBER OF BROTHERS	
FATHER'S JOB	
ONE ANIMAL MENTIONED	
HER FUTURE CAREER	

2.

NAME	*KARIM*
BIRTHDAY	
COLOUR OF HIS EYES	
MOTHER'S OCCUPATION	
ONE PASTIME MENTIONED	
HOLIDAY PLANS	

Section B · Ordinary Level · Sample Question 2

B

In this section, **two** people introduce themselves. Each of their stories will be played **three** times. Listen to them and fill in the information required in the grids at 1 and 2 below.

1.

NAME	*MARINA*	
NUMBER OF	BROTHERS:	SISTERS:
TYPE OF HOUSE SHE LIVES IN		
ONE DETAIL ABOUT HER ROOM		
ONE SCHOOL SUBJECT SHE LIKES		
ONE COUNTRY SHE HAS VISITED		

2.

NAME	*ÉRIC*
AGE	
OCCUPATION	
HOW HE TRAVELS EACH DAY	
WHAT HE DOES IN WINTER	
ONE DETAIL ABOUT HIS GIRLFRIEND	

Section B · Higher Level · Sample Question 1   **B**

In this section, **two** young people introduce themselves, first Sophie and then Karim. Each of their stories will be played **three** times. Listen to them and fill in the information required in the grids at 1 and 2 below.

1. First Speaker : Sophie

NAME	SOPHIE
HER AGE	
HER BIRTHDAY	
DETAIL ABOUT WHERE SHE LIVES	
HER MOTHER'S JOB	
HER FAVOURITE SUBJECTS AT SCHOOL	(i) (ii)
HER FUTURE CAREER	

2. Second Speaker : Karim

NAME	KARIM
NUMBER OF SISTERS	
PLACE IN FAMILY	
ONE DETAIL ABOUT HIS HAIR	
HIS FATHER'S JOB	
TWO PASTIMES	(i) (ii)
PLANS FOR NEXT SUMMER	
ONE DETAIL ABOUT HIS IRISH FRIEND	

Section B · Higher Level · Sample Question 2   **B**

You will now hear **two** people introducing themselves, first Marina and then Éric. Each of the recordings is played **three** times. Listen carefully and fill in the required information on the grids at 1 and 2 below.

1. First Speaker : Marina

NAME	MARINA
STAR SIGN	
NO. OF CHILDREN IN FAMILY	
WHERE SHE LIVES (**ONE** DETAIL)	
TWO ITEMS OF FURNITURE IN HER ROOM	(i) (ii)
HOW SHE GETS TO SCHOOL	
WHERE SHE WENT ON HOLIDAY LAST YEAR	
ONE THING SHE DIDN'T LIKE ABOUT THE PLACE	

2. Second Speaker : Éric

NAME	ÉRIC
AGE	
NAME OF CITY WHERE HE IS FROM	
OCCUPATION	
WHAT TIME HE FINISHES EACH DAY	
ONE THING HE DOES IN WINTER	
ONE DETAIL ABOUT HIS GIRLFRIEND	
WHERE THEY MET	

Section C – Ordinary and Higher levels

> This section involves **four or five** separate conversations. These can be about people asking for directions, making purchases, making bookings, ordering food or making appointments. You may be asked to write out a phone number, give the price of something or spell a person's name. You need to revise the alphabet and all the numbers in order to answer these correctly. Each conversation is played **twice**.
>
> - **Ordinary level** students answer **five** questions.
> - **Higher level** students answer **ten** questions.

Section C · Ordinary Level · Sample Question 1   **C**

You will hear **five** separate conversations. Each one will be played **twice**. Listen carefully and answer the questions.

1. What type of ticket is this person buying?

   (a) a single ticket for a bus journey

   (b) a single ticket for a train journey

   (c) a return ticket for a bus journey

   (d) a return ticket for a train journey

2. Complete the spelling of the customer's name by filling in the blanks below with the missing letters.

L		C		E		C	

3. Name one type of vegetable the lady buys:

   _____

4. Listen to the conversation and complete the telephone number below.

   02.   32.   _ _.   45.   _ _.

5. Where did Michel and his father go?

   (a) they have gone away on holidays to Spain

   (b) they have gone to visit Bernard in Spain

   (c) they have gone to collect Bernard at the airport

   (d) they have gone to drop Bernard at the airport

Section C · Ordinary Level · Sample Question 2 C

You will hear **five** separate conversations. Each one will be played **twice**. Listen carefully and answer the questions.

1. What does Luc's mother ask him to do?
   (a) wash the dishes
   (b) hoover the sittingroom
   (c) tidy his bedroom
   (d) go to the shops

2. In order to get where she wants to go, the girl must take
   (a) the first right
   (b) the second right
   (c) the first left
   (d) the second left

3. This man has lost
   (a) his suitcase
   (b) his mobile phone
   (c) his laptop computer
   (d) his camera

4. How much extra does breakfast cost per person?
   (a) €5
   (b) €10
   (c) €15
   (d) €20

5. The caller's name is spelled
   (a) U.R.B.A.N.D.
   (b) U.R.B.A.I.N.
   (c) O.R.B.E.I.N.
   (d) H.U.R.B.A.N.

Section C · Higher Level · Sample Question 1   C

You will now hear **five** separate conversations. Each one will be played **twice**. Listen carefully and answer the questions below.

1. (a) When does this person wish to travel? _____
   (b) What kind of ticket does he buy? _____

2. (a) The woman is booking a meal to celebrate what occasion?
   _____
   (b) Spell the woman's surname. Write one letter in each box.

3. (a) Name one thing the lady buys _____
   (b) How much does she pay in total? _____

4. (a) Write down the rest of Sophie's phone number 02. 32. _____ _____ _____
   (b) When is her friend going to phone Sophie? _____

5. (a) When did Michel and his father go away in the car? _____
   (b) Why did they go? _____

Section C · Higher Level · Sample Question 2   C

You will hear **five** separate conversations. Each one of them will be played **twice**. Listen carefully and answer the questions below.

1. (a) What job does Luc's mother ask him to do? _____
   (b) Why does Luc not want to do the job? _____

2. (a) Where does the tourist wish to go? _____
   (b) What directions is she given? _____

3. (a) What has this man lost? _____
   (b) Where was he planning to go? _____

4. (a) For which date does the tourist want to book a room at the hotel? _____
   (b) How much will the room cost? (not including breakfast) _____

5. (a) Why does the man need to see the doctor? _____
   (b) At what time is his appointment fixed for? _____

Section D – Ordinary and Higher levels

This section usually involves a long conversation between two people or a group of people.

The conversation will be divided into four or five segments, with pauses for you to answer the questions.

The conversation will be played **three** times. First you will hear it all right through. Then it will be played in segments with pauses. Finally you will hear it all right through again.

- **Ordinary Level students answer five questions.**

- **Higher Level students answer ten questions.**

Section D · Ordinary Level · Sample Question 1

D

Sophie and David meet as they leave school just before the mid-term break.

You will hear the conversation **three** times. First you will hear it right through, then it will be replayed in **four segments** with pauses. Finally you will hear the whole conversation right through again.

1. (i) Where is Sophie going? _____

　(ii) Sophie is going away for

　　(a) 5 days

　　(b) 15 days

　　(c) 5 weeks

　　(d) 15 weeks

2. David's father has

　(a) cuts and bruises

　(b) a broken finger

　(c) a broken leg

　(d) a broken foot

3. What had David planned to do during the mid-term break?

_____

4. When will they be in touch again?

_____

Section D · Ordinary Level · Sample Question 2 **D**

Lucie meets her friend Hervé in the street.

You will hear the conversation **three** times. First, you will hear it all right through, then it will be replayed in **four segments** with pauses. Finally, you will hear the whole conversation right through again.

1. When Lucie meets Hervé, he is on his way to

   (a) football training   **(b)** the shopping centre

   (c) swimming training   **(d)** his part-time job

2. (i) What sport is Lucie involved in?

   _____

  (ii) How often does she train?

   (a) once a week   **(b)** three times a week

   (c) five times a week   **(d)** just at weekends

3. What has Hervé planned to do on Saturday?

   (a) to go training

   (b) to buy new clothes

   (c) to watch a video

   (d) to buy a present for his sister

4. Hervé invites Lucie

   (a) to go to see Juliette

   (b) to go to a fortune-teller

   (c) to go to the cinema

   (d) to go to a café

Section D · Higher Level · Sample Question 1

D

Sophie and David meet as they leave school just before the mid-term break.

You will hear their conversation **three times**. First in full, then in **four segments** with pauses, and finally right through again. Answer the questions below.

First Segment

1. (a) What is Sophie doing tomorrow? _____

   (b) At what time must she be at the airport? _____

Second Segment

2. (a) What happened to cause the accident David's father had? _____

   (b) Name **one** thing his father can't do now _____

   (c) Where does David's mother work? _____

Third Segment

3. (a) How will David be able to help his father with his work? _____

   (b) What had David planned to do at mid-term? _____

   (c) Name **one** of the activities involved. _____

Fourth Segment

4. (a) When is Sophie's birthday? _____

   (b) What will they do to celebrate? _____

Section D · Higher Level · Sample Question 2

D

Lucie meets her friend, Hervé, in the street. You will hear their conversation **three** times. First in full, then in **four segments** with pauses and finally right through again. Answer the questions below.

First Segment

1. (a) On which day is Hervé going training? _____

   (b) Why is it difficult to keep his place on the team? _____

Second Segment

2. (a) Where was Lucie competing recently? _____

   (b) What did she win? _____

Third Segment

3. (a) Name **one** thing Lucie is doing on Friday evening _____

   (b) What does Hervé have to do on Saturday? _____

   (c) Which of the following items is **not** mentioned?

       (i) clothes   (ii) jewellery   (iii) accessories   (iv) shoes

Fourth Segment

4. (a) At what time will they meet? _____

   (b) Apart from shopping what else might they do? _____

   (c) Where exactly will they meet? _____

Section E – Ordinary and Higher levels

This section involves listening to short news items from French radio. There may be details of current news stories, involving numbers or the name of countries; there is generally an item concerning sport, so there may be a result mentioned; and usually there is an item about the weather, so revise all the words you need for this.

- **Ordinary Level** students answer **five** questions.

- **Higher Level** students answer **ten** questions.

Section E · Ordinary Level · Sample Question 1

E

You will now hear **five** items taken from the radio. Each item will be played **twice**. Listen carefully and answer the questions on each one.

1. This event took place in

   (a) a butcher's shop   **(b)** a sweet shop

   (c) the police station   **(d)** a bakery

2. This accident involved

   (a) a school bus and a lorry   **(b)** a school bus and a car

   (c) a car and a lorry   **(d)** a lorry and a train

3. What did these group of protesters do?

   (a) prevent the metro from running   **(b)** prevent taxi drivers from working

   (c) refuse to wear their uniform   **(d)** close down schools

4. The French team won

   (a) a gold medal   **(b)** a silver medal

   (c) a bronze medal   **(d)** no medals

5. From the list of words given below, select the word which best describes the weather in the northern part of the country.

   (a) rainy   **(b)** freezing

   (b) foggy   **(d)** sunny

Section E · Ordinary Level · Sample Question 2

E

You will now hear **five** items taken from the radio. Each item will be played **twice**. Listen carefully and answer the questions on each one.

1. The vehicles which were damaged were:

   (a) bicycles   **(b)** cars

   (c) aircraft   **(d)** lorries

2. What caused the damage last Saturday?

   (a) high winds   **(b)** an explosion

   (c) an electric storm   **(d)** rain

3. The cruelty in this incident was caused to

   (a) a child   **(b)** a policeman

   (c) refugees   **(d)** cats

4. Name **one** of the teams involved in this match: _____

5. From the list of words below, select the word which best describes the weather in the Eastern part of France.

   (a) cold   **(b)** stormy

   (c) windy   **(d)** snowy

Section E · Higher Level · Sample Question 1

E

Your listening test will end with **five** short news items from French radio. Each item will be played **twice**. Listen carefully and answer the questions below.

First Item

1. **(a)** Where did the explosion take place? _____

   (b) What is thought to have caused the explosion? _____

Second Item

2. **(a)** Name **one** of the two vehicles involved in this accident. _____

   (b) Who was taken to hospital? _____

Third Item

3. **(a)** Which **two** groups of people were protesting? _____

   (b) How long had the wage negotiations being going on? _____

Fourth Item

4. **(a)** In which country did the World Skiing Championships take place? _____

   (b) What was the result for France? _____

Fifth Item

From the list of words below, select the word which best describes the weather in the areas mentioned.

     Dry   Frosty   Wet   Cold   Sunny spells

(i) The northern part of the country? _____

(ii) The Mediterranean coastal area? _____

Section E · Higher Level · Sample Question 2

E

You will now hear **five** items from the radio. Each item will be played **twice**. Listen carefully and answer the questions on each one.

First Item

1. (a) What happened to the vehicles in this incident? _____

   (b) Where were the vehicles parked? _____

Second Item

2. (a) How many people were injured in the storm? _____

   (b) What was the effect on a large number of households? _____

Third Item

3. (a) What led police to visit the house in Picardie? _____

   (b) Who or what was being subjected to cruelty? _____

Fourth Item

4. (a) What sport is this report about? _____

   (b) What was the final score? _____

Fifth Item

5. From the list of words given below, select the word which best describes the weather in the areas mentioned.

   | Cold | Rain | Sunny | Cloudy | Stormy |

   (i) Northern France _____

   (ii) Eastern France _____

Exam Practice - Reading Comprehension

How Many Marks?

The Reading Comprehension section of the Junior Certificate paper comes after you have finished listening to the CD. There are 100 marks for this part on the HL paper and 120 marks on the OL paper, so it is a very important part of the exam.

	Higher Level	Ordinary Level
Number of Marks	100	120
Percentage of Total Marks	32%	37%

Unlike some of the other subjects you are studying, the answers to **all** the questions in the Reading Section are somewhere on your paper. You do not have to create or remember facts. The answer is right there in front of you.

Do I answer in English/Irish or French?

Another great advantage is that all your questions will be in English (or Irish) and your answers will also be in English (or Irish). Don't forget that! **Questions in English/Irish** require **answers in English/Irish**. If you give a French answer, you won't get any marks.

Getting Started

Whether you are taking the Higher or Ordinary Level, the paper will start off at a fairly easy level. You will notice that as the paper goes on, the extracts will get longer. Don't forget to read the headings or titles of the passages. This can be a help. Sometimes there are photos which will help you as well.

Ordinary Level – Question 1

The Reading Comprehension part of the OL paper usually starts with a matching exercise. You have to match the written words to the correct picture. You will get 10 pairs to match.

- First, match the pairs that you are really sure of.
- Cross them out as you do each one. Sometimes, it is better to do this type of exercise in pencil. Then, if you have made a mistake, you can easily rub out your incorrect answer and start again.
- Always check at the end that you have not put in the same letter twice — this can happen. Go down the list a–j, ticking them off as you go.

Ordinary Level · Sample Question 1

1	Chaussures	A	
2		B	Vélos à louer
3	Coiffeuse	C	
4		D	Aire de Jeux
5	Consigne automatique	E	
6		F	Cabines d'essayage
7	Œufs frais	G	
8		H	Auberge de jeunesse
9	Sortie d'urgence	I	
10		J	Gare routière

No.	Letter
1	
2	
3	
4	
5	
6	
7	
8	
9	
10	

Ordinary Level · Sample Question 2

1	Journaux	A	
2		B	Crêperie
3	Salle d'attente	C	
4		D	Essence
5	Défense de stationner	E	
6		F	Fromages
7	Bijoux	G	
8		H	Caisse rapide
9	Stade	I	
10		J	Attention ! Peinture fraîche

No.	Letter
1	
2	
3	
4	
5	
6	
7	
8	
9	
10	

Ordinary Level · Sample Question 3

1	Chien méchant	A	
2		B	Non-fumeur
3	Lavage automatique	C	
4		D	Lunettes
5	Poissonnerie	E	
6		F	Ascenseur
7	Parking complet	G	
8		H	Terrain de boules
9	Passage clouté	I	
10		J	Légumes biologiques

No.	Letter
1	
2	
3	
4	
5	
6	
7	
8	
9	
10	

Ordinary Level · Sample Question 4

1	Lycée	A	
2		B	Zone piétonne
3	Pharmacie	C	
4		D	Premiers secours
5	Articles de pêche	E	
6		F	Escalier roulant
7	Dégustation de vins	G	
8		H	Sous-sol
9	Club de voile	I	
10		J	Garderie

No.	Letter
1	
2	
3	
4	
5	
6	
7	
8	
9	
10	

Ordinary Level · Sample Question 5

1	Glaces	A	
2	louer ici	B	Guichet
3	Boulangerie	C	
4		D	Sens Unique
5	Chariots	E	
6		F	Location de voitures
7	Vélodrome	G	
8		H	Vêtements bébés
9	Plage	I	
10		J	Feux d'artifice

No.	Letter
1	
2	
3	
4	
5	
6	
7	
8	
9	
10	

Ordinary Level · Sample Question 6

1	Timbres	A	
2		B	Douches
3	Accès aux quais	C	
4		D	Boucherie
5	Piscine municipale	E	
6		F	Syndicat d'Initiative
7	Attention ! Travaux	G	
8		H	Librairie
9	Exposition de peinture	I	
10		J	Plats congelés

No.	Letter
1	
2	
3	
4	
5	
6	
7	
8	
9	
10	

Higher Level – Question 1

For Higher Level, Question 1, you are asked to recognise signs, advertisements and notices that you might see if you were in France.

- You will always be given four options.
- You must make a clear decision and write just **one** letter in the box given. So read the possibilities carefully.
- If you are not sure of your answer, eliminate the options you know are not correct and this may leave you with the correct answer.
- Always write just **one letter** in the answer box. If you decide to change your mind, make sure that you write the new answer clearly beside the box and do not try to write over your old answer. Do not write two answers, as no marks will be awarded, even if one of your answers is correct.

What should I revise for this section?

You can revise for this question by going back through your textbook. Learn the names of shops and buildings in France. Remember also signs you would see at an airport, in a railway station, in shops, on roads and in public places. Sometimes you need the words for clothes and food items.

Higher Level · Sample Question 1

Read the signs/advertisements/texts that follow and answer all the questions.

(a) You are in a shopping centre in France and you want to find the basement floor. Which of these signs would tell you where it is? Select (a), (b), (c) or (d). Write your answer in the box.

    (a) Premier étage   *(b) Rez-de-chaussée*   *(c) Sous-sol*   *(d) Sortie*

(b) You want to buy a nice cake for your French correspondant(e)'s family. Which of these signs would tell you where the cakeshop is? Select (a), (b), (c) or (d). Write your answer in the box.

    (a) Fromagerie   *(b) Supermarché*   *(c) Pharmacie*   *(d) Pâtisserie*

Higher Level · Sample Question 2

Read the signs/advertisements/texts that follow and answer all the questions.

(a) You are in France and want to leave your luggage at the railway station. Which sign would you look for? Select (a), (b), (c) or (d). Write your answer in the box.

    (a) Guichet   *(b) Accès aux quais*

    (c) Consigne automatique   *(d) Renseignements*

(b) You are on holidays in a French town and you want to get tourist information on the local sites. Which sign would you look for? Select (a), (b), (c) or (d). Write your answer in the box.

    (a) Musée   *(b) Syndicat d'Initiative*

    (c) Mairie   *(d) Bibliothèque*

Higher Level · Sample Question 3

Read the signs/advertisements/texts that follow and answer all the questions.

(a) You are with your family in France on the motorway. You are all tired and need a break. What sign would you look for? Select (a), (b), (c) or (d). Write your answer in the box.

    (a) Péage à 1000m   *(b) Aire de repos à 2000m*

    (c) Aire de jeux à 1500m   *(d) Essence à 1000m*

(b) You are looking for the police station in the nearby French town. Which sign would you look for? Select (a), (b), (c) or (d). Write your answer in the box.

    (a) Gendarmerie   *(b) Station balnéaire*

    (c) Bureau des Objets Trouvés   *(d) Libre Service*

Higher Level · Sample Question 4

Read the signs/advertisements/texts that follow and answer all the questions.

(a) You are in the bus station and want information on timetables. Which sign would you follow? Select (a), (b), (c) or (d). Write your answer in the box.

(a) *Horaires*   (b) *Guichet*

(c) *Emploi du temps*   (d) *Accès aux autobus*

(b) You want to find the local swimming pool in the French town where you are staying. Which sign would you follow? Select (a), (b), (c) or (d). Write your answer in the box.

(a) *Eau potable*   (b) *Plage*

(c) *Piscine municipale*   (d) *Bassin*

Higher Level · Sample Question 5

Read the signs/advertisements/texts that follow and answer all the questions.

(a) You think that you left your iPod on the local train, which you took yesterday. Which sign would bring you to the lost property office of the railway station? Select (a), (b), (c) or (d). Write your answer in the box.

(a) *Bureau des objets trouvés*   (b) *Bureau de Poste*

(c) *Correspondance*   (d) *Consigne*

(b) In which section of a French supermarket would you find frozen pizza?

(a) *Alimentation*   (b) *Légumes*

(c) *Charcuterie*   (d) *Plats congelés*

Higher Level · Sample Question 6

Read the signs/advertisements/texts that follow and answer all the questions.

(a) You want to buy a book on France to take back to Ireland with you. Where would you be likely to find what you want? Select (a), (b), (c) or (d). Write your answer in the box.

(a) *Papeterie*   (b) *Bibliothèque*

(c) *Agence de presse*   (d) *Librairie*

(b) You are going to France by car and want information on which motorway to use. Which of the following websites would you look up? Select (a), (b), (c) or (d). Write your answer in the box.

(a) *www.autobusdefrance.fr*   (b) *www.carsdefrance.fr*

(c) *www.autoroutesdefrance.fr*   (d) *www.réglementsderoute.fr*

Ordinary Level – Multiple-choice Questions

Question 2 usually involves recognising signs which you might see in the street, in school, in public places.

● You will always be given four options.

● Read the possibilities carefully.

● When you make your decision, write just **one letter** in the box given.

● If you are not sure of your answer, eliminate the options you know are not correct and this may leave you with the correct answer.

● Never leave a blank! If all fails, make a guess and you may be correct.

Exemple

(a) today
(b) tomorrow
(c) last week
(d) next week

(a) Thursday
(b) Tuesday
(c) Sunday
(d) Friday

If you give two answers to a multiple choice question, you will get **no marks**, even if one of your answers is correct.

Ordinary Level · Sample Question 1

What can you buy in this shop?

(a) shoes and boots
(b) rugs and carpets
(c) antiques and old books
(d) clocks and jewellery

Ordinary Level · Sample Question 2

This sign indicates:

(a) the shops are closed
(b) the shops are open
(c) the shops are under construction
(d) the shops have sales on

Ordinary Level · Sample Question 3

This sign indicates:

(a) only authorised traffic allowed
(b) no authorised traffic allowed
(c) one-way traffic
(d) no heavy lorries allowed

Ordinary Level · Sample Question 4

This sign tells you:

(a) this church is interesting

(b) this church is open to tourists

(c) this church is closed

(d) this church is looking for workers

EGLISE

EN TRAVAUX

****

VISITES INTERDITES

Ordinary Level · Sample Question 5

What can you buy at this market?

(a) all types of goods

(b) books

(c) flowers

(d) French liver pâté

MARCHÉ AUX LIVRES 15 JUILLET VILLEFRANCHE DU PÉRIGORD

Ordinary Level · Sample Question 6

This sign tells you:

(a) no bicycles allowed

(b) start of the cycle lane

(c) cyclists should beware of the slope

(d) end of the cycle lane

ATTENTION

FIN DE PISTE CYCLABLE

Ordinary Level · Sample Question 7

This sign tells you:

(a) fire station here

(b) parking allowed here

(c) cars exit here

(d) parking for railway station

DEFENSE DE STATIONNER

SORTIE DE VOITURES

Ordinary Level · Sample Question 8

This sign tells you:

(a) not to drop your chewing gum

(b) not to give chewing gum to the animals

(c) you can buy your chewing gum here

(d) chewing gum is good for your teeth

Mon chewing j'le colle pas partout

Ordinary Level · Sample Question 9

Where would you find this sign?

(a) in a shop selling fur coats

(b) in a public park

(c) in an army barracks

(d) in a swimming pool

Ordinary Level · Sample Question 10

This sign tells you that:

(a) the library is open on Wednesday and Thursday

(b) the library is never open on Wednesday and Thursday

(c) the library will be closed on this Wednesday and Thursday

(d) the library is open late on Wednesday and Thursday

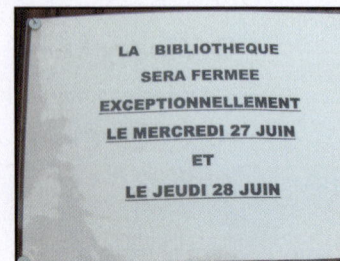

Ordinary and Higher Level

Short Reading Comprehension Passages

As you progress through the Junior Cert paper, the passages to be read will become a little longer. Take your time. Read the questions carefully and answer as fully as you can.

Sample Question 1

(a) When will the open days be held?

_____

(b) What time will the demonstrations take place?

_____

(c) How much does a trial class cost?

_____

Sample Question 2

Abonnez-vous à *Géo Ado* sur internet c'est **facile** et **moins cher** !

www.aboshop.geoado.fr

et découvrez tous les produits *Géo Ado* : livres, guides, DVD...à des **prix webissimes** !

Pour vous abonner, rien de plus simple. Rendez-vous sur internet à l'adresse ci-contre, et bénéficiez de réductions grâce à **votre code promo : 9608**

Read this advertisement for subscription to *Géo Ado* magazine and answer the questions.

(a) How can you subscribe to *Géo Ado*?

_____

(b) Name **one** of the advantages of this method.

_____

(c) Apart from guides and DVDs, what other product is on offer?

_____

Sample Question 3

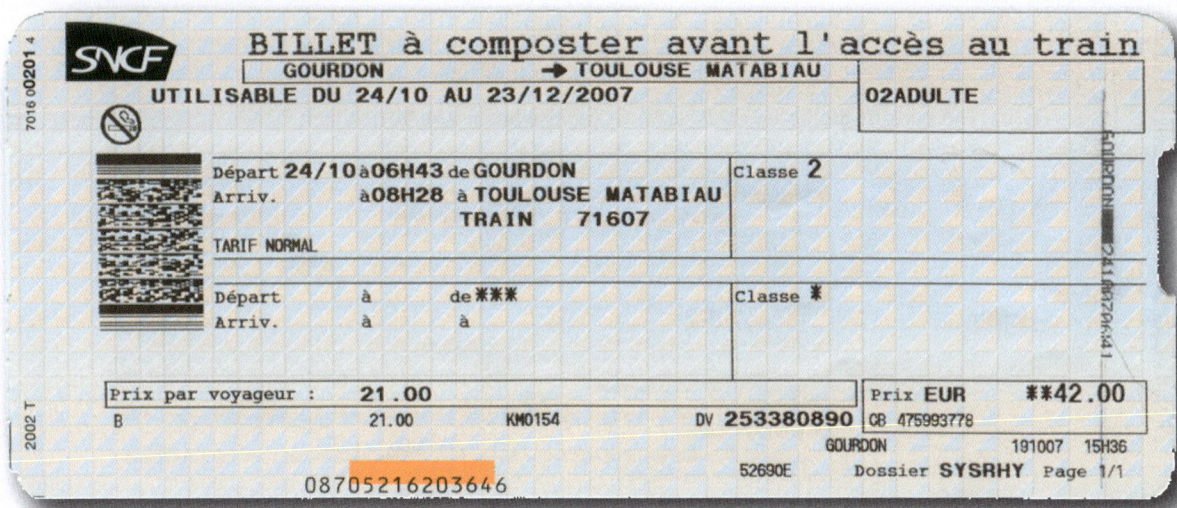

This is a ticket for a train journey – find the following information.

(a) Where were these travellers going to?

(b) During what period was the ticket valid?

(c) How much did the ticket cost per person?

Sample Question 4

Read this advertisement for a free gift of an organiser available with *Phosphore* magazine and answer the questions.

(a) Name **one** item you will find in:

  (i) the Databank _____

  (ii) the Clock/Alarm _____

(b) This organiser comes with:

  (i) a see-through ruler

  (ii) batteries

  (iii) a carrying belt

  (iv) a DVD

Sample Question 5

Here is a French lottery ticket. Read it and answer the questions below.

(a) On which days of the week is the draw made?

(b) What is the maximum number of grids you can fill in?

(c) The person who bought this ticket ticked the box in the bottom left-hand corner of the ticket. Why?

Sample Question 6

(a) Between which days will this exhibition run?

_____

(b) Which country's art is mentioned in this advertisement?

_____

(c) What is the theme of the exhibition? ☐

Exposition

Du vend 10 au dim 26

Les Equi'days à la rencontre de la Chine

Le 11 octobre 2003 s'ouvre officiellement l'année de la Chine en France. A cette occasion, les Equi'days organisent la rencontre de deux grands artistes, *Liu Dawei et Joël Blanc*, autour d'un thème : le cheval, expression de vie.

Sample Question 7

(a) Where exactly is the Hotel situated? (**one** detail)

(b) Which of the following facilities is mentioned?

   (i) large rooms

   (ii) a palatial dining room ☐

   (iii) renovated bedrooms

   (iv) internet connection

(c) How can you get 10% off the price of a room?

COMFORT HÔTEL ASTORIA

Entièrement rénové, au cœur de la ville, à proximité immédiate des commerces, restaurants, DCN, gares SNCF & maritime, palais des congrès. Connexion internet, wifi, parking privé.

-10 % sur la chambre sur présentation du billet aérien
(offre non valable sur tarifs négociés)

3 rue Olivier de Clisson - 56100 LORIENT
Tél. 02 97 21 10 23 - Fax 02 97 21 03 55
E.mail : hotelastoria.lorient@wanadoo.fr
www.hotelastoria-lorient.com

Sample Question 8

(a) During which months is this aquarium open every day?

_____

(b) When does the Aquarium not close for lunch?

_____

(c) Which age group is allowed in free?

_____

SEALAND AQUARIUM DE NOIRMOUTIER

OUVERT TOUS LES JOURS
DU 10 FÉVRIER AU 11 NOVEMBRE 2007

HORAIRES
DE 10H À 12H30 ET DE 14H À 19H - EN ÉTÉ, OUVERTURE NON-STOP

TARIFS
ADULTE 9,50 € ENFANT 7,50 € (- DE 11 ANS)
GRATUIT POUR LES ENFANTS DE MOINS DE 3 ANS
TARIFS GROUPE SUR DEMANDE

SPECIAL ENTREE JUMELEE 2007

AQUARIUM DE NOIRMOUTIER + **océanile**

Adultes : 25 € au lieu de 29 €
Enfants : 18,50 € au lieu de 22 € (3 à 11 ans)

Ordinary Level

Longer Reading Comprehension Passages — finding information

This section often uses extracts from magazines, where people are giving their opinions on various topics. Sometimes they are in the form of letters, **Courrier des lecteurs**. You are asked to identify the person who has made a particular statement. There will be between 4 and 6 extracts.

Ordinary Level · Sample Question 1

The following are comments made by teenagers in a magazine about their experiences at school.

Courrier des lecteurs

Théo, 15 ans

J'ai de la chance de bien m'entendre avec mes profs. Mes notes sont bonnes. J'aime les langues, surtout l'allemand. Le seul problème avec l'école est que j'aimerais avoir mon portable à l'école, mais c'est interdit. On devrait changer cette règle. Qu'en pensez-vous ?

Paul, 12 ans

La vie scolaire est difficile pour moi en ce moment. J'ai beaucoup de devoirs chaque soir, surtout en anglais. Je dois lire de la poésie et écrire des exercices. Je crois que le prof ne m'aime pas, il me gronde toujours. J'adore le jeudi comme je n'ai pas anglais. Qu'est-ce que je peux faire pour améliorer la situation ?

Clara, 14 ans

J'aime l'école, car je rencontre mes amis et les installations pour l'E.P.S. sont formidables. L'E.P.S. est ma matière préférée. Il y a beaucoup d'équipes de sport dans mon école. Malheureusement mon équipe perd beaucoup de matchs. Comment mon équipe peut-elle gagner ?

Nathalie, 13 ans

Je déteste l'école. Je ne fais jamais mes devoirs et mes notes sont mauvaises. Mes parents me disent que je suis paresseuse. Je veux changer. Aidez-moi !

Read the above extracts about school and name the person who…

		Name
(a)	likes German	
(b)	likes Thursdays	
(c)	loses matches	
(d)	gets good results	
(e)	never does homework	
(f)	loves P.E.	

Ordinary level – Sample Question 2

Read the information given in these letters from Canadian teenagers who are looking for penfriends.

Moi, je m'appelle Fabienne. J'ai 15 ans. Mon père est canadien et ma mère est irlandaise, donc je parle français et anglais depuis ma naissance. Pour m'amuser, je joue de la guitare. Je cherche des correspondants/correspondantes du même âge qui s'intéressent aussi à la musique.
Fabienne

Bonjour tout le monde ! Ici Benoît. J'ai 15 ans. J'habite à Montréal. Je suis un fana de skate. Pour en faire, j'ai un équipement spécial : un casque et des coudières. Je vais au Tazmahal, le plus grand skate park d'Amérique qui se trouve à Montréal. Je cherche des correspondants/correspondantes qui partagent le même intérêt que moi. Réponse assurée. **Benoît**

Je m'appelle Marie-Laure. J'habite à 20 km de Montréal. J'ai 17 ans. J'aime la lecture et dessiner. Ma mère est canadienne et mon père est né au Portugal. Je vais souvent au Portugal en vacances car mes grands-parents y habitent encore. J'attends un tas de réponses ! **Marie-Laurie**

Salut les anglophones ! Je m'appelle Bruno et j'ai 14 ans. Je cherche des correspondants/correspondantes qui parlent anglais. À cause d'un accident de voiture, mon père est dans un fauteuil roulant mais ça ne l'empêche pas de faire beaucoup de choses – nous sommes des fans de hockey et nous allons tous les week-ends voir notre équipe favorite. Je promets de répondre à tout courrier ! **Bruno**

Write the name of the person:

	Name
(a) whose father was involved in a road accident	
(b) who wears special equipment for their hobby	
(c) who often goes to a European country on holiday	
(d) who has an Irish mother	
(e) who is a hockey fan	
(f) who likes reading	

Ordinary Level · Sample Question 3

Four people talk about keeping a pet.

Mélanie, 15 ans : Parce que nous habitons au cœur de la campagne, nous avons beaucoup d'espace pour des animaux. Nous avons trois chiens, deux chats, un poney et une chèvre. Je crois que c'est cruel si on garde des chiens dans un appartement en ville où on n'a pas assez d'espace pour leurs besoins.

Romain, 13 ans : Moi, j'adore les animaux. Mais il y a un grand problème. Mon petit frère souffre d'asthme, donc mes parents nous ont défendu d'avoir un animal. C'est triste !

Alexandre, 12 ans : Parce que nous habitons un appartement, il est interdit de garder un animal. Mais mon ami, qui habite tout près, lui a un chien magnifique. Nous le promenons tous les jours après les cours.

Amélie, 14 ans : Nous habitons une maison avec un assez grand jardin. Nous avions un lapin, mais malheureusement un renard est entré dans le jardin et a attaqué mon pauvre animal. Je ne veux pas avoir un autre lapin, mais nous allons avoir un chien. Nous irons au refuge le weekend prochain.

Which person…?

	Name
(a) cannot keep a pet, because of a family member's medical condition	
(b) says their pet was attacked by a fox	
(c) thinks people in appartments shouldn't be allowed to have pets	
(d) may be getting a pet from an animal refuge	
(e) helps exercise his friend's pet	
(f) has lots of space for keeping pets	

Ordinary Level · Sample Question 4

Here are some teenagers from around the world telling about the Christmas customs in their country. Read each one and then put the correct name in the grid below.

Niall (Irlande). Chez nous, nous plaçons une bougie derrière chaque fenêtre la veille de Noël. Le 26 décembre, des personnes viennent à la porte en chantant de vieilles chansons.

Mitsouki (Japon). Nous décorons le sapin de cygnes en papier pliés selon les règles d'origami.

Mary Elizabeth (États-Unis). Chez nous, nous accrochons des guirlandes de pop corn dans le sapin – c'est une spécialité américaine !

Isabella (Espagne). Nous avons de la chance. Nous recevons deux fois des cadeaux ! Une fois apportés par le Père Noël et autre fois par les Rois mages (le 6 janvier).

Tomas (Pologne). Tout le monde regarde le ciel pour voir la première étoile du soir. C'est le signe de se mettre à table ! Avant de dîner, nous coupons le pain de la personne assise à côté en petit morceaux et lui souhaitons, pour chaque morceau, un vœu – par exemple : bonne santé, bonheur…..

Harold (Norvège). Nous faisons la danse des cadeaux. Avant d'ouvrir les cadeaux, on procède à un petit rituel : toute la famille forme deux cercles et change en faisant une ronde autour du sapin.

Who says that they…?

		Name
(a)	make popcorn garlands for their tree	
(b)	dance around the Christmas tree before opening their presents	
(c)	decorate their tree with paper swans	
(d)	light up the house by placing a candle in each window	
(e)	look out for the first star in the sky and then sit down to their special meal	
(f)	get two sets of presents, one for Christmas and one for the Feast of the Kings	

Ordinary level – Sample Question 5

The following young people tell what they do to help at home.

Luc
Tout le monde chez nous aide à faire le ménage, car mes parents travaillent tous les deux. Moi, je passe l'aspirateur partout dans la maison. En été, je tonds la pelouse.

Océane
Je déteste faire le ménage, mais tout le monde doit aider à la maison. Mon frère et moi débarrassons la table après le dîner et nous faisons la vaisselle à tour de rôle.

Christophe
Moi, je dois m'occuper de mon lapin – nettoyer son clapier, nettoyer son bol et ainsi de suite. Je range ma chambre le week-end. Quelquefois je prépare les légumes pour le dîner.

Sophie
Ce n'est pas juste ! Chez nous, je suis la seule personne qui aide mes parents à faire le ménage. Je dois faire le repassage pour tout le monde. Mes frères ne font rien.

Khalid
Tous les jours, je promène notre chien après l'école et aussi le week-end. Je dois ranger ma chambre bien sûr, mais je ne le fais pas très régulièrement et Maman se fâche avec moi.

Léa
Une fois par semaine, ma sœur et moi faisons le repas du soir, car Maman et Papa travaillent tard le vendredi. J'aime bien faire la cuisine.

Write the name of the person who mentions each of the following:

		Name
(a)	making the dinner once a week	
(b)	taking turns to clear the table and do the washing up	
(c)	walking the dog	
(d)	cleaning the vegetables for the dinner	
(e)	doing the hoovering	
(f)	they are the only person who helps at home	

Higher Level – something a little more difficult

In these questions, you are given a number of items of the same type to read. You are then asked to match them to a shortened description. There will always be more suggestions than answers needed, so you have more reading to do.

Higher Level · Sample Question 1

Le programme : **Sur les traces de La Buse 6 nuits**

Départs tous les Samedis, soit Sea Shell ou Sea Pearl et parfois les deux sur certaines croisières.

CROISIERE DE MAI 2007 A OCTOBRE 2007 : 6 NUITS

Jour 1 Samedi : Arrivée des passagers à 10H30, à Anse Possession, Praslin. Après l'accueil à bord suivi d'un commentaire du Capitaine, journée réservée aux activités nautiques dans cette très jolie baie.
Embarquement final à 17H00. Navigation coucher de soleil dans la Baie de Curieuse. Barbecue de bienvenue à bord.

Jour 2 Dimanche : Départ pour l'île de Curieuse, afin de visiter la forêt de mangliers et le projet de conservation des tortues géantes. Dans l'après-midi appréciez les activités nautiques dans la Baie de Curieuse.

Jour 3 Lundi : Départ pour la Digue, l'île du gobe-mouches du paradis des Seychelles, et des plages réputées les plus belles au monde. Explorez cette île en char à bœufs ou à bicyclette.

Jour 4 Mardi : Navigation vers Côte d'Or, Praslin où vous débarquerez pour la visite de la Vallée de Mai, Patrimoine Mondial. L'après-midi sera dédié aux différentes activités nautiques ou simplement relaxation détente, visite de la minuscule île de St Pierre, excellent site de plongée en apnée ou en bouteille.

Jour 5 Mercredi : Navigation vers l'île de Cousin, réserve naturelle réputée pour ses colonies d'oiseaux marins, pour une matinée d'exploration. Après déjeuner, nous profiterons d'un après-midi de loisirs, avec possibilité de sports nautiques et plongée.

Jour 6 Jeudi : Départ pour Anse Lazio, une des plus belles plages de Praslin, un lieu idéal pour la baignade, et les autres sports nautiques. Coucher de soleil dans la baie de Curieuse.

Jour 7 Vendredi : Débarquement à Anse Possession à 9H00.

On which day would you…?

	Day
(a) visit a project which protects giant turtles	
(b) visit a famous colony of sea birds	
(c) have a barbecue	
(d) visit a world heritage site	
(e) go exploring in an oxen cart	

Higher Level · Sample Question 2

Read the following small advertisements from the newspaper.

Vends – appareil photo numérique, année 2007 + carte mémoire supplémentaire, 32 Mo. 100€.
Tél. 01. 16. 79. 47. 20

Vends – téléviseur écran plat LCD, 38 cm, neuf, jamais servi, acheté mars 2008, 325€, prix à débattre.
Tél. 01. 16. 22. 33. 44

Vends – tondeuse, 5 vitesses, Apollo 8 cv, acheté 2 450€, vendue 1 500€.
Tél. 01. 16. 17. 18. 29

Vends – cause départ – batterie, accessoires, état neuf, très peu servie, 1 000€.
Tél. 01.16. 94. 22. 28

Vends – ordinateur portable, graveur + housse + souris optique, 600€.
Tél. 01. 16. 49. 00. 11

Vends – machine à tricoter, très peu servie, 100€ à débattre.
Tél. 01. 16. 12. 05. 45

Vends – gazinière – Vedette, blanche, parfait état. 160€.
Tél. 01. 16. 49. 22. 57

Write down the phone number to call if you want to buy the following:

	Telephone number
(a) a laptop computer	01. 16.
(b) a drum kit	01. 16
(c) a knitting machine	01. 16
(d) a digital camera	01. 16
(e) a lawn mower	01. 16

Higher Level · Sample Question 3

The following extracts are taken from the television section of a French magazine. Each extract consists of a short summary of a film. Read the extracts and answer the questions which follow.

TOUS LES FILMS DE JUILLET DE A A Z

ALEXANDRIE... NEW YORK
COMEDIE DRAMATIQUE de Youssef Chahine Egypte/Fr. 2004 Avec : Mahmoud Hemida, Youssra, Ahmed Yehia, Youssef El Lozy **Durée :** 2H09 MN 🔲 ❸
Lors d'un hommage qui lui est rendu à New York, Yehia, réalisateur égyptien, retrouve Ginger, son amour de jeunesse. Quarante ans après leur histoire, tout les sépare.

LE CADEAU D'ELENA
DRAME de Frédéric Graziani France/G.-B., 2004 Avec : Michel Duchaussoy, Stéphane Rideau, Vahina Giocante **Durée :** 1H25 MN 🔲 ❸
Après quarante ans d'absence, Socrate revient en Corse, sa terre natale, avec son fils Antoine, qui n'avait jamais mis les pieds sur l'île. A Bastia, Socrate s'installe chez sa sœur Barberine. Mais son retour sème le trouble...

LA COULEUR DU LAIT
COMEDIE DRAMATIQUE de Torun Lian Nor., 2004 Avec : Maria Elisabeth A. Hansen, August Karlseng, Marie Kinge, Julia Krohn, Bernhard Naglestad **Durée :** 1H33 MN 🔲 ❸
Selma, 12 ans, a perdu sa mère à sa naissance. Elle évite les garçons pour se consacrer à l'étude des sciences, avec le prix Nobel en ligne de mire. Mais voilà qu'elle fait la connaissance d'Andy...

L'AMERICAIN
COMEDIE de Patrick Timsit France, 2004 Avec : Lorànt Deutsch, Thierry Lhermitte, Emilie Dequenne **Durée :** 1H30 MN 🔲 ❸
Obsédé par l'idée d'obtenir la nationalité américaine, Francis, avec la complicité d'un avocat d'affaires, persuade ses voisins de faire de leur lotissement de Sarcelles le 51e Etat des Etats-Unis d'Amérique.

CASABLANCA DRIVER
COMEDIE de Maurice Barthélémy France, 2004 Avec : Maurice Barthélémy, Dieudonné, Isabelle Nanty, Sam Karmann, Chantal Lauby **Durée :** 1H23 MN 🔲 ❸
1969. Casablanca Driver, le plus mauvais boxeur de tous les temps, doit affronter le champion Jimmy La Renta.

BIENVENUE EN SUISSE
COMEDIE de Léo Fazer Fr./Sui. 2004 Avec : Denis Podalydès, Vincent Perez **Durée :** 1H42 MN 🔲 ❸
Thierry, Suisse exilé en France, doit revenir dans son pays natal pour les obsèques de sa grand-mère. Un héritage lui est promis s'il s'en montre digne aux yeux de ses oncles.

What is the name of the film in which...?

	Name of film
(a) the main character really wants to become an American citizen	
(b) the main character wants to become a scientist	
(c) the main character returns to his native country with his son	
(d) the main character returns to his native country for a funeral	
(e) the main character meets up with the love of his youth	

Higher Level · Sample Question 4

These are all letters from teenagers to a magazine. The teenagers are looking for help with their health and beauty problems. Read the letters and decide which person has the following problems:

Bonjour, j'ai 12 ans et des mains qui sont plus grandes que celles de mon père. Imaginez l'horreur ! Pouvez-vous m'aider ? **Corinne**

J'ai 13 ans et je fais beaucoup de sport – tennis, foot, rugby. Je m'entraîne trois fois par semaine, mais je suis très maigre. Je fais souvent de la musculation, mais je n'ai pas de muscles. Je crois que mes camarades se moquent de moi quand je suis dans les vestiaires. Vous avez des conseils pour moi ? **Charles**

Salut. Je m'appelle Joël. J'ai 14 ans et plein de boutons. Je suis tout le temps rouge. J'aimerais que vous m'indiquiez une pommade pour boutons et rougeurs. **Joël**

Mon problème, c'est que je rougis tout le temps quand un garçon me parle. Je suis assez sérieuse, mais je voudrais bien avoir un petit ami. J'ai 14 ans.

Qu'est-ce que je peux faire pour améliorer la situation ? **Chantal**

J'ai 16 ans. Je suis asthmatique et je fume. Le médecin me répète sans cesse que je dois arrêter cette mauvaise habitude, mais je n'arrive pas à y renoncer.

Est-ce que vous avez des conseils pour m'aider ? **Samuel**

Au secours ! J'ai 16 ans et je me ronge encore les ongles. Je sais que c'est une habitude dégoûtante et je ne peux pas m'empêcher de les ronger. Je ne suis pas particulièrement nerveuse — je ne sais pas pourquoi je le fais. Pouvez-vous me donner des conseils ?

Je voudrais bien y renoncer. **Sévérine**

Ma mère me gronde toujours car je ne prends pas de petit-déjeuner le matin. Mais je dois avouer que je préfère me lever au dernier moment et donc je n'ai pas le temps. En plus, je n'aime ni les céréales ni le pain. Avez-vous des idées pour m'aider ? **Bernard**

	Name
(a) This person has spots	
(b) This person bites their nails	
(c) This person blushes easily	
(d) This person has very big hands	
(e) This person wants to give up smoking	

Higher Level – Sample Question 5

The following extracts are taken from advertisements for restaurants in the Dordogne area. Read the extracts and answer the questions which follow.

(**Note** : In your answers you should write the **name of the restaurant** as it appears at the top of each box)

LA PETITE BORIE — E6 — 67
61
Cité Médiévale — SARLAT LA CANEDA
A deux pas de l'Office du Tourisme, dans une bâtisse datant du XV° siècle, Olivier Pau, chef cuisinier, et son équipe vous accueilleront dans un cadre chaleureux, afin de vous faire découvrir les spécialités de la région et la cuisine traditionnelle préparée par leurs soins.

Cheminée.

RESTAURANT LE QUATRE SAISONS — E6
Cité Médiévale — SARLAT LA CANEDA
Dans une ruelle calme au coeur de la cité. Restaurant gastronomique. Père et fils travaillent des produits frais et de saison. Terrasse intérieure, terrasse couverte et salon privé (6 personnes).

RESTAURANT LE COMMERCE — E6
65
Cité Médiévale — SARLAT LA CANEDA
La tradition familiale de restauration la plus ancienne de Sarlat. Au cœur de la cité médiévale. Grande terrasse privée. Menu enfant. Prix étudiés : groupes et associations.

RESTAURANT LE RELAIS DE POSTE — E6
Cité Médiévale — SARLAT LA CANEDA
C'est dans un joli cadre dans le centre de Sarlat que Catherine et Luc vous accueille. 23 ans de métier vous propose une cuisine de qualité. Un bon moment à partager.

RESTAURANT LE PETIT MANOIR — E6
66
Cité Médiévale — SARLAT LA CANEDA
Dans un hôtel particulier du XV° avec un jardin clos privé, salles d'époque, restaurant de charme. Le Petit Manoir vous propose une cuisine fusion avec ses produits du terroir aux saveurs asiatiques. Service dans le jardin.

RESTAURANT LES DELICES DE LAURALICE — E6
Cité Médiévale — SARLAT LA CANEDA
Les Délices de Lauralice vous propose une cuisine régionale très soignée à base de produits frais. Terrasse intérieure, calme salles climatisées, salles fumeurs et non fumeurs, toilettes handicapés. Le restaurant des stars du cinéma.

Write the name of the restaurant which…

	Name of restaurant
(a) has a fireplace	
(b) is the oldest restaurant in Sarlat	
(c) is run by a father and son	
(d) claims to be the restaurant of the stars	

Higher Level · Sample Question 6

The following extracts are taken from a property supplement for houses in the South of France. Read the extracts and answer the questions which follow.

EXCLUSIVITE

Au centre du village, au calme. Copropriété TB tenue. Magnifique appt en RdC avec terrasse expo sud. Cuisine éq., 1 chbre, état impeccable. Casier à skis, parking commun. Vendu meublé. Bien être au RDV.
217 000 €
Réf. 1

SAMOENS

A 2km du centre du village dans une petite copropriété, joli petit chalet 2 pièces avec mezzanine. Bien exposé avec vue imprenable sur la vallée. Cheminée, balcon et garage. A saisir.
230 000 €
Réf. G899

LES GETS

15mn frontière, cadre de verdure, maison tradition-nelle 160m2, 5 chbres. S-sol complet. Piscine sur terrain clos arboré 1250m2.
495 000 €
Réf. 292

MONNETIER MORNEX

ANNEMASSE
Proche toutes commodités, étage élevé pour cet appt avec 2 chbres, séjour, cuisine, loggia, cave et garage. Vue déga-gée sur Jura et Salève. A découvrir.
230 000 €
Réf. 3184

DIVONNE
En plein centre ville, appartement lumi-neux avec balcon plein ouest sans vis-à-vis, 2 chambres et grande cuisine indé-pendante.
230 000 €
Réf. V749

EXCLUSIVITE

Alentours RUMILLY
Maison traditionnelle avec séjour cathé-drale, cadre campagnard. Sous-sol, garage, combles aménag. Terrain arboré 3800m2.
339 000 €
Réf. 1538

PERS JUSSY
Maison type ferme rénovée, grands volu-mes, 5 chbres avec poss. d'agrandisse-ment. Logement indépendant à finir. Cachet au rendez-vous.
405 000 €
Réf. 314

Write the name of the town where the property...

(a) is being sold with furniture	
(b) has a swimmimg pool	
(c) has a west-facing balcony	
(d) has a view of the valley	

Ordinary and Higher Level

Some Magazine Advertisements to Read

Sample Question 1

1. How often does this magazine appear? _____

2. News items cover
   (a) Fashion trends
   (b) Film reviews
   (c) Scientific developments
   (d) Music reviews

3. What might you find useful for projects?

   _____

4. How many copies do you receive each year?

   _____

> **Chaque semaine, pour comprendre l'actualité en France et dans le monde**
>
> Informatives, proches de l'univers des jeunes, *Les Clés de l'actualité* aident à comprendre le monde pour mieux y trouver sa place.
>
> • L'actualité culturelle, politique, scientifique, économique, etc.
> • Le dossier détachable de 4 pages, idéal pour les exposés.
> • L'enquête sur les phénomènes de leur génération : MMS, relations, pratiques culturelles…
> • Débat, réflexion, interviews.
>
> Hebdomadaire. 12 pages. 45 numéros par an.

Sample Question 2

1. What is being advertised?
   (a) Holidays
   (b) Fish
   (c) Peaches
   (d) The European Community

2. What is being offered at no cost?

   _____

3. Where can you get these free items?

   _____

> Les nouvelles recettes gourmandes, simples et faciles sont gratuitement à votre disposition chez votre poissonnier. L'été, c'est la saison des poissons des vacances : en famille ou entre amis, dégustez l'anchois, le grenadier, la langoustine, le merlan, la sardine et le thon.
>
> **LES POISSONS FRAIS PÊCHÉS PAR GOURMANDISE**
>
> CAMPAGNE COFINANCÉE PAR LA COMMUNAUTÉ EUROPÉENNE
>
> FIOM - SOPEXA R.C.S. Paris 61 B 2646 - Crédit Photo : Philippe Asset
>
> FIOM

Sample Question 3

Read this advertisement for Student Travel and answer the questions below.

(a) Where do you get the application form?

_____

(b) Name one of the people who should fill it out.

_____

(c) When should you return the application form?

_____

(d) Where do you go to collect your pass?

_____

POUR VOUS ABONNER, RIEN DE PLUS SIMPLE

→ RETIREZ UN FORMULAIRE D'ABONNEMENT SCOLAIRE dans votre lycée ou collège.

→ FAITES-LE REMPLIR par vos parents et par votre établissement scolaire.

→ RETOURNEZ-LE à votre établissement scolaire avant la rentrée, qui le transmettra à l'organisme subventionnant votre abonnement.

Attention :
il est fortement conseillé de faire votre demande en fin d'année scolaire pour avoir votre abonnement dès la rentrée suivante.

→ VENEZ RETIRER VOTRE ABONNEMENT directement dans votre gare.

Sample Question 4

This is an advertisement for *La Fête des enfants de Montréal*.

Tu as entre 0 et 12 ans et le coeur à la fête...

Alors, ne manque pas ton événement préféré de l'été.
La Fête des enfants de Montréal t'attend les 18 et 19 août au parc Jean-Drapeau.

À l'occasion de ce grand rassemblement familial et multiculturel, viens t'amuser, rigoler, partager, créer, apprendre et découvrir à travers près d'une centaine d'activités et d'ateliers.
Retrouve les grands classiques de la fête comme

* le carrefour des grands explorateurs,
* le royaume des petits gonflés,
* le rond-point des sports,
* ou encore la vallée des hautes voltiges.

Et tu n'es pas au bout de tes surprises car, comme chaque année, la fête te réserve aussi plusieurs nouveautés.

Enfin, profite des portes ouvertes à la Biosphère, au Musée Stewart et au Complexe aquatique de l'île Sainte-Hélène.

Tout ça, rien que pour toi!

GRATUIT FREE

(a) When will the Festival take place?
(b) How many activities and workshops are offered?
(c) Which of the following will be there?

(i) The high flying valley
(ii) A monster ferris wheel
(iii) Swings and slides
(iv) A maze to explore

(d) What attraction would you find at *l'Île Sainte-Hélène*? _____

Sample Question 5

This is a brochure designed to ensure swimming pools are safe places for little children

Quel que soit le type de piscine ne laissez jamais votre enfant tout seul et...

- Désignez un seul adulte responsable de la surveillance.
- Equipez votre enfant de brassards, d'un maillot de bain à flotteurs ou d'une bouée adaptée à sa taille dès qu'il est à proximité de la piscine.
- Informez-vous sur les profondeurs de la piscine, afin que votre enfant garde pied.
- Repérez le téléphone de secours afin d'alerter les secours rapidement, et visualisez l'emplacement de l'arrêt coup de poing des machineries.
- Apprenez à nager à votre enfant dès l'âge de 4 ans et faites-lui prendre conscience du danger.
- Formez vous aux gestes qui sauvent.

NUMEROS D'URGENCE SOS
POMPIERS : 18
SAMU : 15
NUMÉRO UNIQUE D'URGENCE
EUROPÉEN : 112

(a) Which one of the following pieces of equipment should your child always wear in the pool?

(i) Swimming goggles   (ii) Ear-plugs   (iii) Armbands   (iv) A swimming cap   ☐

(b) What does it say regarding the depth of the pool? _____

(c) At what age should children start learning to swim? _____

(d) What number would you phone if you needed to call an ambulance? _____

Ordinary and Higher Level - Recipes

Food and cookery articles appear quite frequently on the Junior Certificate paper. Revise all the words that you have learned for fruit, vegetables, drinks, meat, fish and household gadgets. Look over words which describe actions you use when cooking:

mettre — *put*	éplucher — *peel*	couper — *cut*	mélanger — *mix*	battre — *beat*
ajouter — *add*	découper — *cut out*	étaler — *roll out*	verser — *pour*	hacher — *chop*
laisser — *let/allow*	faire cuire — *cook*	poser — *place*	nettoyer — *clean*	délayer — *mix in*

Sample Question 1

Read the following recipe and answer the questions below.

Quiche au fromage de chèvre

Ingrédients

- 1 rouleau de pâte feuilletée prête à dérouler
- 250 g de fromage de chèvre
- 200 g de lardons
- 30 cl de crème fraîche
- Un demi-verre de lait
- 2 œufs

Méthode

1. Préchauffez le four à 220 degrés celsius.
2. Étalez la pâte dans un moule à tarte en laissant le papier cuisson entre la pâte et le moule.
3. Déposez les lardons sur la pâte.
4. Dans un grand bol, mélangez la crème, le lait et les œufs.
5. Versez ce mélange sur les lardons.
6. Ajoutez le fromage de chèvre.
7. Répartissez le mélange sur la tarte.
8. Faites cuire 35 min.

A. Tick the box ✓ to indicate which **four** ingredients are mentioned in the above recipe.

(a)	Butter		**(e)**	Cream	
(b)	Eggs		**(f)**	Water	
(c)	Flour		**(g)**	Cheese	
(d)	Milk		**(h)**	Garlic	

B. What instruction is given in step N°. 4?

_____

Sample Question 2

Read the following recipe and answer the questions which follow.

RATATOUILLE

Ingrédients :
- 4 courgettes
- 3 tomates
- 2 oignons
- 1 aubergine
- 3 poivrons
  (rouge, vert et jaune)
- 2 cuillères à soupe
  d'huile d'olive
- ail
- sel, poivre

Méthode :

1 Laver les légumes.

2 Éplucher les oignons, épépiner les poivrons et les tomates.

3 Couper les courgettes et les oignons en rondelles, l'aubergine en dés, les poivrons en lamelles et les tomates en quartiers.

4 Dans une cocotte, faire revenir dans l'huile les oignons et les poivrons, puis y ajouter les courgettes et l'aubergine et enfin les tomates.

5 Assaisonner avec l'ail, le sel et le poivre.

6 Couvrir et continuer la cuisson à feu doux pendant 30 minutes.

7 Servir avec de la viande et du vin.

(a) Olive oil, cucumber, garlic and peppers. Which **one** of these four is **not** listed in the ingredients?

_____

(b) How do you prepare the onions? (Point 2 of the instructions)

_____

(c) How should this dish be served? (Point 7 of the instructions)

_____

Sample Question 3

Read the following recipe and answer the questions below.

Pizza Hawaïen

Ingrédients :
- Sauce tomate
- 120 g de thon émietté
- 120 g d'ananas coupé en morceaux
- 50 g de maïs
- Un peu de basilic, de thym et de romarin
- 100 g de mozzarella
- Sel et poivre
- Un peu d'huile d'olive

Méthode :
1 Préchauffez le four à 220 degrés celsius.
2 Huilez légèrement la plaque du four avec de l'huile d'olive.
3 Étalez la pâte sur la plaque.
4 Recouvrez la pâte de sauce tomate.
5 Couvrez de thon, d'ananas et de maïs.
6 Coupez la mozzarella en tranches et couvrez la pizza.
7 Poivrez.
8 Épicez la pizza avec les herbes.
9 Faites cuire la pizza pendant une demie-heure.

(a) What type of fish is used in this pizza? _____

(b) Which of the following vegetables is used in this pizza ?

   (i) Onion   *(ii) Sweet corn*   *(iii) Mushrooms*   *(iv) Peppers*   ☐

(c) According to instruction 6, what do you do to the mozzarella? _____

Sample Question 4

Read the recipe and answer the questions.

MELON AUX FRUITS ROUGES

Ingredients :
- 4 petits melons
- 100 g de fraises
- 100 g de groseilles
- 4 yaourts nature
- 1 citron
- 100 g de coulis de fraises ou de groseilles
- 4 branches de menthe fraîche

Méthode :

1 Couper un chapeau sur chaque melon et les évider soigneusement.

2 Préparer une salade de fruits avec les groseilles, les melons et les fraises.

3 Préparer quelques zestes de citron et les ajouter à la salade de fruits.

4 Presser le citron et verser quelques gouttes de ce jus à la salade.

5 Dans un petit saladier, mélanger les yaourts avec le coulis de fruits, fouetter le tout et verser sur la salade de fruits.

6 Remplir les melons avec cette préparation de salade de fruits et les mettre au réfrigérateur au minimum 1 heure.

7 Au moment de servir, parsemer de feuilles de menthe ciselées.

(a) Gooseberries, raspberries, strawberries and melons. Which **one** of these four is **not** listed in the ingredients?

_____

(b) What juice do you add to the fruit salad? (Point 4 of the instructions) _____

(c) How should this dish be served? (Point 7 of the instructions) _____

Sample Question 5   Read the recipe and answer the questions.

Méthode :

1. Mettez le lait, le sel, le sucre et les œufs dans un bol.

2. Délayez en incorporant progressivement la farine.

3. Lavez, équeutez, dénoyautez les cerises.

4. Beurrez le moule. Versez la pâte sur les cerises.

5. Mettez au four et faites cuire pendant 30 minutes.

6. Servez tiède ou froid.

7. Saupoudrez de sucre semoule.

Clafoutis

Ingrédients :

125g de farine

2 dl de lait

1 pincée de sel

100g de sucre semoule

2 œufs entiers

400g de cerises noires

30g de beurre

(a) Complete the ingredients for this recipe:

125g _____   A pinch of _____

2 _____   30g _____

(b) The fruit used in this recipe is

(i) blackcurrants   (ii) black cherries   (iii) blackberries   (iv) black grapes   ☐

(c) How is this dish served?

(i) warm   (ii) cold   (iii) either warm or cold   (iv) with semolina   ☐

Sample Question 6

ÉTÉ

TARTE À L'ABRICOT

TARTES ET QUICHES

- Préparation : 15 min
- Cuisson : 45 min
- Pour 6 personnes
- Niveau de difficulté :
  ● ● ●
- Budget :
  ● ● ●

Ingrédients :
- 1 pâte brisée prête à dérouler (avec papier sulfurisé)
- 500 g d'abricots frais
- 20 cl de crème fraîche liquide
- 100 g de sucre
- 1 c à soupe de maïzena
- 1 œuf

Méthode

1 Étaler la pâte brisée sur un moule à tarte et la piquer à l'aide d'une fourchette.

2 Laver les abricots, les ouvrir en deux, puis les dénoyauter.

3 Dans un saladier, battre l'œuf entier avec le sucre, puis ajouter la maïzena et la crème fraîche liquide.

4 Mélanger le tout.

5 Disposer les abricots sur le fond de la pâte.

6 Verser la préparation à base d'œufs et de crème.

7 Mettre au four et laisser cuire 45 min à 180 degrés.

8 Vous pouvez décorer la tarte de quelques amandes effilées grillées.

(a) Tick the box to indicate which **four** of the following ingredients **are** mentioned in the above recipe.

(a)	Cream		**(e)**	Pastry	
(b)	Pepper		**(f)**	Salt	
(c)	Egg		**(g)**	Water	
(d)	Corn		**(h)**	Sugar	

(b) According to instruction 2, what should you do with the apricots?

_____

Ordinary and Higher Level

Newspaper Reports of local events/human interest stories
Sample Question 1

> Le conseil municipal de La Fourmi organise le traditionnel ramassage des œufs le lundi 30 avril. Rendez-vous à 18h30 sur la place, devant la boucherie. La collecte s'achèvera à la salle des fêtes par une dégustation de crêpes pour les enfants. Une soirée-repas animée par les Acoustic'airs sera ensuite proposée à tous. Au menu : omelettes variées, salade verte, crêpes. Le prix est fixé à 5€ pour les adultes (un verre de vin compris). Gratuit pour les enfants.

Ordinary level

This event will be of interest to:

(a) chicken farmers

(b) butchers

(c) families

(d) council workers

Higher level

(a) What will be collected? _____

(b) Where exactly will people meet? _____.

(c) What will be served to the children at the end of the collection? _____

(d) Apart from food, what can be had for 5€? _____

Sample Question 2

> Un homme d'une cinquantaine d'années a trouvé la mort en mer, au nord de Brest. Il se trouvait vraisemblablement seul à bord d'un voilier. Les conditions météorologiques étaient mauvaises : rafales de vent à 80 km/h et des creux de 3/4 mètres.

Ordinary level

This accident took place:

(a) in the countryside

(b) at sea

(c) in a swimming pool

(d) up a mountain

Higher level

(a) What age was the victim? _____

(b) Where was he at the time? _____

(c) Who does it appear was with him at the time? _____

(d) Which of the following words best describes the weather conditions?

(i) Gentle breeze   *(ii) Freezing*   *(iii) Foggy*   *(iv) High winds*

Sample Question 3

> Vers huit heures, jeudi dernier, un incendie s'est déclaré dans un appartement situé au quatrième étage d'un immeuble, en plein cœur de Gourdon. L'occupante, Mireille Duhamel, a été alertée alors que le feu s'était déclaré accidentellement dans son séjour. Elle sortait de la douche quand elle a senti l'odeur du feu. « On a prévenu les pompiers et on a évacué presque sans panique, » a indiqué une voisine, emmitouflée dans une couverture de survie. Par chance, certains locataires des dix appartements étaient déjà partis au travail.

Ordinary level

This incident took place in:

(a) the living room

(b) the bedroom

(c) the kitchen

(d) the garden

Higher level

(a) When did this incident take place? _____

(b) On what floor did Mireille Duhamel live? _____

(c) What was she doing at the time? _____

(d) Why were so few people affected? _____

Sample Question 4

> Un accident de la circulation s'est produit, hier, à douze heures quinze, boulevard Jean-Baptiste de la Salle. Un poids-lourd a percuté un piéton, dans des circonstances que l'enquête de police devra déterminer. Le piéton, Philippe Barès, âgé de soixante-dix ans, a été légèrement blessé au dos et à l'épaule dans l'accident. Les sapeurs-pompiers l'ont transporté aux urgences à l'hôpital Bellevue. Il y est resté toute la nuit.

Ordinary level

This accident affected:

(a) the driver of a car

(b) the driver of a van

(c) a member of the fire-brigade

(d) a pedestrian

Higher level

(a) At what time of the day did this accident take place? _____

(b) Who was injured? _____

(c) What injuries had the victim? _____

(d) What was the outcome of the accident. (**Two** details) (i) _____

(ii) _____

Sample Question 5

Le centre de loisir de la communauté a accueilli des enfants âgés de 10 à 15 ans pendant les vacances d'avril. Les jeunes ont participé à diverses activités manuelles et sportives.

Ils ont confectionné de nombreux objets sur le thème de Pâques et, une nouveauté pour cette année, on a créé des cerfs-volants. Une quinzaine de jeunes se sont mis à découper, scier, coller et décorer un cerf-volant personnel, ainsi qu'un spécimen collectif qui a été accroché à l'église de Marcillac.

Grâce à la participation de la Croix-Rouge, les jeunes ont été aussi initiés aux principes du premiers secours. On a participé à la boxe thailandaise, à l'escrime et au tir à l'arc.

Le centre sera ouvert pour les vacances d'été du 9 juillet au 23 août. Pour tous renseignements, appelez au 03. 35. 95. 45. 54

Ordinary Level

This article is about:

(a) easter activities for children

(b) summer activities for children

(c) after-school activities for children

(d) church-based activities for children

Higher level

(a) When did these activities take place? _____

(b) There was a new activity this year. This was in:

　　(i) animal-tracking　　　*(ii) kite-making*　　　*(iii) bread baking*　　　*(iv) hang-gliding*

(c) What did the Red Cross organise? _____

(d) Name **one** of the sporting activities available to the participants. _____

Higher Level – something a little longer!

Sample Question 1

Read the following article and answer the questions below.

Des chevaux sauvés de la noyade

Une centaine de chevaux ont été secourus aux Pays-Bas, vendredi. Ils étaient bloqués depuis trois jours à cause des inondations.

Mardi, après de fortes pluies, une centaine de chevaux ont été isolés par la montée des eaux. Pendant trois jours, le terrain où le troupeau avait trouvé refuge n'a pas cessé de rétrécir. Dix-neuf animaux sont morts de froid, de fatigue ou noyés.

Le sauvetage s'est déroulé vendredi. Quatre chevaliers ont guidé les chevaux vers la terre ferme. À leur arrivée, ils ont été séchés et soignés par des vétérinaires. Tous étaient épuisés.

(a) Where did this event take place? _____

(b) What had caused the problem? _____

(c) How many animals were affected? _____

(d) Name **one** reason why some of the horses perished. _____

(e) What happened to them when they were rescued? _____

Sample Question 2

Read the following article and answer the questions below.

« Nous avons filmé les plus grandes araignées du monde »

Gil Kébaili a réalisé cette émission. Direction le Laos et le Cambodge (Asie), au fil du Mékong, un fleuve long de 4 200km. « Ces deux pays ont un passé difficile. Les souvenirs de guerres et de massacres sont très présents. C'est la première fois que nous y tournons une émission. Descendre le Mékong en petit bateau (une pirogue) permet de se mettre au rythme des pêcheurs, de la vie au bord du fleuve. Nous avons aussi évité de nous arrêter trop souvent pour ne pas troubler la vie des petits villages. »

« Nous avons fait d'étonnantes rencontres animales, comme avec l'Hetoropodamaxima. C'est la plus grande araignée du monde ! Nous en avons filmé dans une grotte. Ces araignées ne sont pas venimeuses, mais leur taille est impressionnante : elles sont plus grandes que la main d'un homme ! Et elles se déplacent très vite. L'une d'elles est tombée sur la tête d'un caméraman. Il n'a pas beaucoup aimé l'expérience ! »

(a) What does the producer Kébaili say about the history of the countries of Laos and Cambodia?

_____

(b) What difference did travelling by pirogue make to their trip?

_____

(c) Where did they find the giant spider?

_____

(d) Name **one** feature of the spider.

_____

(e) What happened to the cameraman?

_____

Sample Question 3

Un **criquet** peut parcourir 150 km par jour !

▶ Janvier, 2007 : Dans le nord-ouest de la Mauritanie en Afrique des équipes d'observation et de lutte contre les invasions de criquets pèlerins sont à l'œuvre.

Portés par le vent, les essaims de criquets peuvent parcourir jusqu'à cent cinquante kilomètres par jour. Ils dévorent tout sur leur passage : maïs, sorgho (céréale cultivée en Afrique), palmiers … Un criquet peut manger une fois son poids par jour ! En une saison, les essaims parcourent des milliers de kilomètres.

En 2004, une invasion de criquets avait dévasté les cultures de plusieurs régions d'Afrique de l'Ouest.

Le criquet mesure de 1 à 8 cm. Les femelles sont plus grandes que les mâles. Le criquet vit surtout dans les régions chaudes.

(a) What are the observers looking out for?

(b) How far can these insects travel?

(c) How much can they eat each day?

(d) What happened in 2004?

(e) Give **one** characteristic of the insect.

Sample Question 4

Plusieurs enfants de France ont écrit à ATD Quart Monde, un organisme de défense des droits de l'homme, pour exprimer leur colère et leur peine.

T. âgée de 11 ans : J'habite en caravane. Ce n'est pas bien, parce que nous n'avons pas d'eau et qu'il faut aller en chercher au cimetière… Il y a beaucoup d'ordures autour de nous, c'est étouffant. Je voudrais qu'elles soient toutes enlevées et que tout redevienne propre….

K. âgé de 13 ans : Depuis l'âge de 4 ans, j'habite un quartier pourri. Il y a des jeunes qui cassent et brûlent des voitures. Ils te disent d'aller acheter des choses pour eux. Si tu ne veux pas, ils te menacent et ils te frappent…… Beaucoup de pères de familles ne travaillent pas. Comment les aider ?

C. âgée de 12 ans : À l'école j'ai des amis, et je me sens bien. Je n'ai pas peur. Mais chez nous, c'est différent. Pendant les vacances, la police est venue chez nous. Ils cherchaient quelqu'un et ils croyaient que cette personne était cachée chez nous, mais elle n'habite pas là. Ils m'ont réveillé et jeté dehors. On a eu trop peur ! Ils ont fouillé tout le monde et ils nous ont frappés. Je crois qu'ils n'ont pas le droit d'insulter et de frapper !

B. âgé de 13 ans : Quand j'avais 7 ans, nous habitions dans une caravane. C'était pas bien ! Quand on n'a pas l'eau courante, c'est difficile de se laver tous les jours et c'était embêtant pour aller à l'école. Maintenant je suis plus heureux en appartement. Je peux jouer avec un ballon – il y a un petit parc. Quand je suis arrivé dans mon nouveau quartier, je ne savais pas lire, ni compter, ni écrire….

(a) What does ATD Quart Monde do?

(b) Name **one** of the difficulties faced each day by T.

(c) What happens in the area where K. lives?

(d) What does C. like about school?

(e) Why did the police come to her home?

(f) Why does B. like his new area?

(g) Name **one** thing he was unable to do when he arrived there.

Sample Question 5

1 Découvrir la vie des Gauchos en Argentine. C'était le rêve de Clémentine Renault. A 16 ans ! « Je suis partie toute seule en Amérique du Sud. Pas pour aider mais pour partager la vie là-bas. Je voulais mieux comprendre ces personnes » se souvient Clémentine. Cette passionnée de chevaux a découvert les hommes de la Pampas, parfois rudes mais courtois, autonomes et libres. « Il n'avaient jamais vu de touriste. Ils étaient surpris que quelqu'un s'intéresse à leur culture. » Pas rassasiée en découverte, Clémentine est repartie l'année suivante au Népal et en Inde pour rencontrer des réfugiés tibétains.

2 Elle réalise tout cela, grâce à une bourse, qui permet à des lycéens de concrétiser des projets de voyages originaux. Ouverte aux jeunes âgés de 16 à 20 ans, cette bourse offre la possibilité de partir seul, un mois minimum. Chaque année plus d'une centaine de bourses sont accordées nationalement, avec des sommes allant de 900€ à 1300€ selon la destination. « J'en ai entendu parler dans mon lycée lors d'une réunion. On doit déposer un dossier expliquant son projet avant le 15 mars. Ensuite, il y a une première sélection sur dossier, puis, une deuxième à l'orale. »

3 Et l'avenir pour Clémentine ? « Je ne pensais pas que mes voyages auraient un tel impact sur ma vie. Avant, je voulais devenir avocate. Maintenant, je veux étudier la sociologie. »

Bonne chance Clémentine avec tes projets !

1 Why did Clémentine want to go to South America? (Part 1)
2 Name one thing she discovered about the Gauchos. (Part 1)
3 How many scholarships are available for projects each year? (Part 2)
4 Where did she hear about the scholarship? (Part 2)
5 What was the first thing Clémentine had to do to qualify for a scholarship? (Part 2)
6 How has the trip changed her life? (Part 3)

Higher Level

Longer Reading Passages

The longer reading passages come at the end of the Reading Comprehension section. Quite often, they are interviews with well-known celebrities or they may be extracts from magazine articles. Where there is more than one paragraph or section in the text, this will be clearly marked para 1, para 2 or Part 1, Part 2, etc. You will be told which paragraph or part to read in order to find a particular answer. The answers to the questions will always come in the order in which they appear in the extract, which is helpful.

Higher Level · Sample Question 1

Zac Effron plays the role of Troy in the successful series *High School Musical*. Read this extract from a recent interview with him and answer the questions which follow on page 427.

Découvert dans la série *Summerland* aux côtés de Jesse McCartney, Zac est devenu mondialement célèbre grâce à son rôle du Troy Bolton dans *High School Musical*, le téléfilm à records (160 millions de téléspectateurs dans plus de 100 pays) !

Part 1

SES PRÉFÉRENCES

Plats favoris : les sushis et les macaroni au fromage
Boisson : le lait
Émissions favorites : *American Idol, Survivor*
Films favoris : *Les Goonies, Spider-Man 2*
Groupe : Coldplay
Joueur de basket : Kobe Bryant
Sports : basket-ball, baseball, ski, surf
Créateur : Dolce & Gabbana
Matières Préférées : l'anglais et les sciences
Instrument joué : le piano

S T A R

Club : Hey Zac ! On veut en savoir plus sur *High School Musical 2*…

Zac : La suite se déroule durant les vacances d'été. Les Wildcats obtiennent un job au country club du père de Sharpay. Bien évidemment, ils passent tout leur temps à chanter et danser… Si le premier volet ressemblait à *Grease*, le second ressemble plutôt à *Dirty Dancing*. Davantage de romance, de moments juteux…

Quel message cette suite véhicule-t-elle ?

Le téléfilm montre aux jeunes ce qui est important dans la vie : suivre ses rêves et rester soi-même !

Y aura-t-il un troisième volet ?

Cette décision est entre les mains des studios, mais l'idée semble bonne… Et puis, j'adore travailler avec mes amis. Nous sommes tous très proches dans la vraie vie.

Part 2

Quel genre d'enfance as-tu eu ?

J'ai vécu une enfance normale dans une famille de classe moyenne… Peut-être un peu isolé des réalités du monde. J'avais seulement 18 ans quand j'ai réalisé que la comédie était un métier pour moi…

Aujourd'hui, tu fais craquer toutes les filles mais, au collège, avais-tu la cote avec la gent féminine ?

Je n'étais pas exceptionnel… Je devais courir après les filles car elles ne couraient pas après moi. (Sourire)

Part 3

Que préfères-tu : chanter ou jouer la comédie ?

J'aime ces deux arts mais si je devais choisir, je pencherais pour le ciné. J'adorerais toujours rentrer dans la peau de nouveaux personnages. Ma passion pour la musique est moins forte.

En général, comment tes fans réagissent-ils lorsqu'ils te rencontrent ?

Ça se passe toujours bien… C'est incroyable à quel point les gens peuvent être amicaux. L'un de mes meilleurs souvenirs, je le dois à un garçon de 6 ou 7 ans. Il était à l'arrière d'un 4x4 et, quand il m'a reconnu, il a sauté de là pour venir vers moi. Il m'a serré très fort dans ses bras comme s'il me connaissait depuis toujours. Il m'a parlé très normalement de ses jeux vidéo préférés et de tout ce qu'il aimait faire… C'était vraiment cool et naturel !

Part 4

Quels sont tes projets ?

En ce moment, j'explore différentes options, j'essaie de voir ce qui est le mieux pour moi. J'ai refusé pas mal de rôles. J'ai besoin de prendre le temps pour trouver un scénario motivant à cent pour cent. J'espère que mon public me suivra dans mes choix à venir, mes prochaines aventures… (Sourire).

(a) What were Zac's favourite subjects at school? (Part 1)

(b) When does the current series of *High School Musical* take place? (Part 1)

(c) What message does Zac feel the current series gives to young people? (Part 1)

(d) What does he say about a third series? (Part 1)

(e) When did he realise he wanted to be an actor? (Part 2)

(f) Why does he prefer acting to singing? (Part 3)

(g) Give **one** detail about his meeting with a very young fan. (Part 3)

(h) What does he say about his plans for the future? (Part 4)

Higher Level · Sample Question 2

« *Incroyable Talent* » is the French version of the television series *Class Act*. This is an interview with Sophie Edelstein, one of the members of the French jury.

J'en demande beaucoup aux enfants artistes

Dans cette émission, des artistes amateurs présentent leurs numéros à des professionnels : ils dansent, jouent la comédie…

Part 1

Sophie Edelstein, directrice artistique du cirque Pinder, est membre du jury d'*Incroyable Talent*.

Équipe - « Mon travail au cirque consiste à choisir de nouveaux numéros d'artistes, à régler les chorégraphies, les lumières du spectacle… Pour cela, je travaille avec une équipe. »

« Pour trouver de nouveaux artistes, je voyage dans le monde entier. Le plus difficile est de trouver de la nouveauté. »

Part 2

Ensuite, à moi d'équilibrer le spectacle. Les numéros doivent plaire à l'ensemble du public, de 7 à 77 ans. Il faut impressionner les spectateurs avec les grandes illusions, les émouvoir avec les trapézistes, les faire rire avec les clowns… À Pinder, nous avons une cinquantaine de fauves, des éléphants, des otaries… Aujourd'hui, les numéros aériens faits en jouant avec des tissus sont à la mode.

Part 3

Exigeante - « Avec mon métier, je suis habituée à voir des numéros de bonne qualité. Je suis donc très exigeante avec les artistes qui se présentent à l'émission *Incroyable Talent*. »

Part 4

Rêves - « J'en demande aussi beaucoup aux enfants artistes. Je ne veux pas casser leurs rêves, mais je leur dis qu'il faut encore travailler. Repérer un talent exceptionnel, c'est quoi ? Trouver un artiste qui peut convaincre en deux minutes avec une technique parfaite et une personnalité forte. »

(a) Name **one** of her functions at the Pinder circus. (Part 1)

(b) How does she find new acts? (Part 1)

(c) What is important when choosing a new act? (Part 2)

(d) How many animals do they have in the circus? (Part 2)

(e) What type of act is very popular at present? (Part 2)

(f) How does she describe her attitude towards young performers in *Incroyable Talent*? (Part 3)

(g) Of what is she always conscious? (Part 4)

(h) Why is the job of jury member so difficult? (Part 4)

Higher Level · Sample Question 3

Each year a film festival for young people takes place in Paris. Read this interview with Alain Chabat, who is the patron of the event and answer the questions which follow.

« Au cinéma, je veux avoir peur, rire et pleurer ! »

Un festival de cinéma pour les enfants de 3 à 15 ans se tient jusqu'à mardi à Paris.

Part 1

Alain Chabat est le parrain de ce festival.

Enfance : « Quand j'étais gamin, je demandais au cinéma de ne pas m'ennuyer et de m'apporter du plaisir. Aujourd'hui, j'ai la même exigence. Je veux avoir peur, je veux pleurer, je veux rire ! Je me suis dit que ce devait être pareil pour ce festival. J'ai accepté d'en être le parrain dans cette idée. Je me suis replongé dans les films de mon enfance. Je crois que le premier que j'ai vu au cinéma est l'*Extravagant Docteur Dolittle*, de Richard Fleischer (*une comédie délirante*).

Part 2

Monstres : « Le festival a pour thèmes les monstres et l'aventure. Bien sûr, j'adore les monstres de *Monstres et compagnie*. Je trouve Frankenstein très émouvant. Shrek me fait rire, mais je le considère davantage comme un gentil ogre. Et j'oubliais ! J'adore les dinosaures ! Je vous conseille un film super : *La Vallée de Gwangi*. Les effets spéciaux sont un peu désuets maintenant, mais il est génial. »

Part 3

Sketchs : « Aucun film ne m'a vraiment donné le déclic pour devenir acteur. C'est arrivé par accident. J'écrivais des sketchs pour *Les Nuls* et, petit à petit, j'ai fait mes débuts au cinéma. Mais j'ai toujours aimé raconter des histoires. Et faire rire, encore plus. Entendre une salle qui rigole, j'adore… »

(a) Name **one** emotion Alain likes to experience when he is at the cinema. (Part 1)

(b) What reference does he make to *L'Extravagant Docteur Dolittle*? (Part 1)

(c) What are the themes of this year's festival? (Part 2)

(d) What is his opinion of

   (i) Frankenstein _____   and   (ii) Shrek _____ (Part 2)

(e) What did he enjoy about the film *La Vallée de Gwangi*? (Part 2)

(f) How did he first become involved in the cinema? (Part 3)

(g) What aspect of being an actor does he enjoy most? (Part 3)

Higher Level – Sample Question 4

This is an article about a school which provides special education for those interested in making a career from horse racing. Read the article and answer the questions which follow.

À l'école des courses hippiques de Chantilly

Part 1

À l'école des courses hippiques le **Moulin à Vent, de Chantilly (Oise),** tout le monde parle « cheval » ! L'animal est la passion qui unit tout le monde, du directeur aux élèves. Considérée comme la meilleure du monde, cette école accueille en moyenne 160 jeunes par an.

L'école de Chantilly forme aux métiers de jockey, garçon de voyage, cavalier d'entraînement, entraîneur futur métier pendant trois à quatre ans. Ils vivent en internat toute l'année.

Part 2

Chaque élève alterne trois semaines de scolarité (suivant le programme de l'Éducation nationale) et trois semaines en écurie chez des maîtres de stages et des entraîneurs renommés.

Lors des semaines en écurie, l'élève commence sa journée à 6 h du matin, en hiver comme en été. L'alimentation est très surveillée. Ces jeunes en pleine croissance doivent prendre du poids en muscles, mais pas en graisse. Les cavaliers sont obligatoirement petits et légers.

Part 3

Mon père a toujours fréquenté le milieu hippique. (Ryan, 14 ans.)

« Il m'a souvent emmené avec lui. Petit, il voulait devenir jockey. J'ai découvert l'école des courses hippiques au cours d'un stage découverte à Marseille (Bouches-du-Rhône). J'ai la taille et le poids parfaits pour devenir jockey. Cette école est exigeante : il faut être travailleur, intelligent, avoir de la force physique et être doux. J'ai le courage et je pense avoir l'intelligence… mais il me manque encore la force et la douceur avec les chevaux. Mais avec de la persévérance, je sais que j'y arriverai. »

Part 4

À l'école, je n'étais pas bonne élève. **(Manon, 17 ans.)** Ma passion, c'était le cheval, et ce que je désirais le plus, c'était de faire un métier autour de cet animal. J'ai découvert l'école des courses hippiques grâce à des journées portes ouvertes. Je suis maintenant à l'école de Chantilly depuis deux ans. J'ai eu un moment très dur l'hiver dernier. Je souffre d'un manque de confiance en moi. Depuis que j'ai changé d'entraîneur, cela va beaucoup mieux. J'ai l'impression que l'école m'offre une seconde chance pour parvenir à mon but : devenir jockey.

(a) Give **one** fact about this training school. (Part 1)
(b) How long do they spend learning about their future career? (Part 1)
(c) They alternate studying the national curriculum with _____ (Part 2)
(d) Besides being small, what other physical characteristic should riders have? (Part 2)
(e) What makes Ryan very suitable for a career as a jockey? (Part 3)
(f) Name **one** quality Ryan says you need to succeed in this school. (Part 3)
(g) How did Manon hear about the school? (Part 4)
(h) What did she do last year that helped her regain her confidence? (Part 4)

Exam Practice – Written Expression

How Many Marks?

The Written Expression section of the Junior Certificate paper is the third part of the exam.

The breakdown of marks is as follows:

	Ordinary Level	Higher Level
Number of Marks	60	80
Percentage of Total Marks	18.75%	25%
Letter	40	50
Breakdown of marks		
• Format — (place / date / start / sign off)	8 marks	5 marks
• Communicative tasks	20 marks (4×5)	20 marks (5×4)
• Language / accuracy of expression	12 marks	25 marks
Note / Postcard	20	30
Breakdown of marks		
• Communicative tasks	12 marks (3×4)	15 marks (3×5)
• Language / accuracy of expression	8 marks	15 marks

Writing a Postcard in French

There are no marks for writing the place and date on the postcard. However, it is usual to put these on the card anyhow. That is what French people do when writing cards from holidays!

To begin the postcard

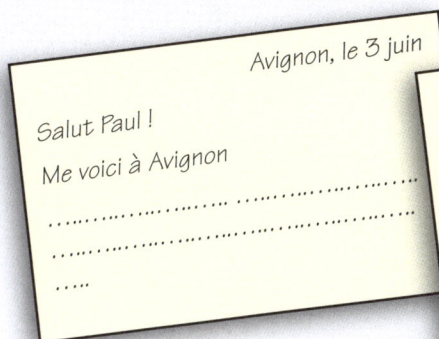

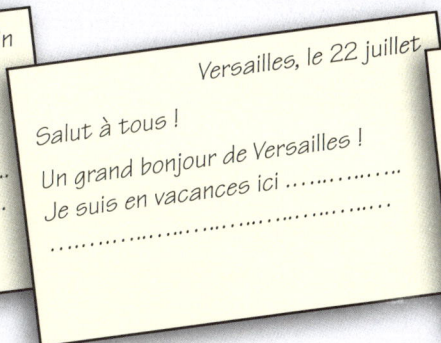

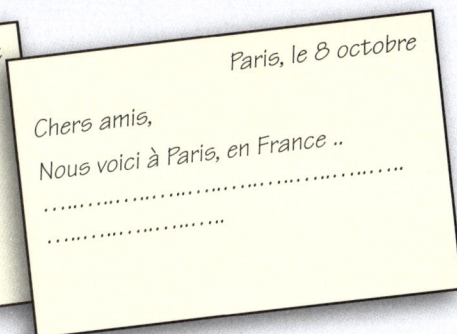

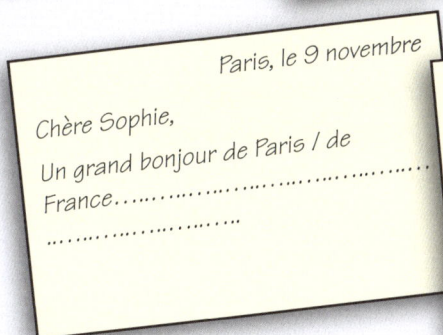

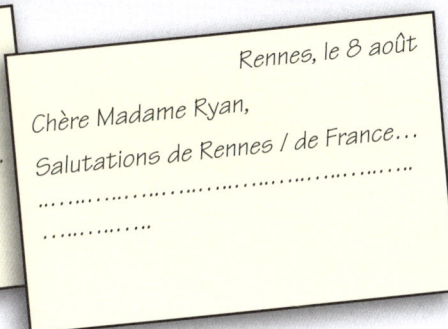

Avignon, le 3 juin

Salut Paul !

Me voici à Avignon

....

....

.....

Versailles, le 22 juillet

Salut à tous !

Un grand bonjour de Versailles !
Je suis en vacances ici ....

....

Paris, le 8 octobre

Chers amis,
Nous voici à Paris, en France ..

....

....

Paris, le 9 novembre

Chère Sophie,

Un grand bonjour de Paris / de
France...

....

Rennes, le 8 août

Chère Madame Ryan,

Salutations de Rennes / de France...

....

....

To finish and sign off the postcard

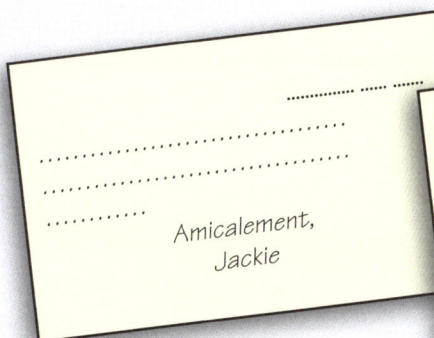

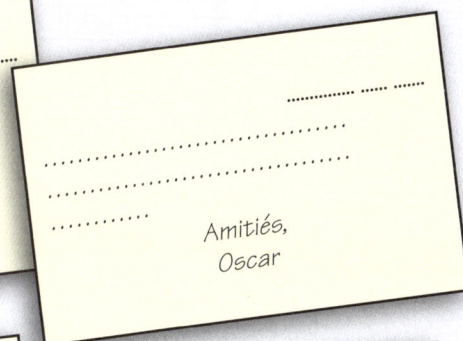

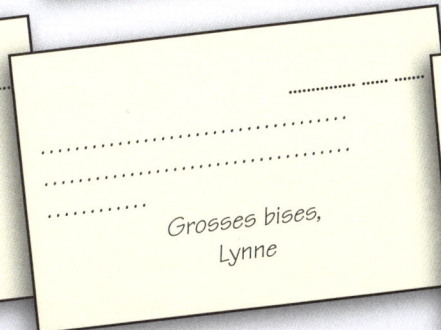

....

....

....

....

Amicalement,
Jackie

....

....

....

....

Amitiés,
Oscar

....

....

....

....

Bons baisers,
Donncha

....

....

....

....

Grosses bises,
Lynne

....

....

....

....

À bientôt,
Eoin

Phrases for Postcards

Accommodation

Je loge	dans	un appartement.
Nous logeons	dans	un hôtel.
		un gîte.
		une auberge de jeunesse.
		un mobile home.
		une caravane.
		la maison d'un ami de mes parents.
Je reste	chez	mon / ma correspondant(e) / mes grands-parents

L'hôtel est confortable !

Afternoon

l'après-midi

tous les après-midis

hier après–midi

demain après-midi

Am/Are here

Je suis / Nous sommes ici

en vacances.

en voyage scolaire.

pour un échange scolaire.

Am/Are doing

Je nage / Nous nageons.

Je vais / Nous allons à la plage.

Je prends / Nous prenons des bains de soleil.

Je joue / Nous jouons au tennis / au volley-ball à la plage / en salle de jeux.

Je sors / Nous sortons tous les soirs.

Je mange / Nous mangeons dans un restaurant français / chinois / italien.

J'écris / nous écrivons des cartes postales.

Je fais / nous faisons les magasins.

Arrived

Je suis arrivé(e) / Nous sommes arrivé(e)s

sain(s) et sauf(s) / saine(s) et sauve(s)

à l'heure / un peu en retard / en retard.

lundi dernier.

hier matin.

sans problème.

Nous avons mis trois heures pour arriver ici !

Beach

Il y a une belle plage ici.

Je vais à la plage tous les jours et je me fais bronzer / je nage.

La plage est juste à côté de l'appartement.

La plage est pleine d'activités.

Best wishes

Meilleurs vœux

Bons baisers

Grosses bises

Amitiés

Amicalement

Buy/bought

Hier, j'ai visité le marché et je t'ai acheté un cadeau.

Le matin, j'achète des croissants pour le petit-déjeuner.

J'ai acheté beaucoup de souvenirs.

J'ai acheté une bouteille de parfum.

J'ai acheté du fromage français.

Ce n'est pas trop cher.

Coming home

Je rentre la semaine prochaine.

Nous rentrons jeudi prochain.

Je serai de retour le 18.

Did earlier

Hier / La semaine dernière,

j'ai fait…	nous avons fait…
je suis allé(e)	nous sommes allé(e)s…
j'ai visité…	nous avons visité…
j'ai acheté…	nous avons acheté…
j'ai joué au…	nous avons joué au…
j'ai fait la connaissance de…	nous avons fait la connaissance de…

Enjoying

Je m'amuse bien ici.

Nous nous amusons.

Elle s'amuse bien.

Tout le monde s'amuse bien.

Facilities

	un terrain de jeux.
	un court de tennis.
	une piscine.
Il y a…	des vélos à louer.
	une salle de jeux.
	une salle de télévision.

Camping

Je fais / Nous faisons du camping ici à…

Le camping est super / Les installations sont super !

Notre caravane se trouve à côté du terrain de jeux / de la piscine / des courts de tennis.

Date

Le 3 juin.

Du 4 au 12 juillet.

Je suis / Nous sommes ici depuis le 4 août.

Je suis arrivé(e) / Nous sommes arrivé(e)s le 3 juin.

Nous partons le premier juillet.

Eating

Je mange / Nous mangeons…des frites / des moules / des fruits de mer / notre petit-déjeuner.

J'ai mangé / Nous avons mangé de la mousse au chocolat / des croque-monsieur / notre déjeuner.

J'aime… du fromage / des salades / des glaces / le dîner.

Je n'aime pas du tout…les crèmes caramel / les crêpes.

Enjoyed

Je me suis bien amusé(e).

Nous nous sommes bien amusés(e)s.

Food

J'adore la cuisine française !

Je n'aime pas du tout la nourriture !

Ici, on mange beaucoup de…

Il y a des frites tous les jours et je n'aime pas ça !

Je déteste…

J'adore les desserts ici.

Friends you are with

Je suis ici avec une autre famille.

Je suis ici avec mon ami(e) et ses parents.

Mes ami(e)s sont vraiment sympas !

Good time

Je m'amuse bien.

Nous nous amusons bien.

C'est génial !

Going (to do)

Demain,	je vais		visiter
	nous allons		retourner
			rester
			explorer

Great/brilliant/fantastic/interesting

C'est formidable !

C'est chouette !

C'est le pied !

C'est intéressant !

C'est cool !

C'est vraiment super !

Greetings

Meilleurs vœux de… !

Salutations de… !

Un grand bonjour de…

Happy Birthday

Bon anniversaire !

Joyeux anniversaire !

Heureux anniversaire !

Je te souhaite un bon anniversaire !

Félicitations !

Having a nice holiday

Je m'amuse bien ici.

Nous nous amusons bien.

On s'amuse bien ici.

C'est très agréable ici.

Est-ce que tu passes / vous passez de bonnes vacances ?

C'est vraiment sympa ici, l'ambiance est super !

Hostel

Je suis / Nous sommes…

Je loge / Nous logeons dans une auberge de jeunesse.

L'auberge ne coûte pas beaucoup.

Les lits sont confortables.

Rester dans une auberge, c'est pratique.

How long you have been there

Je suis ici…	depuis une semaine.
Nous sommes ici…	depuis quinze jours.
	depuis un mois.

Location

Me voici	en France / en Espagne.
	aux États-Unis / au Canada.
	en Australie / dans le Connemara.
	au bord de la mer.
Je suis ici…	à la montagne.
	au bord d'un lac / d'une rivière.
	à Paris / Lyon / Rennes / dans la ville principale de…
	à la campagne / en pleine campagne.

Like music

J'adore la musique, surtout la musique…

Mon groupe favori s'appelle…

Je joue du… / de la…

Je chante dans une chorale.

Je joue avec un groupe d'amis.

Je suis allé(e) à un grand concert.

Like television

J'aime bien regarder la télévision.

Mon émission favorite s'appelle…

Mon personnage favori s'appelle…

J'adore les émissions de sport / de jeux /
de télé-réalité / musicales.

Lots of people/Lots to do/Lots to see

Il y a du monde ici !

Il y a un tas de choses à faire.

Il y a beaucoup de choses à voir.

Il y a un tas de choses à faire et à voir.

Lovely time

Je m'amuse bien.

Je m'amuse vraiment bien ici.

Nous nous amusons bien.

Meet/Met

Je rencontre beaucoup de personnes ici.

J'ai rencontré une fille / un garçon de Galway.

Elle / Il s'appelle…

Elle / Il est vraiment sympa.

J'ai rencontré des Français ici. Ils viennent de Paris.

Ils sont sympas.

J'ai rencontré beaucoup de jeunes / de nouveaux copains / copines.

News

Il n'y a pas beaucoup de nouvelles.

J'ai de bonnes nouvelles.

Quoi de neuf ?

Regards

Meilleurs vœux à tes parents / à ta famille.

Dis bonjour à tes parents de ma part.

Dis bonjour à Sophie / à Tony de ma part.

Sea

Je suis au bord de la mer / sur la côte.

La mer est bleue tout le temps.

Les vagues sont énormes. C'est super pour faire
du surf / faire la planche à voile.

See you soon/See you later

À bientôt !

À plus tard !

Il me tarde de te voir.

Shopping

Je fais les magasins / du shopping tous les jours. Il y a
beaucoup de magasins ici.

Je suis allé(e) au marché et j'ai acheté des cadeaux /
des souvenirs.

J'ai acheté un livre / un CD super qui s'appelle…

Je fais les courses au supermarché avec mes parents /
les autres copains.

J'ai visité un grand centre commercial / beaucoup de
petites boutiques.

Spend day/afternoon/morning/evening

Je passe la matinée à la plage.

Je passe la journée à la piscine.

L'après-midi, je vais en ville.

Le soir, je mange avec mes parents.

je sors avec la bande.

je vais en discothèque.

Tous les matins / Tous les jours…

Tous les après-midi / Tous les soirs…

Stay

Je reste ici pour une semaine.

Je suis ici pour quinze jours.

Nous sommes ici pour un mois.

pour quelques jours.

pour un bref séjour.

Swimming/Seaside

Je nage dans la mer, l'eau est toujours chaude !

Je nage dans la piscine.

Je nage dans la Méditerranée tous les jours !

Je sais nager.

J'adore faire de la natation / de la plongée / de la planche à voile.

Nous nageons dans la mer bleue tous les jours.

Time of arrival

Je suis arrivé(e) lundi matin à 9h /

vers / à peu près à / après / avant 9h.

Weather

Quel temps magnifique !

Il fait un temps magnifique !

Le soleil brille tous les jours.

Il n'y a pas de nuages.

Il fait chaud.

Il fait un peu trop chaud pour moi.

Il ne fait pas beau.

Il fait froid / Il fait un peu froid.

Il pleut à verses !

Il neige tous les jours – c'est bien pour le ski.

Il n'y a pas de neige.

Where you are on holidays

Je suis ici au camping…

Je fais du camping en Bretagne.

Je m'amuse bien à Nice.

Me voici arrivé(e) au Camping des Sapins.

Je suis dans la ferme de mon oncle.

Je suis ici à Grenoble pour faire du ski.

Je suis ici pour les vacances de Pâques avec ma famille.

Je suis chez mes grands-parents pour Noël.

Je suis ici chez mon / ma correspondant(e).

Will do

Demain / Mardi prochain / Cet après-midi /	je vais…	voir la Tour Eiffel.
Après-demain,	nous allons…	visiter le Louvre.
		au Parc Astérix.
		faire une promenade en bateau.
		à Galway faire du shopping.

Je ferai du ski / de la natation / de la voile / du vélo.

Je t'écrirai avec mes nouvelles.

With whom

avec ma famille.

avec mon / ma correspondant(e).

avec mon oncle / ma tante / mes cousins.

avec ma classe et mon professeur de français.

avec les membres du club de jeunes / avec la bande.

Write soon with news

Écris-moi bientôt.

Donne-moi des nouvelles de ta famille et de tes amis.

Il me tarde de te lire.

Practice Postcards · Ordinary/Higher Level

Q1 · Ordinary Level

You are on holidays with some friends. Write a postcard in French to your friend.

In it, mention:

- that you are at the seaside
- who you are with
- that you are staying in a nice hotel
- that you are having a nice time

Q2 · Ordinary Level

You are on holiday. Write a postcard in French to a French friend. In it, mention:

- what the weather is like
- how you spend your time
- that you are enjoying yourself
- someone you have met

Q3 · Ordinary Level

You are on holidays with friends. Write a postcard in French to a French friend In it, say:

- that you are camping
- that you are in the mountains
- who you are with
- that you are all enjoying yourselves

Q4 · Ordinary Level

You are on holidays with your family. Write a postcard in French to a French friend. In it, give details about the following:

- where you are
- how you are enjoying yourself
- what you do in the evening
- a person/people you have met

Q5 · Ordinary Level

You are on holidays for a week with members of your local youth club. Write a postcard in French to your penpal. In it:

- say that you are by the sea
- say something about the friends you are with
- say how you spend your time
- wish him/her a happy birthday

Practice Postcards · Higher Level

Q1 · Higher Level

You are on holidays with your family in Spain. Write a postcard to your French penpal Nicholas. In your card you tell him:

- when you arrived and who is with you
- that you are enjoying yourself and the hotel is lovely
- that you are going to the beach tomorrow

Q2 · Higher Level

You are on holidays in Kerry with your family. Write a postcard in French to your French friend Nadine. In your card tell her:

- where you are and who you are with
- that you went to the Aquadrome in Tralee
- that you will return home on Saturday

Q3 · Higher Level

You are on holiday in Ireland with your family. Write a postcard to your French friend François/Françoise. In it:

- say that you are enjoying the holiday
- say that the weather is lovely
- send your regards to his / her parents

Q4 · Higher Level

You are in Paris with your French class and teacher, on a school tour. Write to a French penpal in another part of France and say:

- where you are and who you are with
- where you are staying
- that you are enjoying the tour

Q5 · Higher Level

You are on holiday in Rennes with your family. Write a postcard to your French penpal, Fréderick, and tell him:

- when you arrived and who is with you
- that the weather is not very good
- that you visited the market yesterday and did some shopping

Writing a Note/Email in French

To Begin the Note

I am leaving you this note to tell you that...

> *Nicole,*
>
> *Je te laisse ce petit mot pour te dire que...*

This note is to let you know that....

> *Alain,*
>
> *Un petit mot pour t'informer que...*

Just a note to tell you that...

> *Priscilla,*
>
> *Juste un petit mot pour te dire que...*

I am sending you this e-mail to say that....

> *Madame Julienne,*
>
> *Je vous envoie ce courriel pour dire que...*

How to sign off the note/email

À bientôt j'espère,
Sam

À tout à l'heure,
David

À plus tard,
Lorna

À ce soir,
Amy

Phrases for Notes/Messages

Apologise

Je m'excuse de...	ne pas pouvoir te / vous rencontrer.
Il / Elle s'excuse...	de ne pas pouvoir venir ce soir / demain.
	de ne pas pouvoir te / vous rendre visite.
	du retard / du délai.

Je dois m'excuser de...

Désolé(e), je ne peux pas... / je n'ai pas fait...

Are going out

Je vais maintenant au / à la / à l' / aux

Je vais promener le chien.

Je vais acheter / retrouver...

Je dois aller...

Je sors ce soir.

Ask to ring later

Appelle-moi ce soir / plus tard / demain.

Passe-moi un coup de fil ce soir.

Another time/place to meet

Ça te dit de se retrouver vendredi / ce week-end ?	
	à sept heures ?
	au café / à la gare ?

Breakfast: What is there to eat for breakfast?

Il y a du lait et du jus d'orange dans le frigo.

Il y a des œufs pour le petit-déjeuner.

Sers-toi du pain / du café / des céréales !

Book/CD/Video is very good

Ça me plaît beaucoup.

J'adore le… / la… / les…

Call/Waken someone in the morning

Je te réveillerai demain matin vers 10 heures.

Réveille-moi à 7 heures.

Cannot

Je ne peux pas… te retrouver ce soir.

Il / Elle ne peut pas… venir manger demain.

Nous ne pouvons pas… aller comme prévu.

Drop in/Call in

Je passerai chez toi / chez vous	demain.
Nous passerons	plus tard.
Il / Elle passera	la semaine prochaine.

Food: Something in the fridge

Il y a du lait et du jus d'orange dans le frigo.

Il y a du jambon dans le frigo.

Forget/Don't forget

N'oublie pas de me téléphoner.

N'oublie pas d'informer les autres / tes (vos) parents.

ton (votre) argent.

ton (votre) maillot de bain.

tes (vos) baskets.

ta (votre) raquette.

Going to…

Je vais à la piscine / au cinéma / en cours.

Je vais faire une promenade / un petit tour.

Have to/must

Je dois / Il doit / Elle doit sortir / aller…

Sa femme doit annuler sa visite…

Son mari doit…

Nous devons / Vous devez / Ils doivent…

Have gone to borrow/return…

Je vais emprunter… de Paul / du professeur

Je vais retourner / rendre… à Marie / au bureau

How you will go/have gone somewhere

Je vais	prendre le bus.
	prendre le train.
	prendre un taxi.

Je suis allé(e) en bus / par le train.

Invitation: Asking if someone wants to do something

| Tu veux venir avec moi | au / à la… ? |
| | en ville ? |

Tu veux m'accompagner ?

Ça te dit de… ?

Invitation — saying that someone invited you

Paul m'a invité à un film.

Mes copains m'ont invité à un concert.

Jobs in the house

Est-ce que tu veux bien

m'aider ?

faire la vaisselle ?

ranger le garage ?

mettre la table ?

sortir la viande du

congélateur ?

Left the house

Je suis parti(e) à 8 heures.

tôt ce matin.

quand tu étais encore au lit.

Lend

Est-ce que tu peux me prêter ton vélo / ton CD...

Meet

J'ai rendez-vous avec les copains...	à 14 heures.
Je te retrouverai...	chez Marie.
Nous nous retrouverons...	devant la gare.
	au café.
	au cinéma.
	au coin de la rue Rousseau.
	au stade.

Party

Je vais à une soirée / à une fête.

Je vais chez Marc fêter son anniversaire.

Il me tarde d'aller à ta fête.

J'ai fêté avec une boum chez moi.

Phoned

Votre femme...	a téléphoné.
Votre mari...	a appelé.
Votre ami(e)...	
Ton ami(e)...	

Promise

Je promets...	de te / vous contacter bientôt.
Il / Elle promet...	de téléphoner plus tard.

Telephone: You will ring him/her

Je te téléphonerai...	demain.
Il te / vous téléphonera...	plus tard.
Elle te / vous téléphonera...	ce soir.

Thank her/him for the...

Je te / vous remercie du / de la / des...

Merci de l'invitation / du petit mot.

Merci mille fois pour le livre / le cadeau !

Time you are going out/leaving message

Il est 16 heures maintenant et je sors.

Je sors à...

Je laisse ce petit mot à...

Time at which you called

Je suis passé(e) chez toi à... mais tu n'étais pas là / mais tu étais absent(e) / mais tu n'étais pas chez toi.

Time you will be back at

Je serai de retour à… / vers…

Nous serons de retour avant 10h.

Je rentre / Nous rentrons pour le déjeuner.

Nous rentrerons plus tard.

Time it is now as you write the note

Il est 4h30 maintenant et je…

Il est 18 heures sonnantes / tapantes…

Waited/Will wait

J'ai attendu au café / au cinéma.

J'ai attendu vingt bonnes minutes / une demie heure / une heure.

Je t'/vous attendrai   au café / au cinéma

jusqu'à 8 heures / ton arrivée.

Weather

Quel temps magnifique !

Quel temps affreux !

S'il fait beau, nous irons à la plage.

S'il pleut, nous irons au cinéma.

À cause du mauvais temps, l'excursion est annulée !

What you have with you

J'ai mon portable / mes clés / des sandwiches / de l'argent / ma veste / mon cartable avec moi.

What you are feeling

Je suis déçu(e) / désolé(e) / triste / étonné(e) / content(e) / mécontent(e) / ravi(e).

Je m'ennuie.

Ça me fait la tête !

When you are going to do something

cet après-midi /ce soir

demain /demain matin

après les cours / tout de suite / vers midi

samedi

Where you were going when you called to a friend's house

J'allais en ville…   et je suis passé(e) chez toi.

J'allais à l'entraînement…

J'allais retrouver les autres…

Why you are going out

J'ai un rendez-vous avec…

Je dois aller en ville faire des courses…

Je dois aller à la poste envoyer une lettre…

Je vais faire une randonnée…

Je vais aux cours…

Je vais retrouver la bande…

Why you can't go/come

Je ne peux pas sortir / aller…

car je fais du baby-sitting.

car je suis malade.

car je fais mes devoirs.

car je révise pour mon examen.

Will be back

Je serai de retour à 8 heures.

bientôt.

avant le déjeuner / le dîner.

pour le petit déjeuner / déjeuner / dîner.

With whom

avec mon ami(e) / copain / ma copine / Laurent / Laure /

avec mes parents

avec la bande

Would you like to come/to go?

Tu voudrais venir / aller avec moi / nous ?

Tu veux venir / aller ?

Tu veux nous accompagner ?

Tu veux y aller ?

Ça te dit de venir avec moi / nous ?

Note-writing and email-writing · Ordinary Level

Q1 · Ordinary Level

You are staying with a French family. Before the family gets up you decide to go to the beach. You leave a note in French to say that:

- the weather is beautiful
- you are going to the beach to swim
- you will be back for breakfast
- you have your mobile phone

Q2 · Ordinary Level

You are staying with a French family at the seaside. One morning you get up early before everyone else and decide to go out. You leave a note in French to say that:

- the weather is sunny
- you are going for a walk
- the dog is with you
- you will be back at 10 o'clock

Q3 · Ordinary Level

You are supposed to meet a French-speaking friend later to go to the cinema, but you have a problem. Write a short e-mail to him/her in French. In it:

- say that you cannot go to the cinema
- say you are sorry
- say why you can't go
- ask him/her to ring you later

Q4 · Ordinary Level

You have a French friend staying with you. Before he/she gets up you go to the shop. Leave him/her a note in which you:

- say where you have gone
- say there are eggs and juice for breakfast in the fridge
- ask him/her to tidy the kitchen
- say you will be back at 11 o'clock.

Note-writing and email-writing · Higher Level

Q1 · Higher Level

You are taking part in a language course in France. One morning you have to leave the house before your host family gets up. Leave a note for Madame Marriott. In your note say:

- that you have left the house at 8 o'clock this morning
- that you are going to town with your class
- that you will be back before dinner time this evening

Q2 · Higher Level

You come to your French class without your homework done. You want to impress your teacher by writing a short note to explain yourself in French! In your note tell your teacher that:

- you are sorry that you have not done your homework
- you played a tennis match yesterday and it was late when you got home
- you will do the homework this evening

Q3 · Higher Level

You are staying with the Julienne family in France. You are alone when a friend of theirs telephones and asks you to give a message to Madame Julienne. Write the note in French and include the following points:

- Madame Ménard phoned because they cannot come to lunch tomorrow
- her husband has to go to the dentist
- they will drop in to see Madame Julienne next week

Q4 · Higher Level

You are staying with the Berthelot family in France. A friend of Mme Berthelot's calls in to return books she had borrowed. Leave a note for Mme Berthelot and in it say:

- that her friend Madame Massot called with books
- that you put the books on the table in the sitting-room
- that Madame Massot will drop in tomorrow around 11 o'clock

Q5 · Higher Level

A French boy or girl you like is staying in a friend's house near you. As you are organising a party for your birthday, write an email in which you:

- invite him/her to your house on Thursday afternoon at 5pm
- explain that you have also invited friends from your class
- say that the party will end at 10pm as you have school the next day

Q6 · Higher Level

Your French correspondant(e) is coming to stay next week. Send him/her an email in which you:

- ask for exact time of arrival
- say you will be at Cork airport
- ask if he/she could bring you some brochures about his/her town for a project you have to do.

Letterwriting in French

To begin an Informal Letter

1.

Guignen, le 13 juin 2008

Cher Paul,

2.

Athy, le 4 août 2008

Chère Mathilde,

To begin a Formal Letter

Patrick Mason

12 Milestone Street

Lifford

Co. Donegal

IRLANDE

Hôtel du Nord

Avenue du Nord

75011 PARIS

FRANCE

Lifford, le 3 mai 2009

Madame / Monsieur,

To finish an Informal Letter

1.

J'espère te lire bientôt,

Amicalement,

Sinéad

2.

C'est tout pour l'instant. Écris-moi bientôt,

Amitiés,

Conor

3.

Il me tarde de te lire,

À bientôt,

Elaine

To finish a Formal Letter

Veuillez agréer, Madame / Monsieur, l'expression de mes
sentiments distingués / respectueux.

Richard Armstrong

Phrases for Informal Letters

Accepting an invitation

Je suis heureux / heureuse d'accepter ta gentille invitation.

Je veux bien accepter ton invitation. C'est gentil !

Ravi(e) d'accepter l'invitation !

Age

J'ai douze / treize / quatorze ans.

Mon frère a…

Ma sœur a…

Quel âge as-tu?

Animals on farm/at home

À la ferme, il y a des vaches / des cochons / des moutons / des chevaux / des poules / des oies / des canards.

Apologise for not having replied sooner

Je m'excuse de ne pas avoir écrit plus tôt. J'étais malade.

Désolé(e), je n'ai pas écrit depuis longtemps !

J'avais des examens.

Ask how someone is

Comment vas-tu ?

Comment va toute la famille ?

J'espère que tu vas bien.

At the moment/At present

En ce moment…

Actuellement…

Aunt/Uncle and family

Ma tante s'appelle Mary. Son mari s'appelle Tom.

Ils ont trois enfants : une fille et deux garçons.

Birthday

C'est mon anniversaire la semaine prochaine.

Ce sera bientôt mon anniversaire.

C'est l'anniversaire de mon frère demain.

C'est quand ton anniversaire ?

C'était mon anniversaire jeudi. Je suis allé(e) au cinéma avec mes copains.

Boring

C'est ennuyeux ! / casse-pieds !

Je trouve ça ennuyeux !

Car/New car

Nous avons une nouvelle voiture : c'est une Renault bien sûr !

Christmas (how you celebrate the festival)

J'adore Noël. Nous décorons la maison avec un sapin, une crèche et beaucoup de guirlandes. La veille de Noël, nous allons à la messe de minuit. Le père Noël arrive pendant la nuit pour les petits enfants. Le jour de Noël nous ouvrons les cadeaux en famille. Nous mangeons de la dinde et du jambon. Décris-moi comment se passe Noël en France.

Class

À l'école, je suis en troisième.

Il y a 30 personnes dans ma classe.

Tout le monde dans ma classe est sympa.

Tu es en quelle classe ?

Delighted

Je serai ravi(e) d'accepter ton invitation.

Je suis ravi(e) que tu acceptes mon invitation.

Je suis ravi(e) que tu nous rendes visite.

Disco

Je suis allé(e) en discothèque samedi dernier.

Je vais en discothèque le week-end prochain.

Il y a une discothèque au club de foot le week-end.

Enjoying/Enjoyed yourself

Je m'amuse bien en discothèque.

Nous nous amusons bien ici.

Je me suis bien amusé(e) en France.

Nous nous sommes bien amusé(e)s à Dingle.

Eyes

J'ai les yeux bleus / verts / marron / noisette.

De quelle couleur sont tes yeux ?

Exams

Je révise pour mes examens en juin / mes examens blancs.

J'étudie d'arrache-pied pour mes examens en juin / mes examens blancs.

Je prépare mon Brevet.

J'ai une épreuve de français demain.

Les examens sont finis ! Ça s'est assez bien passé.

Family News

J'ai… frère(s) / J'ai… sœur(s).

Je suis fils / fille unique. On dit que je suis gâté(e).

Je n'ai pas de…

Tu as des frères et des sœurs ?

Voici des nouvelles de ma famille. Mon frère va se marier !

Ma soeur va passer un an en Australie.

Nous avons l'intention d'aller en France l'été prochain.

Voici nos projets pour l'été. Nous allons en France.

Mon père / Ma mère est malade.

Il / Elle a la grippe / mal au dos / mal à la gorge.

Il / Elle a eu un accident.

Mon frère / Ma sœur a fêté son anniversaire samedi / le week-end dernier.

J'ai rendu visite à mes grands-parents / à mes cousins / à ma tante / à mon oncle.

Malheureusement, ma grand-mère est à l'hôpital en ce moment.

Favourite subject

Ma matière préférée est…

Film

J'ai vu un bon film samedi dernier / récemment.

Je suis allé(e) au cinéma, mais le film était ennuyeux.

Food you eat in your house

Chez nous, on mange beaucoup de salades / de pommes de terre / de pain complet / de poisson / de poulet / de viande / de fromage / de gâteaux / de sandwiches.

Nous ne mangeons jamais de frites.

Nous buvons beaucoup de thé.

J'adore le café.

For how long

Je suis ici depuis lundi dernier.

Nous sommes ici depuis une semaine.

Je vais en France pendant deux semaines en été.

Friend (news about)

Mon ami Ronan a eu un accident. Il s'est cassé la jambe.

Ma copine, Amy, habite maintenant à Sligo. Elle n'aime pas sa nouvelle école !

Mon copain Richard vient en France avec nous !

Frightening thing that happened since your arrival in France

Depuis notre arrivée, les gendarmes ont arrêté notre voiture deux fois !

Nous avons vu un accident affreux.

Je me suis perdu(e) un jour dans le centre commercial, j'avais peur.

Je n'ai pas compris le gendarme et j'avais peur !

Un chien m'a attaqué.

Funny thing that happened

Papa est tombé dans la piscine et tout le monde a ri !

Je suis tombé(e) dans la piscine !

J'ai mangé un escargot. Maman a dit que c'était des fruits de mer !

Gave/received a present

Pour Noël, je lui ai offert…

Pour leur anniversaire de mariage, je leur ai offert…

Pour mon anniversaire, mes parents m'ont offert… comme cadeau.

Pour Noël, mon ami(e) m'a offert…

Pour ma fête, j'ai reçu…

Hair

J'ai les cheveux noirs / bruns / blonds / roux / châtains.

Il / Elle a les cheveux longs / courts / frisés / raides.

Je porte les cheveux en queue de cheval / en tresse.

À l'école, nous devons avoir les cheveux courts.

De quelle couleur sont tes cheveux ?

Help on farm/at home

J'aime aider mon oncle à la ferme.

Je donne à manger aux animaux / Je trais les vaches.

Je conduis le tracteur.

À la maison, j'aide mes parents.

Je fais le ménage tous les samedis.

Je range ma chambre / Je passe l'aspirateur.

Je fais la vaisselle / le repassage / les courses.

Tout le monde aide avec le ménage.

Holidays/parents going soon/ask about holiday plans

Nous allons passer les vacances au bord de la mer (à Roundstone dans le Connemara).

Mes parents vont bientôt en vacances. Ils vont en Espagne.

Et toi ? Tu as des projets pour l'été ?

Quand est-ce que vous partez en vacances ?

Homework

En ce moment, il y a beaucoup de devoirs !

J'ai un tas de devoirs tous les soirs !

Les professeurs donnent beaucoup de devoirs à cause des examens.

Et toi ? Tu as beaucoup de devoirs en ce moment ?

J'en ai marre des devoirs !

How school is going

J'étudie beaucoup en ce moment.

J'ai un emploi du temps très chargé.

Je suis débordé(e).

L'école me casse la tête !

À l'école, ça va bien en ce moment – pas beaucoup de travail !

À l'école, ça ne va pas bien – mes parents ne sont pas contents de mon bulletin scolaire !

Je passe des examens en ce moment.

How your parents are/Asking how his/her parents are

Mes parents vont bien.

Maman / Papa va mieux maintenant. Il / Elle avait la grippe.

Tes parents vont bien ?

Interesting

Je trouve la géo intéressante !

Je trouve le français intéressant !

Je regarde TV5 maintenant et c'est très intéressant !

Je m'intéresse beaucoup au / à la / à l' / aux…

Interests/Hobbies

Pendant mon temps libre, j'aime la lecture / la natation / le sport / la musique / les jeux vidéo.

Je regarde la télévision.

Je suis un fana de…

Je suis mordu(e)…

Je fais du cheval / du vélo / de l'athlétisme.

Et toi ? Tu as des passe-temps ?

Qu'est-ce que tu aimes faire pendant ton temps libre ?

Que fais-tu le week-end ?

Introduce yourself

Je me présente : Je m'appelle…

Invitation to Ireland for Christmas/for month of July

Je t'invite à…

J'écris pour t'inviter à passer les vacances de Noël chez nous.

J'écris pour t'inviter à me rendre visite au mois de juillet.

Job you have/your parents have/ you would like to have

J'ai un petit boulot.

Je travaille le samedi matin dans un supermarché.

Mon père est…

Ma mère est…

J'aimerais devenir…

Journey

Le voyage / le trajet était très agréable / long / affreux !

Pour aller à Dingle, j'ai pris le bus / le train / l'avion de… à…

Je suis arrivé(e) à l'aéroport sain et sauf / saine et sauve après un trajet agréable.

L'avion / le bateau était confortable.

Le vol était en retard / à l'heure.

Il y avait une grève.

Le voyage / Le trajet / La traversée était désagréable / ennuyeux / euse.

La mer était calme / agitée.

Like/dislike about a place

J'adore le camping. Il y a beaucoup à faire et à voir. Le temps passe vite.

Je n'aime pas le camping. Il n'y a rien à faire ici.

Il n'y a pas de jeunes.

Je n'aime pas la nouvelle école. Elle est trop stricte !

Cette ville est super, l'ambiance est bonne.

Cette ville est désagréable / ennuyante, il n'y a rien à faire.

Live

J'habite…	au bord de la mer.
Nous habitons…	dans un village
	au centre ville.
	près de l'aéroport.
	à 20 km de Shannon.

Où habites-tu en France ?

Où se trouve… exactement ?

Looking forward to seeing him/ to hearing from someone

Au plaisir de te voir le 23 !

Au plaisir de te lire bientôt !

Il me tarde de te voir / lire.

Je guette le courrier pour avoir ta réponse !

Meet (you will meet him in Rosslare/ at the airport)

Je te retrouverai à Rosslare / à l'aéroport / à la gare.

Je serai à…

Je pourrais te retrouver à…

Nous pourrions rentrer à la maison en voiture.

Met

En route / Pendant le voyage, j'ai rencontré une fille / un garçon.

J'ai rencontré des amis en ville hier.

J'ai retrouvé Paul au Café Rose.

Minor accident at home

Malheureusement, il y a eu un petit accident à la maison hier.

Ma mère est tombée et elle s'est cassé le bras.

Mon petit frère est tombé et il s'est cassé la jambe.

Je me suis coupé le doigt avec un couteau.

Music

J'adore la musique rock / la musique pop…

Mon groupe préféré, c'est…

Ma chanson préférée, c'est…

Mon chanteur préféré, c'est… / Ma chanteuse préférée, c'est…

Je joue de la guitare / du piano / de la batterie.

Et toi ? Qu'est-ce que tu aimes comme musique ?

Tu joues d'un instrument ?

New/Something new

Nous avons un nouveau professeur.

Nous avons un nouveau chien.

J'ai reçu un nouveau lecteur CD / portable pour mon anniversaire.

Mes parents ont acheté une nouvelle voiture. C'est une Renault / une Peugeot / une Citroën.

Nous avons déménagé. Nous avons une nouvelle maison.

J'ai une nouvelle chambre – elle est grande et jolie.

News – good and bad

J'ai de bonnes nouvelles.

Je peux aller en France pour un échange scolaire !

Mon père va mieux et il quitte l'hôpital demain.

Les examens sont finis !

J'ai fini mon Junior Cert.

J'espère recevoir de tes nouvelles bientôt !

J'ai de mauvaises nouvelles.

Mon chien est mort.

J'ai eu un accident.

Je ne peux pas aller en France cette année. Mes parents disent que je suis trop jeune.

Parents

Mes parents s'appellent… et…

Mes parents travaillent tous les deux en ville.

Mon père / Ma mère travaille comme…

Mes parents viennent de Cork.

Je m'entends bien avec mes parents, ils sont sympas.

Mes parents ne me comprennent pas, ils sont trop stricts.

Mon père est policier / chauffeur / professeur.

Ma mère est ingénieur / institutrice / bibliothécaire.

Pet you have

J'ai un chat / un chien / un poisson rouge / un chiot / un chaton.

Mes parents m'ont offert un… pour mon anniversaire.

Il / Elle est noir(e) et blanc/che.

Il / Elle s'appelle…

Il / Elle est adorable / mignon(ne) / drôle.

Je promène mon chien tous les jours.

Photo

Je joins une photo de ma maison / de ma famille / de mon chien.

Est-ce que tu peux m'envoyer une photo de ta maison / de ta famille ?

Voici quelques nouvelles photos de ma famille.

J'envoie par courriel / email / des photos de ma famille / de ma maison / de mon chien.

Plans

Voici mes projets :

au mois de juin je vais au Gaeltacht.

en juillet, je vais chez ma tante en Angleterre.

en août, je vais en France.

Quels sont tes projets pour l'avenir / pour les grandes vacances ?

J'espère aller…

Preparing for birthday

Pour mon anniversaire, je vais faire une fête.

Je vais inviter mes copains / copines.

Nous allons avoir de la musique.

Nous allons manger des hamburgers et des frites / de la pizza / mon plat favori.

Je vais louer…

Recently

Récemment, j'ai vu le film…

Récemment, j'ai eu une bonne note à mon examen de français !

Refusing an invitation

Malheureusement, je ne peux pas accepter ta gentille invitation.

Mes parents pensent que je suis trop jeune.

Je dois aller chez mon cousin pour les vacances.

Je dois étudier pour le Junior Certificate.

Regards to others

Meilleurs vœux à tes parents / à toute la famille / aux copains.

Donne le bonjour à tes parents / à tout le monde.

Dis bonjour de ma part à tes parents / à tes grands-parents.

Dis bonjour de ma part à Marc / à Léah / à la bande / à tes amis.

School

En Irlande, on commence l'école primaire à cinq ans.

On va à l'école secondaire à douze ou treize ans.

Il y a deux examens importants : le Junior Certificate et le Leaving Certificate.

J'étudie… matières pour le Junior Certificate.

Ma matière préférée, c'est le / la / les…

Je suis fort(e) en…

Je suis moyen(ne) en…

Je suis nul / nulle en…

Mon professeur est malade / strict / très enthousiaste.

School outing/trip

Je vais faire un voyage scolaire en Angleterre. Nous allons visiter la maison de Shakespeare à Stratford.

Avec ma classe, nous allons passer une journée au musée.

Nous préparons une visite dans un parc d'attractions.

Nous espérons aller en France ce trimestre.

Sick

Je suis malade. J'ai la grippe.

J'étais malade. J'avais la grippe.

Mon père / Ma mère est malade. Il / Elle a la grippe.

J'avais mal au…/ à la…/ à l'…/ aux…

Je devais voir le médecin / le dentiste.

Je suis allé(e) aux urgences.

Sport

Je suis très sportif / sportive.

Je suis un vrai fan de sport.

Je passe des heures à m'entraîner pour…

Je dois avouer que je déteste le sport.

Je ne suis pas du tout sportif/ve.

Mon sport préféré, c'est le / la…

Je suis membre d'une équipe / d'un club.

Success in sport

Récemment, j'ai gagné une médaille d'or

    dans une compétition d'athléthisme.

    dans la course de 100m.

Nous avons gagné un concours.

Mon équipe a gagné le match / la ligue / la coupe.

Thank person for card/last letter/ present/stay in France

Merci mille fois pour…

    la carte d'anniversaire.

    la dernière lettre.

    le cadeau d'anniversaire.

    la photo.

    le CD / DVD.

    le séjour agréable en France.

Merci de tout cœur pour…

Dis merci de ma part à tes parents.

Je te remercie beaucoup du / de la / de l' / des…

Think of (opinion)

Je pense que…	c'est excellent.
Je trouve que…	la cuisine française est délicieuse.
Je crois que…	la France est un beau pays.
À mon avis,…	c'est injuste.

Travel — how you plan to

J'espère prendre…

J'ai l'intention de prendre le train / le bus / l'avion
  de… à…
  et puis le…

J'irai en voiture avec mes parents.

Est-ce que tu peux me retrouver à l'aéroport ?

Visit

Le week-end passé,   je suis allé(e) au cinéma.

                         j'ai rendu visite à mes grands-parents.

                         j'ai visité le musée.

Weather

Quel temps magnifique ! Quel temps affreux !

Quel beau temps !

Il fait un temps magnifique !

Le soleil brille tous les jours.

Il n'y a pas de nuages.

Il ne fait pas beau.

Il fait froid / Il fait un peu froid.

Il fait chaud / Il fait un peu trop chaud pour moi.

Je reste à l'ombre.

Il pleut tous les jours.

Il neige tous les jours. C'est bien pour le ski.

Il n'y a pas de neige. Je ne peux pas skier !

Weekend: things you did/are going to do

Le week-end dernier,   j'ai fait du vélo.

                       j'ai visité le zoo.

                       j'ai joué au foot.

                       nous avons fait une promenade en bateau.

                       nous avons assisté à un match de foot.

                       nous avons gagné la coupe.

                       nous avons campé à la montagne.

                       je suis allé(e) en ville.

                       je suis allé(e) en discothèque.

                       nous sommes allé(e)s à la maison des
                         jeunes.

Et toi ? Qu'est-ce que tu as fait pendant le week-end ?

Le week-end prochain, je vais / nous allons…

                       aller en ville / au cinema.

                       visiter le zoo.

          j'irai   voir mes copains.

                       louer des vélos.

Et toi ? Qu'est-ce que tu vas faire pendant le week-end ?

Well/Not well

Je vais bien / Je suis malade.

Nous allons bien chez moi.

Ça va bien / Ça ne va pas bien.

Tout va bien. Et toi ? Comment ça va ?

Ton père va bien après son accident ?

What a… What…!

Quel dommage !

Quelle bonne idée !

Quelle catastrophe !

Quelles bonnes nouvelles !

Quelles tristes nouvelles !

Where you are

Je suis / Nous sommes à…
Je suis / Nous sommes en…

Me / Nous voici à… / en…

Would like to…?

Ça te dit d'aller…?

Ça te dit de venir à Pâques ?

Est-ce que tu aimerais venir en Irlande ?

Est-ce que tu aimerais voir le sud de l'Irlande ?

Write soon

Écris-moi bientôt.

Écris-moi et décris-moi…

Il me tarde d'avoir de nouvelles.

Phrases for Formal Letters

Accommodation

une chambre à un lit / à deux lits

avec douche / avec salle de bains / avec balcon

pour… personnes.

un emplacement pour une tente / une caravane.

Arrive/will arrive

Nous arriverons le deux mai vers quatre heures.

Nous espérons arriver le…

Book/Reserve

Je voudrais retenir / réserver

   une chambre / deux chambres /

   un emplacement pour une tente / une caravane.

Confirmation of reservation

J'attends une confirmation de votre part.

J'attends une confirmation de ma resérvation.

Cost/Price

Quels sont vos prix / vos tarifs pour…

   la pension complète ?

   la demi-pension ?

   un emplacement avec gaz et électricité ?

Il y a une réduction pour… ?

Dates

à partir du 20 juin

du 20 juin au 25 juin

Enclosed please find

Vous trouverez ci-inclus…   une enveloppe pour la réponse.

    ci-joint…   mon CV.

    une lettre de recommandation.

    ma photo.

Experience of working

L'année dernière, j'ai travaillé dans un grand hôtel. J'ai travaillé comme serveur / comme serveuse / à l'accueil.

J'ai déjà travaillé dans un restaurant dans mon quartier / dans ma ville / dans le restaurant de mes parents / de mon oncle.

J'ai souvent fait du baby-sitting pour mon voisin.

J'ai fait un stage dans une garderie pendant les vacances.

Grateful

Je vous serais reconnaissant(e)…

   de bien vouloir faire des recherches.

   de bien vouloir m'envoyer…

   de m'écrire si vous avez des nouvelles.

Hoping for an early reply

Dans l'attente d'une réponse rapide…

J'espère vous lire bientôt.

Information about a place

Je cherche des renseignements pour mon dossier /

des renseignements sur les distractions pour les enfants.

> sur les parcs d'attractions.

> sur Rennes et ses environs.

> sur la région.

> sur les stages / les cours que vous proposez.

Pourriez-vous me donner des renseignements

> sur votre hôtel ?

> sur votre école ?

Est-ce que l'hôtel se trouve près du… / de la… / de l'… / des

Quelles sont les activités dans le quartier ?

Qu'est-ce qu'il y a comme activités dans l'hôtel / au camping ?

Information about yourself

Je m'appelle…

J'ai… ans

Je suis en 3ème…

J'étudie le français depuis 3 ans.

Je parle bien français.

Je voudrais travailler dans un hôtel / dans un restaurant / dans une entreprise.

Intend to

J'ai l'intention de passer une semaine à Rennes.

Nous avons l'intention de passer nos vacances dans la région.

Leave/Will leave

Nous repartirons le deux juin…

Like to

Je voudrais / J'aimerais…

Nous voudrions / Nous aimerions….

Lost/left behind

J'ai perdu ma valise / mon parapluie / ma montre / une bague.

J'ai laissé un manteau / mon appareil photo.

Make inquiries

Je vous serais reconnaissant(e) de bien vouloir faire des recherches.

Je fais des recherches pour un dossier.

Number of people

Nous sommes… adultes et… enfants.

Nous sommes … jeunes / ados.

Please

Je vous prie de…   m'envoyer un tarif.

Je vous serais obligé(e) de…   m'envoyer des brochures.

Veuillez m'envoyer…   des renseignement sur…

un plan de la ville.

une liste des restaurants.

Project

Je prépare un dossier pour mon cours de français sur la région.

Pour mes études, je prépare un dossier sur…

Qualifications - personal

J'ai un certificate   d'informatique
               de Premiers Secours

J'ai fait un stage   en informatique
               en cuisine
               en Premiers Secours

J'aide avec les jeunes dans mon club de foot / de hockey / de tennis.

J'ai entraîné une équipe des jeunes.

J'apprends le français depuis… ans.

J'ai une bonne connaissance de la langue française.

Je suis maître-nageur.

Qualities - personal

Je suis   ouvert(e)
        patient(e)
        ponctuel(e)
        responsible
        sérieux / -euse
        travailleur / -euse

J'ai un bon sens de l'humour.

Je suis en bonne santé.

Je suis fort(e) en…

Je suis doué(e) pour…

Mes profs disent que je suis…

Thanking you in advance

Je vous remercie par avance.

Avec mes remerciements anticipés.

Travelled

J'ai pris le train / l'avion / le car de… à…

J'ai fait le trajet en avion / en train / en car.

Where

à votre hôtel

au camping

à l'auberge

à l'ombre

au bord du lac

près des commerces

Why you want to work in/go to France

Je voudrais aller en France…   pour perfectionner mon français.

                              car j'aime la culture française.

                              car je voudrais travailler en France après mon Bac.

                              car c'est mon rêve de travailler en France.

Je voudrais étudier le français au niveau supérieur pour mon Bac.

Will be

Je serai à Lyon du 13 au 15 juin.

Nous serons à Bouzic jusqu'au 6 octobre.

Je vais être à Rennes dès le 21 mai.

Would like to know

J'aimerais savoir…   quels sont les jours de marché.

Je voudrais savoir…   quelles sont les spécialités du pays.

                  ce qu'il y a à faire et à voir dans la région.

Je voudrais savoir les heures de travail.

                  le salaire que je recevrai.

                  le prix du stage / des cours / de l'hébergement.

Letter-Writing Practice · Ordinary Level – Informal Letters

Q1 · Ordinary Level

Write a letter in French to your penpal, Audrey/Alain. Include at least **four** of the following points:

- thank him/her for the last letter
- say your mum is sick
- say you saw a good film last week
- say you are going on holidays next month
- ask if he/she is going on holidays
- say how you help with the housework
- give some news about your family
- ask when his/her birthday is
- tell him/her to write soon

Q2 · Ordinary Level

Write a letter in French to your penpal, David/Danielle. Include at least **four** of the following points:

- thank him/her for the birthday card received
- ask how his/her family is
- say you are studying a lot at school
- mention some subjects you study
- say what your favourite television programme is
- ask about the music he/she likes
- say what you are going to do at the weekend
- say something about your favourite sport

Q3 · Ordinary Level

You have just received the name and address of a new French penpal, Marion/Mathieu. Write your first letter to him/her and include at least **four** of the following points:

- introduce yourself
- state your age
- say something about your family
- say something about where you live
- ask about his/her family
- mention one of your interests/hobbies
- talk about something you did last weekend
- ask if he/she has a pet
- tell him/her what you like to eat

Q4 · Ordinary Level

Write a letter in French to your penpal, Nicolas/Nicole. In it include at least **four** of the following points:

- ask how he/she is
- thank him/her for the letter he/she sent you
- say that it is your brother's birthday tomorrow
- say that there is a party
- say what your favourite subject in school is
- say that you get a lot of homework
- tell him/her something about your parents
- say you are going to the cinema at the weekend
- ask for a photo

Q5 · Ordinary Level

Write a letter in French to your penpal, Denis/Denise. Include at least **four** of the following points:

- ask about his/her family
- ask how he/she is getting on at school
- tell him/her about a minor accident that happened in your house
- say that you are going out with friends at the weekend
- say what kind of work you do in the house
- say something about your school
- say that you are going to town this afternoon

Letter-Writing Practice · Higher Level – Informal Letters

Q1 · Higher Level

It is the month of June and you have finished your exams. Write a letter to your French penpal Paul/Pauline in which you:

- thank him/her for the last letter
- say something about the exams
- say what your plans are for the weekend
- ask if he/she is going to work for the summer
- give him/her some news about your family

Q2 · Higher Level

You have just returned from two weeks during the Easter holidays with your penpal Christophe/Christine. Write a letter in which you:

- thank him/her and the family for the wonderful holiday
- say what you enjoyed about your stay
- say something about your journey home
- say you have returned to school, but are finding one subject difficult
- say what you are planning for the summer holidays

Q3 · Higher Level

Your French penpal, Marie-Laure, has written to you for your birthday and sent you a t-shirt. Write a letter back in which you:

- thank her for the letter and the present
- say what your parents gave you as a birthday present
- tell her something you did on your birthday
- say that you are going shopping at the weekend
- ask her if she would like to come to Ireland in the summer

Q4 · Higher Level

You and your class are in France on an exchange. You are attending school in France with your exchange correspondent(e). Write to a penpal in another part of France and in the letter:

- say where you are and for how long
- describe the family with whom you are staying
- say something about the French school
- say what you will be doing in the time left
- tell about a minor accident that happened to one of your friends

Q5 · Higher Level

Your penpal has written to invite you to France for three weeks. Write a letter back in which you:

- thank him/her for the kind invitation
- accept the invitation
- say how you will travel to France
- say what you would like to do
- send your best wishes to his/her parents

Higher Level – Formal Letters

Q1 · Higher Level

Your name is Sean/Seana Dillon. Your address is 12 Dublin Road, Enniscorthy, Co. Wexford. You want to spend the month of August working in a hotel in Paris.

Write a formal letter to Monsieur or Madame Gachot, Hôtel du Sacré Cœur, Rue Napoléon, 75018 Paris, France. In the letter:

- give some information about yourself
- say why you would like to spend August in Paris
- give details of your experience working in a hotel
- ask for information about the hotel

Q2 · Higher Level

Your name is Niamh/Niall Moore and your address is 36 Brookville Court, Drogheda, Co. Louth. During the first term you would like to spend four weeks in a French school in the city of Toulouse.

Write a formal letter to the school principal Monsieur or Madame Maillot, Lycée Émile Zola, 31000 Toulouse, France. In the letter:

- explain that you wish to spend some time in the French school
- give some information about yourself
- ask for some information about the school
- ask about activities in the area

Q3 · Higher Level

You and your family intend to go on holidays to France during the summer. Write a letter to a French campsite, booking a place for your holiday. The campsite address is: Camping les Pins, 83200 Fréjus, France. Include the following points:

- give dates of when you will arrive and leave
- say the number of people who will be with you
- say that you want a site for a caravan
- ask for a price list
- ask for a brochure about the area

Q4 · Higher Level

During a holiday in France, you and your family travelled by train from Paris to Versailles. You left a sports bag behind you on the train. Write to SNCF about the matter at the following address - Bureau des Objets Trouvés, Gare de l'Est, 75000 Paris, France. In the letter:

- give the day and date of your journey
- say where the train was travelling to and from
- say where in the train you were sitting
- describe the bag and its contents
- say that you would be grateful if they could make inquiries

Q5 · Higher Level

You are doing a project on an area in France for French class. Write to a tourist office asking for information. Office du Tourisme, 53 Avenue des Américains, 35000 Rennes, France. Include the following points:

- you are doing a project on Rennes for school
- you would be grateful for information about Rennes and its surrounding area
- you would like a map of the town and any leaflets of interesting things to do
- thank them in advance

Table of Verbs

Infinitif	Présent		Imparfait		Passé Composé		Futur		Conditionnel	
aller to go	je	**vais**	j'	all**ais**	je	suis all**é(e)**	j'	ir**ai**	j'	ir**ais**
	tu	**vas**	tu	all**ais**	tu	es all**é(e)**	tu	ir**as**	tu	ir**ais**
	il/elle/on	**va**	il/elle/on	all**ait**	il/on	est all**é**	il/elle/on	ir**a**	il/elle/on	ir**ait**
					elle	est all**ée**				
	nous	all**ons**	nous	all**ions**	nous	sommes all**é(e)s**	nous	ir**ons**	nous	ir**ions**
	vous	all**ez**	vous	all**iez**	vous	êtes all**é(e)(s)**	vous	ir**ez**	vous	ir**iez**
	ils/elles	**vont**	ils/elles	all**aient**	ils	sont all**és**	ils/elles	ir**ont**	ils/elles	ir**aient**
					elles	sont all**ées**				
avoir to have	j'	**ai**	j'	av**ais**	j'	ai **eu**	j'	aur**ai**	j'	aur**ais**
	tu	**as**	tu	av**ais**	tu	as **eu**	tu	aur**as**	tu	aur**ais**
	il/elle/on	**a**	il/elle/on	av**ait**	il/elle/on	a **eu**	il/elle/on	aur**a**	il/elle/on	aur**ait**
	nous	av**ons**	nous	av**ions**	nous	avons **eu**	nous	aur**ons**	nous	aur**ions**
	vous	av**ez**	vous	av**iez**	vous	avez **eu**	vous	aur**ez**	vous	aur**iez**
	ils/elles	**ont**	ils/elles	av**aient**	ils/elles	ont **eu**	ils/elles	aur**ont**	ils/elles	aur**aient**
boire to drink	je	bo**is**	je	buv**ais**	j'	ai b**u**	je	boir**ai**	je	boir**ais**
	tu	bo**is**	tu	buv**ais**	tu	as b**u**	tu	boir**as**	tu	boir**ais**
	il/elle/on	boi**t**	il/elle/on	buv**ait**	il/elle/on	a b**u**	il/elle/on	boir**a**	il/elle/on	boir**ait**
	nous	buv**ons**	nous	buv**ions**	nous	avons b**u**	nous	boir**ons**	nous	boir**ions**
	vous	buv**ez**	vous	buv**iez**	vous	avez b**u**	vous	boir**ez**	vous	boir**iez**
	ils/elles	boiv**ent**	ils/elles	buv**aient**	ils/elles	ont b**u**	ils/elles	boir**ont**	ils/elles	boir**aient**
comprendre to understand	je	compren**ds**	je	compren**ais**	j'	ai compr**is**	je	comprendr**ai**	je	comprendr**ais**
	tu	compren**ds**	tu	compren**ais**	tu	as compr**is**	tu	comprendr**as**	tu	comprendr**ais**
	il/elle/on	compren**d**	il/elle/on	compren**ait**	il/elle/on	a compr**is**	il/elle/on	comprendr**a**	il/elle/on	comprendr**ait**
	nous	compren**ons**	nous	compren**ions**	nous	avons compr**is**	nous	comprendr**ons**	nous	comprendr**ions**
	vous	compren**ez**	vous	compren**iez**	vous	avez compr**is**	vous	comprendr**ez**	vous	comprendr**iez**
	ils/elles	comprenn**ent**	ils/elles	compren**aient**	ils/elles	ont compr**is**	ils/elles	comprendr**ont**	ils/elles	comprendr**aient**
connaître to know (people/ places)	je	conn**ais**	je	connaiss**ais**	j'	ai conn**u**	je	connaîtr**ai**	je	connaîtr**ais**
	tu	conn**ais**	tu	connaiss**ais**	tu	as conn**u**	tu	connaîtr**as**	tu	connaîtr**ais**
	il/elle/on	conn**aît**	il/elle/on	connaiss**ait**	il/elle/on	a conn**u**	il/elle/on	connaîtr**a**	il/elle/on	connaîtr**ait**
	nous	connaiss**ons**	nous	connaiss**ions**	nous	avons conn**u**	nous	connaîtr**ons**	nous	connaîtr**ions**
	vous	connaiss**ez**	vous	connaiss**iez**	vous	avez conn**u**	vous	connaîtr**ez**	vous	connaîtr**iez**
	ils/elles	connaiss**ent**	ils/elles	connaiss**aient**	ils/elles	ont conn**u**	ils/elles	connaîtr**ont**	ils/elles	connaîtr**aient**
devoir to have to (must)	je	d**ois**	je	dev**ais**	j'	ai **dû**	je	devr**ai**	je	devr**ais**
	tu	d**ois**	tu	dev**ais**	tu	as **dû**	tu	devr**as**	tu	devr**ais**
	il/elle/on	d**oit**	il/elle/on	dev**ait**	il/elle/on	a **dû**	il/elle/on	devr**a**	il/elle/on	devr**ait**
	nous	dev**ons**	nous	dev**ions**	nous	avons **dû**	nous	devr**ons**	nous	devr**ions**
	vous	dev**ez**	vous	dev**iez**	vouz	avez **dû**	vous	devr**ez**	vous	devr**iez**
	ils/elles	doiv**ent**	ils/elles	dev**aient**	ils/elles	ont **dû**	ils/elles	devr**ont**	ils/elles	devr**aient**

Infinitif	Présent		Imparfait		Passé Composé		Futur		Conditionnel	
dire to say / to tell	je tu il/elle/on nous vous ils/elles	dis dis dit disons dites disent	je tu il/elle/on nous vous ils/elles	disais disais disait disions disiez disaient	j' tu il/elle/on nous vous ils/elles	ai dit as dit a dit avons dit avez dit ont dit	je tu il/elle/on nous vous ils/elles	dirai diras dira dirons direz diront	je tu il/elle/on nous vous ils/elles	dirais dirais dirait dirions diriez diraient
écrire to write	j' tu il/elle/on nous vous ils/elles	écris écris écrit écrivons écrivez écrivent	j' tu il/elle/on nous vous ils/elles	écrivais écrivais écrivait écrivions écriviez écrivaient	j' tu il/elle/on nous vous ils/elles	ai écrit as écrit a écrit avons écrit avez écrit ont écrit	j' tu il/elle/on nous vous ils/elles	écrirai écriras écrira écrirons écrirez écriront	j' tu il/elle/on nous vous ils/elles	écrirais écrirais écrirait écririons écririez écriraient
envoyer to send	j' tu il/elle/on nous vous ils/elles	envoie envoies envoie envoyons envoyez envoient	j' tu il/elle/on nous vous ils/elles	envoyais envoyais envoyait envoyions envoyiez envoyaient	j' tu il/elle/on nous vous ils/elles	ai envoyé as envoyé a envoyé avons envoyé avez envoyé ont envoyé	j' tu il/elle/on nous vous ils/elles	enverrai enverras enverra enverrons enverrez enverront	j' tu il/elle/on nous vous ils/elles	enverrais enverrais enverrait enverrions enverriez enverraient
être to be	je tu il/elle/on nous vous ils/elles	suis es est sommes êtes sont	j' tu il/elle/on nous vous ils/elles	étais étais était étions étiez étaient	j' tu il/elle/on nous vous ils/elles	ai été as été a été avons été avez été ont été	je tu il/elle/on nous vous ils/elles	serai seras sera serons serez seront	je tu il/elle/on nous vous ils/elles	serais serais serait serions seriez seraient
faire to do / to make	je tu il/elle/on nous vous ils/elles	fais fais fait faisons faites font	je tu il/elle/on nous vous ils/elles	faisais faisais faisait faisions faisiez faisaient	j' tu il/elle/on nous vous ils/elles	ai fait as fait a fait avons fait avez fait ont fait	je tu il/elle/on nous vous ils/elles	ferai feras fera ferons ferez feront	je tu il/elle/on nous vous ils/elles	ferais ferais ferait ferions feriez feraient
lire to read	je tu il/elle/on nous vous ils/elles	lis lis lit lisons lisez lisent	je tu il/elle/on nous vous ils/elles	lisais lisais lisait lisions lisiez lisaient	j' tu il/elle/on nous vous ils/elles	ai lu as lu a lu avons lu avez lu ont lu	je tu il/elle/on nous vous ils/elles	lirai liras lira lirons lirez liront	je tu il/elle/on nous vous ils/elles	lirais lirais lirait lirions liriez liraient

Infinitif	Présent		Imparfait		Passé Composé		Futur		Conditionnel	
mettre **to put**	je	mets	je	mettais	j'	ai mis	je	mettrai	je	mettrais
	tu	mets	tu	mettais	tu	as mis	tu	mettras	tu	mettrais
	il/elle/on	met	il/elle/on	mettait	il/elle/on	a mis	il/elle/on	mettra	il/elle/on	mettrait
	nous	mettons	nous	mettions	nous	avons mis	nous	mettrons	nous	mettrions
	vous	mettez	vous	mettiez	vous	avez mis	vous	mettrez	vous	mettriez
	ils/elles	mettent	ils/elles	mettaient	ils/elles	ont mis	ils/elles	mettront	ils/elles	mettraient
partir **to leave /** **to depart**	je	pars	je	partais	je	suis parti(e)	je	partirai	je	partirais
	tu	pars	tu	partais	tu	es parti(e)	tu	partiras	tu	partirais
	il/elle/on	part	il/elle/on	partait	il/on	est parti	il/elle/on	partira	il/elle/on	partirait
					elle	est partie				
	nous	partons	nous	partions	nous	sommes parti(e)s	nous	partirons	nous	partirions
	vous	partez	vous	partiez	vous	êtes parti(e)(s)	vous	partirez	vous	partiriez
	ils/elles	partent	ils/elles	partaient	ils	sont partis	ils/elles	partiront	ils/elles	partiraient
					elles	sont parties				
pleuvoir **to rain**	il	pleut	il	pleuvait	il	a plu	il	pleuvra	il	pleuvrait
pouvoir **to be** **able to**	je	peux	je	pouvais	j'	ai pu	je	pourrai	je	pourrais
	tu	peux	tu	pouvais	tu	as pu	tu	pourras	tu	pourrais
	il/elle/on	peut	il/elle/on	pouvait	il/elle/on	a pu	il/elle/on	pourra	il/elle/on	pourrait
	nous	pouvons	nous	pouvions	nous	avons pu	nous	pourrons	nous	pourrions
	vous	pouvez	vous	pouviez	vous	avez pu	vous	pourrez	vous	pourriez
	ils/elles	peuvent	ils/elles	pouvaient	ils/elles	ont pu	ils/elles	pourront	ils	pourraient
prendre **to take**	je	prends	je	prenais	j'	ai pris	je	prendrai	je	prendrais
	tu	prends	tu	prenais	tu	as pris	tu	prendras	tu	prendrais
	il/elle/on	prend	il/elle/on	prenait	il/elle/on	a pris	il/elle/on	prendra	il/elle/on	prendrait
	nous	prenons	nous	prenions	nous	avons pris	nous	prendrons	nous	prendrions
	vous	prenez	vous	preniez	vous	avez pris	vous	prendrez	vous	prendriez
	ils/elles	prennent	ils/elles	prenaient	ils/elles	ont pris	ils/elles	prendront	ils/elles	prendraient
recevoir **to get /** **to receive**	je	reçois	je	recevais	j'	ai reçu	je	recevrai	je	recevrais
	tu	reçois	tu	recevais	tu	as reçu	tu	recevras	tu	recevrais
	il/elle/on	reçoit	il/elle/on	recevait	il/elle/on	a reçu	il/elle/on	recevra	il/elle/on	recevrait
	nous	recevons	nous	recevions	nous	avons reçu	nous	recevrons	nous	recevrions
	vous	recevez	vous	receviez	vous	avez reçu	vous	recevrez	vous	recevriez
	ils/elles	reçoivent	ils/elles	recevaient	ils/elles	ont reçu	ils/elles	recevront	ils/elles	recevraient